Das neue
Deutschland

— · — · — Walter Millers Reise

Der Kölner Dom

In Deutschland

BY

JOSEPH E. A. ALEXIS, PH.D.
University of Nebraska

AND

WILHELM K. PFEILER, PH.D.
University of Nebraska

MIDWEST BOOK COMPANY
LINCOLN, NEBRASKA

PREFACE

In Deutſchland is a reader especially adapted for the second semester of German in college or for the second year of German in high school. It aims to stimulate the interest for continued study of Germany and of the German language. The beginner is more concerned with present, up-to-date facts than he is with the past. This reader brings the student in close contact with the German people by giving him a knowledge of the life, customs, and institutions of Germany, as well as an insight into the economic and social conditions of the country.

The aim of In Deutſchland is to inspire and to teach the student by the following method:

1) Providing practical, entertaining, and useful reading material;

2) Teaching geography, history, literature, and modern tendencies in Germany;

3) Supplying in the conversation and narrative a suitable and full vocabulary, indispensable for the student at home and abroad;

4) Maintaining interest by maps and attractive photographs of the scenes described.

Each topic is provided with a questionnaire, which lends itself to oral or written assignment. These questions are based on the text and adapt themselves readily to conversation. The sentences for translation from English to German, whether used orally or for written assignments, will check the student's accuracy in vocabulary and grammatical construction.

The authors have used the book in mimeographed form in several classes, and this experience has shown that facts presented in a simple and practical manner grip and maintain the attention of the student.

A short description of Vienna is included because of the close cultural relation between Germany and Austria.

In Deutſchland has profited by the constructive criticism and helpful suggestions offered by teachers in this country and in Germany. The authors express their thanks to Professors Wm. D. Baskett of Central College, Missouri, A. B. Benson of Yale University, Tobias Diekhoff of the University of Michigan, F. C. Domroese of Wabash College, Laurence Fossler of the University of Nebraska, Otto Frohberg of Berlin, Germany, O. C. Gebert of the College of the City of Detroit, Margaret Hochdoerfer of the University of Nebraska, Lee M. Hollander of the University of Texas, W. F. Luebke of the University of Denver, Studienrat Dr. Wilhelm Michael of Friedensau, Germany, Alfred Roehm of Peabody College for Teachers, G. L. Spillman of the University of Louisville, Axel J. Uppvall of the University of Pennsylvania, and Daniel Walther of Union College, Nebraska.

For the use of photographs we are indebted to the tourist organizations of Bonn, Bremen, Brunswick, Cologne, Frankfurt am Main, Hildesheim, Leipzig, Munich, Nuremberg, Vienna, and Weimar, the Hamburg-America Line, the North German Lloyd, and the Austrian Tourist Office. We are particularly grateful to the German Railroads Information Office of New York City for never failing courtesy in furnishing photographs.

The authors wish to thank Marjorie O. Alexis, to whose collaboration from the very first, when the material for this book was assembled in Germany, to the reading of the last page proof, the success of this book will be largely due.

CONTENTS

ILLUSTRATIONS AND MAPS

An Deck

In Deutschland

1. Die Abreise

Auf dem Schiff

Langsam gleitet ein großer Dampfer aus dem Hafen von New York. Die lauten Rufe und der Lärm des Abschieds sind verstummt. Die Wolkenkratzer von Manhattan werden kleiner. Die Freiheitsstatue sendet einen letzten Gruß, und vor dem Schiff liegt der weite Ozean. 5

Europa ist das Ziel. Hamburg ist der Heimathafen des stolzen Schiffes.

Ein Gespräch

Ein junger Mann von etwa zweiundzwanzig Jahren lehnt am Geländer und schaut zurück. Es ist seine erste Seereise. Er verläßt Amerika, sein Heimatland, um seine Kenntnisse der deut= 10 schen Sprache zu vermehren; denn er will Sprachlehrer werden, und er weiß: Übung macht den Meister.

Der junge Mann benutzt jede Gelegenheit, Deutsch zu sprechen. Er braucht hier auf dem Schiff nicht lange zu warten; eine solche Gelegenheit kommt schnell. 15

„Sprechen Sie Deutsch, mein Herr?" fragte plötzlich ein Reisegefährte neben ihm.

„Jawohl, ich kann° schon etwas Deutsch, aber ich brauche noch viel Übung."

„Na, Ihre Antwort zeigt schon mehr als ‚etwas‘," lachte der 20 Frager, „wo haben Sie denn Deutsch gelernt?"

„Ich hatte drei Jahre Deutsch auf der Universität und gehe jetzt nach Deutschland, um mehr zu lernen."

Die Vorstellung

„Das ist recht! So lernt man eine Sprache am besten. Doch gestatten Sie, daß ich mich vorstelle: mein Name ist Robert Klinger."

„Und ich heiße Walter Miller."

5   „Ist dies Ihre erste Reise über das Meer, Herr Miller?"

„Jawohl, aber Sie haben schon mehrere solche Reisen gemacht,

Walters Kabine

nicht wahr?" fragte Walter.

„In der Tat. Ich bin Musiker und komme jetzt von einer Konzertreise durch die Vereinigten Staaten. Ich habe den Ozean 10 schon öfters gekreuzt. Ich wohne in München. Und wohin gehen Sie in Deutschland?"

„Ich gehe nach Berlin. Ich will dort die Universität besuchen.

Bewegung. Auf und nieder tanzte das gewaltige Schiff, nur ein Spielball der Wellen.

Der Speisesaal blieb leer. Walter und Herr Klinger waren unter den wenigen, die etwas essen konnten. Aber auch sie eilten

Die Küche an Bord

5 nach der Mahlzeit schnell wieder an Deck, denn in der frischen Luft war es viel besser.

Eine gute Antwort

Oben angekommen, hörten sie folgendes Gespräch zwischen einem Reisenden, der seekrank war, und einem Matrosen.

„Ach, Matrose," klagte der unglückliche Passagier aus seinem 10 Liegestuhl, „wie weit sind wir noch vom Lande?"

Keine Antwort.

In den Ferien werde ich einige Reisen durch Deutschland machen."

„Dann kommen Sie aber auch einmal nach München. Ich werde Ihnen dann viel Schönes und Interessantes zeigen."

Das Gespräch endete hier, und die neuen Bekannten trennten sich. Herr Klinger schien ein netter Reisekamerad zu sein. 5

„Vielleicht werden wir gute Freunde," dachte Walter und ging in seine Kabine, wo er sich zum Essen fertig machte.

2. Auf dem Ozean

Unterwegs

Das Schiff war schon mehrere Tage unterwegs. Herr Klinger und Walter hatten Freundschaft geschlossen. Sie sprachen immer Deutsch mit einander, und Walter sprach mit jedem Tage besser 10 und fließender.

Das Wetter war schön, und die Reisenden hatten herrliche Tage auf dem Atlantischen Ozean. Spaziergänge auf dem geräumigen Deck wechselten ab mit dem Lesen von Büchern und Zeitungen in den bequemen Liegestühlen. Die Bordkapelle spielte 15 schöne Weisen, und oft konnte man die vergnügten Schiffsgäste tanzen sehen. Abends gab es gewöhnlich eine Kinovorstellung.

Das Wetter

Europa kam näher. Alles hoffte auf gutes Wetter bis zum Schluß der Reise. Aber welche Enttäuschung! In den letzten Tagen begann ein heftiger Sturm, und fast alle Reisenden wurden 20 seekrank.

Unter den Glücklichen, die nicht seekrank wurden, waren auch Walter und Herr Klinger. Sie konnten also das wilde Schauspiel des Sturmes genießen.

Wie das Meer sich geändert hatte! 25

Die Oberfläche, sonst so glatt und ruhig, war jetzt in wilder

Das Klima

Das Klima ist im allgemeinen mild. In den Sommer=
monaten ist die Temperatur im Durchschnitt zwanzig bis fünf=
undzwanzig Grad Celsius° (68=77 Fahrenheit). Im Juni, Juli,
August und September ist das Wetter meistens schön.

Selbst in Norddeutschland ist das Wetter nicht rauh. 5

Der Winter in Deutschland ist gewöhnlich kalt und schneereich.

Mitteldeutschland ist ziemlich gebirgig. Wir finden hier den
Harz, das Fichtelgebirge, den Thüringerwald und das Erzgebirge.

Auf dem Eise°

Im Sommer wie im Winter ist der Aufenthalt in der reinen
Höhenluft sehr gesund. Darum gibt es dort auch viele Kurorte 10
und Heilbäder. Viele Kranke finden in diesen Stätten Heilung,
andere Erholung.

Auch Süddeutschland ist durch sein gesundes Klima bekannt.

Das herrliche Bayern und das liebliche Schwaben haben ein mildes und gesundes Klima. Deshalb reisen die Deutschen in den Ferien oft dorthin.

5 Die höchsten Gebirge Süddeutschlands sind der Schwarzwald und die bayerischen Alpen, beide von schönen Tälern durchzogen und mit dichten Wäldern bedeckt.

Im Winter ist es dort herrlich. Alle Arten von Wintersport werden dann getrieben. Man rodelt, läuft Schneeschuh, läßt sich von Pferden über das Eis ziehen und saust auf Schlittschuhen über 10 die zugefrorenen Seen, deren es dort so viele gibt. Amerikaner, Skandinavier, Engländer und Besucher von anderen Ländern trifft man dort in großer Zahl an."

So endete Herr Klinger. Walter hatte aufmerksam zugehört.

Abend auf dem Meer

Es war inzwischen dunkel geworden. Die Sterne spiegelten 15 sich in der dunklen See. Die Lichter der Leuchttürme erschienen am Horizont. Die Küste lag vor ihnen. Kuxhaven, der Hafen Hamburgs, war nahe.

Herr Klinger ging hinunter in seine Kabine. Walter blieb noch ein wenig oben und dachte an seine ferne Heimat.

20 „Ich will hier in Deutschland gut lernen. Deutsche Studenten kommen nach Amerika, um das Beste, was wir haben, kennen zu lernen. Ich will das gleiche in Deutschland tun."

So sprach er zu sich selbst und ging schlafen, denn bei der Landung am nächsten Morgen wollte er frisch und munter sein.

4. Die Landung

In Kuxhaven

Walter stand früh auf. Er hatte nicht so gut wie sonst ge=
schlafen. Die Erwartung des Neuen und Unbekannten hatte ihn
lange wach gehalten.

In der kühlen Luft an Deck traf er Herrn Klinger, auch fertig
zur Landung.   5

Während der Nacht war das Schiff in Kuxhaven angekommen.
Dicke Seile hielten den Dampfer ans Land gebunden.

„Nun dauert es nicht mehr lange, bis wir deutschen Boden
unter den Füßen haben," sagte Herr Klinger.

„Hat man viele Schwierigkeiten bei der Prüfung der Pässe   10
und der Durchsicht des Gepäcks?" fragte Walter.

„Das kommt ganz darauf an. Manchmal geht alles sehr
schnell; ein anderes Mal ist es schwieriger. Im allgemeinen jedoch
ist es nicht so schlimm."

Die Begrüßung

Inzwischen hatten sich ziemlich viele Leute auf der Landungs=   15
brücke eingefunden, um Verwandte und Freunde zu begrüßen, die
mit dem Schiff ankamen. Welche Freude, wenn Bekannte und
Verwandte sich erblickten! Durch lautes Rufen und Winken mit
Taschentüchern setzte man sich mit einander in Verbindung.

Der Lärm nahm immer mehr zu, bis endlich die Reisenden   20
die Landungsbrücke betraten.

Unsere Freunde gingen mit der Menge, versuchten jedoch, zu=
sammen zu bleiben.

Paß und Zoll

Zuerst kam die Prüfung der Pässe. Nur Personen mit ord=
nungsmäßigen Papieren durften durchgehen.   25

„Alles in Ordnung!" Walter und Herr Klinger eilten weiter um ihre Sachen von den Beamten prüfen zu lassen.

Das Gepäck war bereits hierher gebracht. Jeder fand das seine unter dem Anfangsbuchstaben seines Namens.

5 „Haben Sie irgend etwas Verzollbares ?" fragte ein Beamter in grüner Uniform.

„Nein, mein Herr," antwortete Walter, „nur Kleider, Wäsche, Bücher und einige persönliche Sachen sind in meinem Gepäck. Wollen Sie es sehen ?"

10 Walter öffnete die Koffer, und der Beamte sah, daß Walter die Wahrheit gesagt hatte.

„Ich danke Ihnen." Damit machte der Beamte ein Zeichen auf das Gepäck, und die Sache war erledigt.

Nach Hamburg

Auch Herr Klinger war fertig, und beide gingen nun zum 15 Zuge, der auf die Reisenden wartete und sie nach Hamburg bringen sollte.

Überall standen Leute. Hier umarmten Vater und Mutter den Sohn; da begrüßten sich Bruder und Schwester; dort schüt= telte man immer wieder die Hände von Onkeln und Tanten, 20 Kusinen und Vettern. Mit lauten Worten feierten alte Freunde ihr Wiedersehen.

„Das Sprichwort ‚Aus den Augen, aus dem Sinn' scheint doch nicht immer wahr zu sein," bemerkte Herr Klinger zu Walter, „sehen Sie nur, wie sich die Leute freuen."

25 Beide standen allein, denn sie wurden hier von niemand er= wartet und hatten Zeit, alles zu beobachten.

„Einsteigen!"

Die Türen klappten zu, und der Zug verließ den Bahnhof. Bald waren die Reisenden in Hamburg.°

5. Ein Brief aus Hamburg

Hamburg, den 1. Oktober 19..

Sehr geehrter Herr Professor!

Bei meiner Abreise habe ich Ihnen versprochen, Ihnen sogleich nach meiner Ankunft in Deutschland zu schreiben. Dieses Ver=

Im alten Hamburg

sprechen will ich halten.   5

Die Reise über den Ozean war sehr schön. Wir hatten zwar einige Tage Sturm, doch kamen wir glücklich in Hamburg an.

Unterwegs machte ich die Bekanntschaft eines deutschen Mu=

sikers. Sein Name ist Robert Klinger. Wir waren viel zusam=
men und sind gute Freunde geworden. Er wird mich bis nach
Berlin begleiten. Dort werden wir uns trennen, denn ich werde
den Winter über in jener Stadt bleiben, während er nach München
5 weiterfährt, wo er wohnt.

Gestern und heute haben wir uns Hamburg angesehen, die
zweitgrößte Stadt Deutschlands und den größten Hafen des euro=
päischen Festlandes.

Hamburg, Stadt und Alsterbecken

Bauten und Verkehr

Die prächtigen, großen Geschäftshäuser der Innenstadt sowie
10 der gewaltige Hafen zeigen die Bedeutung Hamburgs als Han=
delsstadt.

Der rege Verkehr ist nach amerikanischem Muster geordnet. Tausende von Menschen benutzen täglich, wie in New York, die Hoch= und Untergrundbahn, die Straßenbahn, den Autobus oder das Automobil.

Eine besondere Zierde Hamburgs ist das Alsterbecken, ein klei= 5
ner See, der durch die Alster gebildet wird. Im Herzen der Stadt gelegen, bietet er den Hamburgern ausgezeichnete Gelegenheit zu allerlei Erholung. Wer nicht gerade in dem kühlen Wasser baden oder schwimmen will, kann sich in Booten auf der Alster ver= gnügen. Die Häuser mancher reichen Hamburger Kaufleute, an 10
ruhigen, vornehmen Straßen gelegen, umrahmen einen großen Teil des äußeren Alsterbeckens.

Der Hafen

Einen besonderen Eindruck auf mich machte eine Rundfahrt durch den Hafen.

Unser kleiner Dampfer eilte von Hafen zu Hafen, unter Brücken 15
und durch Schleusen. Ein Führer gab jedesmal die nötigen Er= klärungen.

Die gewaltigen Schleusen! Die dicken Mauern! Die Hunderte von Dampfern und Segelschiffen aus allen Teilen der Welt! Hier der Indiahafen, dort der Amerikakai; hier der Platz für die Afrika= 20
dampfer, dort der Petroleumhafen!

In der Tat, Hamburg ist eine Stadt des Welthandels!

Wir fuhren auch an einer der größten Schiffswerften der Welt vorbei. Reges Leben herrschte dort. Die größten Schiffe der Welt werden hier gebaut.
25

Nach Besichtigung des Elbtunnels,° eines Meisterwerkes der Technik, gingen Herr Klinger und ich in unser Hotel zurück.

Hagenbecks Tierpark

Am Nachmittag besuchten wir den berühmten Tierpark von Hagenbeck. Fast alle Tiere der Welt sind dort vertreten. Sie leben nicht in Käfigen sondern laufen frei umher, durch ein ge-schicktes System von Gräben von den Besuchern des Tierparks
5 getrennt.

Müde kamen wir am Abend zurück. Herr Klinger ging so-gleich zu Bett. Ich blieb noch länger auf und schrieb diesen Brief.

Der Eingang zu Hagenbecks Tierpark

Morgen reisen wir nach Berlin. Von dort werden Sie meinen nächsten Brief bekommen.

10 Mit freundlichem Gruß,

Ihr ehemaliger Schüler
Walter Miller.

6. Nach Berlin

Etwas über das deutsche Verkehrswesen

Zum Bahnhof

„Fertig, Herr Miller? Unser Auto ist schon unten!" rief Herr Klinger ins Zimmer.

„Einen Augenblick, ich bin sogleich unten."

Walter warf noch einen prüfenden Blick über das Zimmer.

Eine deutsche Lokomotive

Er hatte nichts vergessen. Schnell eilte er hinunter. 5

Beide bestiegen das Auto, das sie in schneller Fahrt zum Bahnhof brachte.

„Wir hätten auch im Flugzeug nach Berlin fliegen können. Auf der Eisenbahn lernt man aber das Leben viel besser kennen als im Flugzeug." 10

„Ja, ich möchte gern mit den Deutſchen bekannt werden.
Macht man hier in Deutſchland ebenſo leicht Bekanntſchaften auf
der Eiſenbahn wie bei uns in Amerika?“

„Freilich. Jedoch iſt der Norddeutſche in ſeinem Weſen etwas
5 zurückhaltender als ſein mittel= und ſüddeutſcher° Landsmann.
Aber auch er hat, was wir auf deutſch ,Gemütlichkeit‘ nennen.“

Am Fahrkartenſchalter

Da war ſchon der Bahnhof. Beide Freunde gingen zum Fahr=
kartenſchalter.

„Nun, Freund Walter, löſen Sie einmal unſere Fahrkarten.
10 Sie wiſſen ja, wie es gemacht wird, nicht wahr?“

„Ich denke doch,“ lachte Walter, und dann, zum Beamten
gewendet, ſagte er:

„Zwei Fahrkarten zweiter Klaſſe nach Berlin.“

„Schnellzug?“

15 Fragend ſah Walter Herrn Klinger an, und dieſer kam zu
Hilfe.

„Gewiß, Schnellzug.“

Die Freunde bezahlten und empfingen ihre Fahrkarten.

„Ich bin doch froh, daß Sie bei mir waren, Herr Klinger.
20 Ich hatte in dem Augenblick ganz vergeſſen, daß man in Deutſch=
land mehrere Arten von Zügen hat.“

„Ja, ſo geht’s. Als Amerikaner muß man ſich erſt an die
Unterſchiede von Fern=, Schnell=, Eil= und Perſonenzug° gewöh=
nen. Es iſt nur gut, daß wir in Deutſchland keine vier Klaſſen
25 mehr haben, wie früher. Das würde die Sache für Sie noch
ſchwieriger machen. Doch ſpäter mehr davon. Wir haben nicht
viel Zeit mehr und wollen ſehen, daß wir gute Plätze finden.“

Im Abteil

Die Freunde hatten das Glück, zwei Fenſterplätze in ihrem

Abteil zu finden. Sie legten ihr Gepäck in das Netz über dem Sitz und sahen dann aus dem Fenster, bis der Zug abfuhr.

„Die deutsche Eisenbahn ist von der amerikanischen doch sehr verschieden," sagte Walter.

„Der Hauptunterschied liegt in der verschiedenen Einrichtung 5 der Wagen. In Amerika ist der ganze Wagenraum ungeteilt. Die Sitze sind an den Seitenwänden. Die deutschen Wagen dagegen sind in Abteile eingeteilt, so daß man in kleinen Gruppen von vier bis acht Personen reist. Eine Tür, wie hier in unserem

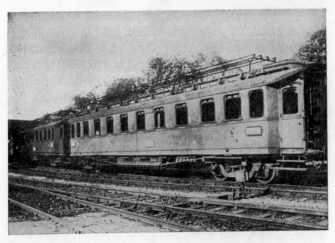

Ein D-Zugwagen mit Antenne für Radio

Abteil, führt auf den Seitengang, von wo aus man in die anderen 10 Abteile kommt. Freilich hat man diese Einrichtung nur in den D-Zügen, die Abteile der anderen Züge führen direkt ins Freie."

„Was bedeutet eigentlich das Wort D-Zug?"

„Es ist die Abkürzung von Durchgangszug."

Die deutschen Züge

„Haben alle Züge dieselben Klassen?"

„Nein, bis vor kurzem gab es in Deutschland vier verschiedene Klassen. Das ist aber jetzt nicht mehr."

„Ja," sagte ein Reisender, „die vierte Klasse gibt es nicht mehr. 5 In dieser fuhren früher die meisten, und wissen Sie auch, warum?"

„Nein," antwortete Walter.

„Weil es keine fünfte Klasse gab."

Alles im Abteil lachte.

Die Deutsche Reichsbahn

„Ich glaube, ich verstehe das System jetzt."

10 „Noch eins muß ich Ihnen erklären. Alle Eisenbahnen sind in einer Gesellschaft vereinigt. Die Deutsche Reichsbahn wird vom Staate kontrolliert. Es ist eins der größten Geschäftsunternehmen der Welt. Über 700 000 Angestellte und Arbeiter werden von der Bahn beschäftigt."

15 „In der Tat eine gewaltige Organisation," sagte Walter.

Im Speisewagen

Vom Gang ertönten Glocken.

„Was bedeutet das?"

„Das Zeichen zum Mittagessen im Speisewagen."

„Nun, dann können wir ja gleich zum Essen gehen," sagte 20 Walter und ging mit Herrn Klinger in den Speisewagen.

Es war eine ausgezeichnete Mahlzeit. Dabei hatte man einen schönen Blick aus den breiten Fenstern des Speisewagens.

„Ist ein Herr Heinrich Krause aus Hamburg hier?" rief plötzlich eine laute Stimme von der Tür.

25 „Hier. Ich bin es. Was ist los?"

„Sie werden am Telephon gewünscht, mein Herr."

„Ich komme sofort," und damit eilte der Herr Krause hinaus.

„Nanu," sagte Walter, „wie ist das denn möglich? Hat man denn hier im fahrenden Zuge Telephon?"

„Das haben wir," antwortete Herr Klinger. „Eine Anzahl von Zügen hat Telephon, und Sie können während der Fahrt nach irgend einem Platz telephonieren." 5

Nach der Mahlzeit ging man ins Abteil zurück.

Im Zuge beim Essen

Der Luftverkehr

Die Reisenden setzten das Gespräch über das deutsche Verkehrswesen fort.

„Ja, Deutschland macht Fortschritte, doch kostet es viel Arbeit," sagte einer der Herren. „Sehen Sie nur zum Beispiel, wie 10 sich der Luftverkehr entwickelt hat."

„Darüber weiß ich fast nichts," bekannte Walter, „wollen Sie mir ein wenig darüber sagen?"

„Recht gern. Als Kaufmann interessiere ich mich besonders
5 für die Entwicklung unseres Verkehrswesens, und ich will Ihnen gerne mitteilen, was ich davon weiß. Deutschland hat einen ausgedehnten Luftverkehr. Der Flughafen Berlin-Tempelhof ist nicht nur der Mittelpunkt für Deutschland sondern auch für Europa. Von hier aus gehen viele Linien nach allen Ländern."

Ein Zeppelin

10 „Aber das Reisen im Flugzeug ist gewiß recht teuer?"

„Durchaus nicht so teuer wie man denkt. Ein Flug von Berlin nach Leipzig dauert etwas über eine Stunde und kostet ungefähr zwanzig bis fünfundzwanzig Mark. Im Verhältnis zu einer Fahrt von zwei und einer halben Stunde im D-Zug ist das Fliegen
15 bequemer."

„Hoffentlich kommen aber nicht viele Unglücksfälle vor."

„Nein, glücklicherweise nicht. Das Flugzeug ist heute kaum gefährlicher als die Eisenbahn. Auch der Bau lenkbarer Luftschiffe wird eifrig betrieben. Sie erinnern sich gewiß, wie der ‚Graf
20 Zeppelin' Amerika mehrere Besuche machte."

Das Segelfliegen

„Verzeihen Sie, wenn ich Sie unterbreche! Fliegt man hier nicht auch ganz ohne Motor wie die Vögel?"

„O, Sie haben sicherlich von den Segelfliegern gehört. Ja=

wohl, dieser Sport wird eifrig betrieben. Stundenlang bleiben die Flieger in der Luft und ziehen ihre Kreise. Man kann es kaum glauben, daß ein solcher Flug vierzehn Stunden und länger dauern kann, wie es tatsächlich der Fall ist."

Das Automobil

„Dies ist mir alles ziemlich neu. Aber so viele Automobile ⁵ wie in Amerika gibt es hier doch nicht."

„Da haben Sie recht. Jedoch der Autobus gehört zu den neuesten Verkehrsmitteln. Zahlreiche Kraftlinien sind in allen Teilen Deutschlands von der Post eingerichtet. Sie vermitteln in bequemer Weise den Verkehr mit den entlegenen Städtchen ¹⁰ und Dörfern. Auch in der Großstadt sieht man den Autobus wie in Amerika."

„Und die Untergrundbahn hat man ja auch," fügte Walter hinzu, „das habe ich in Hamburg schon gesehen."

Elektrische Bahnen

„Jawohl, die Hoch- und Untergrundbahn ist ein gutes Ver= ¹⁵ kehrsmittel. In Berlin finden wir das Netz über die ganze Stadt verbreitet. Man kann in kürzester Zeit nach den entferntesten Vor= orten Berlins gelangen. Auf manchen Strecken findet man drei Linien übereinander."

„Au!" rief plötzlich ein Reisender, „da ist mir doch durchs ²⁰ Fenster Kohlenstaub ins Auge geflogen."

Mit einem Taschentuch entfernte er den Kohlenstaub.

„Na, es war nicht so schlimm. Es ist schon alles wieder in Ordnung. Fahren Sie nur in Ihren Erklärungen fort. Wir hören gern zu, nicht wahr, meine Herren?" ²⁵

Alle nickten.

„Nun, ich glaube, wir haben nicht mehr viel Zeit. Der Zug kommt Berlin näher. Aber der kleine Unfall soeben erinnert mich

daran, daß man alle Bahnen elektrisch machen will. Dann kom=
men solche Dinge wie Kohlenstaub nicht mehr vor. Jedoch es
wird wohl noch eine gute Zeit dauern, bis dieser Plan überall
durchgeführt wird."

Die Hoch= und Untergrundbahn in Berlin

5   Das Gespräch wandte sich anderen Dingen zu.

Walter hatte manches Neue gehört. Seine Gedanken richteten
sich jetzt auf die Weltstadt Berlin, deren Lichter am Horizont
erschienen.

„Es war eine sehr angenehme Reise. Auf Wiedersehen, meine
10 Herren," sagte Walter zu den anderen Reisenden, als er mit Herrn
Klinger das Abteil verließ.

Bald waren alle in der Menschenmenge, die den Bahnhof füllte,
verschwunden.

Walter war in Berlin.

7. In der Pension

Ankunft in Berlin

Walter Miller und Herr Robert Klinger standen am Ausgang des großen Bahnhofs an der Friedrichstraße, wo sie soeben mit dem Zug angekommen waren.

„Jetzt," sagte Herr Klinger, „müssen wir uns wohl trennen. Ich werde noch einige Tage in Berlin bleiben. Meine Schwester 5 ist hier verheiratet. Ihr Mann ist Studienrat,° d. h. Lehrer an einer höheren Schule. Ich wohne immer bei ihnen, wenn ich in Berlin bin."

„Ich habe freilich keine Verwandten hier. Mein ehemaliger Professor in Amerika hat mir aber die Adresse einer guten Pension 10 gegeben, in der er selbst gewohnt hat. Ich habe der Dame, welche die Pension leitet, geschrieben, und man erwartet mich dort heute abend."

„Dann ist ja alles in Ordnung. Doch wann werden wir uns treffen, um Berlin zu besichtigen? Ich kenne die Stadt sehr gut 15 und möchte Ihnen gerne die Sehenswürdigkeiten zeigen."

„Sie rufen mich am besten morgen nachmittag an, dann können wir das Nähere verabreden. Sie werden die Nummer im Telephonbuch unter Pension Borchert, Nußbergstraße 97, finden."

„Gut. Also dann: auf Wiedersehen!" 20

Mit kräftigem Händedruck schieden die Freunde und bestiegen die Automobile, die sie herangewinkt hatten.

Zur Pension

Die Fahrt durch die belebten Straßen war reizvoll. Die Menschenmassen, die Lichtreklame, der flutende Verkehr, die sausenden Autos, alles erinnerte Walter lebhaft an Amerika. Nur die An- 25 zeigen in deutscher Sprache und die schmaleren Straßen zeigten, daß man in Deutschland war.

Das Auto hielt vor einem schönen, vierstöckigen Hause.

Walter bezahlte den Führer und stieg die zwei Treppen zur Pension empor. Die breiten Treppen waren hell erleuchtet.

Er klingelte.

Die Straßenbahn in Berlin

5　　Die Tür öffnete sich.°

„Sie wünschen?“ fragte ein Dienstmädchen.

„Mein Name ist Walter Miller. Hier ist meine Karte. Melden Sie mich bitte bei Frau Borchert!“

„Bitte, treten Sie näher!“

10　　Walter wurde in das Empfangszimmer geführt.

Der Empfang

„Ach, Sie sind also der junge Herr aus Amerika, der eine Zeitlang bei uns bleiben will. Willkommen in Deutschland!“

damit reichte Frau Borchert Walter die Hand, „hoffentlich wird es Ihnen hier gefallen."

Frau Borchert war eine nette, ältere Dame von freundlichem Wesen.

„Jawohl, gnädige Frau, ich bin der erwartete Gast aus Amerika. Mein Professor, der vor einigen Jahren bei Ihnen gewohnt hat, läßt Sie grüßen. Er erzählt oft von den schönen Tagen, die er in Berlin verlebt hat."

„Auch wir denken oft an ihn. Wie geht es ihm denn? Doch später werden wir mehr darüber sprechen, nicht wahr? Jetzt sind Sie gewiß sehr müde und hungrig von der Reise."

„Es würde mir angenehm sein, wenn Sie mir jetzt meine Zimmer zeigten, gnädige Frau."

„Reden Sie mich nur mit Frau Borchert an, Herr Miller. Es ist zwar in der Gesellschaft Sitte, gnädige Frau oder gnädiges Fräulein zu sagen, aber ich habe die einfachere Anrede lieber. Doch nun folgen Sie mir, bitte!"

Walter bekam ein nettes Schlafzimmer und ein geräumiges Wohnzimmer, das auch als Arbeitszimmer diente. Die Räume waren durch eine Tür verbunden.

Als Walter alles gesehen und seine Zufriedenheit ausgedrückt hatte, sagte Frau Borchert:

„Nun will ich Sie aber allein lassen. Da wir schon zu Abend gegessen haben, will ich Ihnen einen Imbiß auf Ihr Zimmer schicken. Gute Nacht, schlafen Sie wohl!"

Die belegten Brote und der Kaffee schmeckten sehr gut. Auch die Früchte waren ausgezeichnet. Walter war sehr befriedigt und ging bald darauf zu Bett.

Guten Morgen!

Als Walter erwachte, schien die Sonne schon hell durchs Fenster herein. Er sah nach der Uhr. Es war beinahe neun. Nun aber schnell aus den Federn!

Er hatte gut geschlafen, nur war es ihm unter den dicken Feder=
betten ein wenig zu warm gewesen. Er dachte, sobald er Frau
Borchert sehe, wolle er sie bitten, ihm ein paar Decken zu geben
5 anstatt der mit Federn gefüllten Kissen.

Als er mit dem Anziehen fertig war, ging er in das Eßzimmer.
Es war leer.

Er klingelte.

Das Frühstück

Ein Dienstmädchen kam und fragte, was er zum Frühstück
10 wünsche.

„Bringen Sie mir bitte etwas Haferbrei, Milch, Kaffee, Bröt=
chen, Butter und ein Ei!"

Das Mädchen ging und brachte nach kurzer Weile das Ge=
wünschte.

15 Es schmeckte Walter sehr gut.

Einige Augenblicke später kam auch Frau Borchert herein und
wünschte ihm einen guten Morgen.

„Nun, Herr Miller, wie haben Sie die erste Nacht in Berlin
geschlafen?"

20 „Danke, recht gut, nur war es ein wenig warm."

„O, ich verstehe. Leider vergaß ich, Ihnen Decken zu geben.
Die hätten Ihnen besser gefallen. Wir werden die Sache noch
heute ändern. Aber so ist es: andere Länder, andere Sitten. Auch
im Essen werden Sie Unterschiede bemerken."

Die deutschen Mahlzeiten

25 „Ich glaube wohl. Man sagte mir schon in Amerika, die
Deutschen äßen sechs= bis siebenmal täglich, während wir nur drei=
mal essen."

„Aber das ist doch ein wenig übertrieben," lächelte Frau Bor-

ckert, „obgleich es wahr ist, daß man im Durchschnitt in Deutsch=
land öfter ißt als in Amerika. Eine einheitliche Sitte gibt es
in Deutschland nicht. Der Unterschied von Land und Stadt und
von verschiedenen Landesteilen ist ziemlich groß."

„Wie oft ißt man denn in Berlin?"   5

„Wir in unserer Pension haben freilich nur drei Mahlzeiten
täglich, aber die meisten Leute essen wohl fünfmal am Tage."

„Wirklich?"

„Da ist das erste Frühstück, auch ‚Kaffee' genannt. Man
nimmt es ungefähr um acht Uhr ein. Es besteht aus Kaffee, 10
Milch, Brötchen und Butter. An Sonn= und Festtagen gibt es
auch Kuchen.

Um zehn Uhr ißt man gewöhnlich das zweite Frühstück. Es
gibt dann belegte Brote.

Die Hauptmahlzeit findet um dreizehn Uhr statt. Suppe, 15
Fleisch, Gemüse, Obst und Nachtisch stillen dann den Hunger."

„Verzeihen Sie, wenn ich Sie unterbreche. Sie sagten, um
dreizehn Uhr sei das Mittagessen. Diesen Ausdruck höre ich zum
ersten Mal."

„Ja, wir mußten uns auch zuerst daran gewöhnen. Seit eini= 20
gen Jahren hat man in Deutschland die Stunden von Mitternacht
zu Mitternacht bis vierundzwanzig durchgezählt. Dreizehn Uhr
bedeutet also ein Uhr mittags, zwanzig Uhr acht Uhr abends. Es
ist einfacher, besonders auf der Bahn."

„Ich verstehe jetzt; doch erzählen Sie weiter."   25

„Nachmittags um sechzehn Uhr, oder nach alter Weise vier
Uhr, ist dann wieder ‚Kaffee', ein Imbiß, der dem ersten Früh=
stück entspricht. Das Abendessen ist ungefähr um zwanzig Uhr
und besteht hier in Norddeutschland meistens aus kalter Küche."

„Den letzten Ausdruck habe ich nicht verstanden. Sagten Sie 30
nicht ‚kalte Küche'? Das heißt auf englisch 'cold kitchen', nicht
wahr?"

Hier mußte Frau Borchert lachen.

„Sie haben ganz richtig überſetzt, aber es gibt ſo viele Redens=
arten, die man nicht wörtlich überſetzen kann. ‚Kalte Küche‘ be=
deutet ſo viel wie ‘cold lunch’, das heißt, Speiſen, die kalt
5 gegeſſen werden.“

Eine Küche auf dem Lande

Jetzt mußte auch Walter lachen. Er ſagte dann:

„Ich glaube, ich werde mich noch an viel Neues gewöhnen
müſſen.“

„Es wird ſo ſchlimm nicht werden,“ ſagte Frau Borchert und

stand auf, um an ihre Arbeit zu gehen, „wenn Sie irgend welche
Wünsche haben, sagen Sie es mir. Wir werden alles tun, was
wir können, um es Ihnen hier angenehm zu machen."

Walter ging wieder auf seine Zimmer. Sein Gepäck war inzwischen angekommen. Er packte aus und machte seine beiden 5
Zimmer so gemütlich wie möglich.

Das Mittagessen

Es wurde ein Uhr, und die Glocke rief zum Mittagessen.

Frau Borchert empfing Walter im Speisezimmer und stellte
ihn den anwesenden Damen und Herren vor.

Dann setzte man sich zu Tisch.   10

Der Tisch war wie in Amerika gedeckt, nur die gefüllten Was-
sergläser fehlten.

Walters Nachbarin war ein Fräulein Karsten. Sie war Mu-
sikstudentin. Zu seiner Linken saß ein Studienrat, Doktor Peters;
ihm gegenüber ein Assessor° Dreher, der am Gericht beschäftigt 15
war. Sodann waren noch mehrere Studenten und Studentinnen
anwesend.

Bald war ein lebhaftes Gespräch im Gange.

Walter unterhielt sich sehr gut mit seinen Nachbarn. Man
fragte ihn über dies und das. Eine häufige Frage war, ob es ihm 20
in Deutschland besser gefalle als in Amerika.

„Ich kann noch keine Vergleiche zwischen Deutschland und
Amerika ziehen. Ich muß erst ein wenig länger hier sein, ehe ich
Ihnen die Frage beantworten kann."

„Sie haben recht," sagte Assessor Dreher, „die Leute sind oft 25
zu schnell mit ihrem Urteil, wenn sie in einem fremden Lande
reisen. Es ist immer besser, mit dem Urteil zu warten, bis man
ein Land gründlich kennen gelernt hat."

„Wünschen Sie noch Brot?" wendete sich der Studienrat an
Walter.   30

Eine deutsche Landschaft

„Nein, danke sehr. Doch darf ich Ihnen die Butter reichen?"

„Ja, wenn Sie so freundlich sein wollen."

„Trinken Sie nicht ein Glas Wein mit uns, Herr Miller?" fragte der Assessor über den Tisch. „Sie sind ja hier nicht in Amerika, und da schadet es doch nicht."

„Ich bedaure," antwortete Walter höflich, „aber ich muß Ihre freundliche Aufforderung doch ablehnen. Ich ziehe Wasser vor."

„Auch ich bin Ihrer Meinung," sagte Fräulein Karsten. „Über den Geschmack läßt sich nicht streiten. Übrigens gibt es jetzt auch in Deutschland viele Leute, die so denken wie Sie."

Dann nahm das Gespräch eine andere Richtung.

„Hören Sie gern gute Musik?"

„Gewiß, mein Fräulein, ich habe Musik sehr gern, besonders die Musik der deutschen Meister."

„Spielen Sie auch selbst ein Instrument?"

„Ich spiele Geige."

„Dann könnten wir ja einmal zusammen spielen. Wir haben ein nettes Musikzimmer hier."

„Fein. Es wird mir sehr angenehm sein."

Nach dem Essen blieb man noch eine Weile zusammen. Walter wurde noch mit mehreren Anwesenden bekannt. Alle waren sehr freundlich zu ihm.

Man trennte sich mit dem Wort ‚Mahlzeit', das eigentlich bedeutet: ich wünsche Ihnen eine gesegnete Mahlzeit.

Ein Gespräch durchs Telephon

Am Nachmittag klingelte das Telephon. Das Dienstmädchen kam ins Zimmer und sagte:

„Herr Miller, Sie werden am Telephon gewünscht."

Walter eilte ans Telephon.

„O, Herr Klinger. Das ist fein, daß Sie mich anrufen."

„Wie wäre es mit einer Besichtigung Berlins?"

„Gern. Holen Sie mich ab, oder wollen wir uns irgendwo
treffen?"

„Nein, ich hole Sie ab. Ist es Ihnen recht, wenn ich morgen
früh um neun Uhr bei Ihnen bin?"

5   „Natürlich."

„Also dann, morgen früh um neun Uhr. Bis dahin: auf
Wiedersehen."

„Auf Wiedersehen."

8. Ein Spaziergang durch Berlin

Am nächsten Morgen um neun Uhr war Herr Klinger pünkt=
10 lich da.

„Heute ist ein wundervoller Herbsttag. Die Sonne scheint so
schön. Ich denke, wir gehen zu Fuß nach dem Brandenburger
Tor. Der Weg dorthin wird nicht länger als eine halbe Stunde
dauern."

15   „Ich bin ganz Ihrer Meinung. Genießen wir die frische Luft."

Man machte sich auf den Weg. Walter sah, wie die Balkone
der Häuser oft mit Blumen geschmückt waren. Selbst in den
Fenstern hatte man Blumen. Die Straßen waren sehr sauber.

„Die Sauberkeit Berlins ist doch mit Recht berühmt," sagte
20 Walter.

Die Stadt Berlin

„Ja, es ist für eine Weltstadt wie Berlin, die mit allen Vor=
orten ungefähr vier Millionen Einwohner hat, keine Kleinigkeit,
alles so rein zu halten.

„Verstehe ich recht? Berlin hat ungefähr vier Millionen Ein=
25 wohner? Dann wäre es ja die drittgrößte Stadt der Welt."

„Ganz richtig. Nur New York und London sind größer als die
Hauptstadt Deutschlands. Berlin ist der größte Verkehrsmittel=

punkt Europas. Nehmen wir eine Eisenbahnkarte des Festlandes
zur Hand, so sehen wir ein Netz von schwarzen Linien. Die Kno=
tenpunkte sind die Städte. Im Norden Deutschlands wird dieses
Netz immer dichter. In seiner Mitte sitzt, einer großen Spinne
vergleichbar, Berlin. Da London auf einer Insel und Paris zu   5
weit von der Mitte Europas liegt, so ist Berlin während der
letzten Jahre das Herz des europäischen Verkehrs geworden. Von
Paris nach Warschau, von Stockholm oder Kopenhagen nach Rom,
von Hamburg nach Wien, immer geht die Reise über die Haupt=
stadt Deutschlands."   10

Das Brandenburger Tor

Das Brandenburger Tor

Unter diesem Gespräch hatten die Freunde das Brandenburger
Tor erreicht.

Das in griechischem Baustil errichtete Brandenburger Tor

ruht auf mächtigen Säulen, die fünf Durchfahrten bilden. Säu=
lengänge sind rechts und links angelegt.

„Dies ist das Wahrzeichen Berlins, junger Freund."

„Was ist das?" Walter zeigte nach oben.

5 „Es ist der Wagen der Siegesgöttin."°

Unter den Linden

Die Freunde wandten sich um. Vor ihnen lag die berühmte
Straße Berlins: Unter den Linden. Sie ist zwar nur ein Kilo=
meter lang aber sechzig Meter breit.

Sie begannen ihre Wanderung auf der rechten Seite und
10 gingen in der Richtung nach der Schloßbrücke. Sie sahen zuerst
verschiedene öffentliche Gebäude, unter anderen die Akademie der
Künste.°

Kurz darauf begannen auch die vier doppelten Linden= und
Kastanienreihen, die eine schöne Promenade bilden.

15 „Ist das nicht schön?" rief Herr Klinger aus. „Die Bäume
bringen einen Gruß der freien Natur in diese Weltstadt mit ihren
regelmäßigen Straßen und grauen Häusern."

Für den Preis von zehn Pfennigen kann man sich einen Stuhl
unter den Bäumen mieten und in aller Ruhe dem geschäftigen
20 Treiben zusehen. Aber unsere Freunde hatten dazu keine Lust.
Sie eilten weiter.

An zahlreichen vornehmen Hotels gingen sie vorüber. Präch=
tige Läden stellten feinste Luxuswaren zum Verkauf aus. Auch
die großen Schiffahrtsgesellschaften° der Welt waren hier ver=
25 treten.

Nachdem die Freunde die Friedrichstraße überschritten hatten,
kamen sie zur Staatsoper. Gegenüber der Staatsoper lag die
Universität. Walter betrachtete sie mit großem Interesse. Hier
hoffte er ein Jahr gründlichen Studiums zu verleben.

Etwas weiter hin war das Zeughaus mit seinen großen Sammlungen von Waffen.

Sie kamen an die Schloßbrücke.

Der Lustgarten

„Hier sehen Sie die Spree, an deren Ufern sich Berlin aus einem kleinen Fischerdorf zu einer Weltstadt entwickelt hat. Diese Brücke hier bildet den Eingang zum sogenannten Lustgarten, um den herum ein ganzes Stadtviertel herrlicher Museen und Bilder=

Der Dom in Berlin

galerien liegt. Doch von besonderem Interesse sind natürlich der Dom und das frühere königliche Schloß.

Sie gingen über die Brücke.

„Welche herrlichen Gebäude! Und alles so nahe beisammen!"

„Sehen Sie nur, wie vornehm das Schloß aussieht, obwohl es in der engen Umgebung eigentlich nicht genug Platz hat."

Geschäftsstraßen

Sie wandten sich nun einigen Geschäftsstraßen zu. Zuweilen benutzten sie die Straßenbahn.

Walter betrachtete alles mit größter Aufmerksamkeit. Als Amerikaner war er an Weltstadtverkehr gewöhnt. Aber er merkte
5 doch, daß er in eine gewaltig große Stadt gekommen war.

Da waren die grellen Anzeigen an den Anschlagsäulen. Dort gingen Männer, die große Reklameschilder trugen. Straßen=
händler boten alle möglichen Sachen zum Verkauf an.

Ein Eindruck jagte den anderen. Die Tunnels der Unter=
10 grundbahn verschluckten ganze Ströme von Menschen und sandten sie an anderen Stellen wieder hinaus.

Eisenbahnzüge rollten bis in die Innenstadt Berlins. Die Züge der Ringbahn, welche die äußeren Stadtteile mit einander verbindet, sauste vorbei. Auf eisernen Brücken, hoch in der Luft,
15 donnerten die Züge.

Die Polizei

Die Polizei hielt musterhafte Ordnung. Walter las oft die Vorschrift: Rechts fahren. Auf den Brücken und an den Straßen=
kreuzungen regelten die Schutzleute° mit ruhigen Handbewegungen den Verkehr.

20   „Sagen Sie, Herr Klinger, was bedeuten denn die roten Arm=
binden, die ich bei einigen Schutzleuten sehe?"

„O, das sind Mitglieder der Verkehrspolizei, die fremde Sprachen sprechen. Sehen Sie hier diesen Schutzmann? Er spricht außer Deutsch Französisch, Englisch und Russisch."

25   „Ausgezeichnet! Die Deutschen sind doch sehr praktisch. Es wird sicherlich den Fremdenverkehr in Deutschland fördern."

Die beiden Wanderer kehrten nach ‚Unter den Linden' zurück.

„Vorhin habe ich ganz vergessen, Ihnen die Staatsbibliothek zu zeigen, die sich nahe bei der Universität befindet. Hier ist sie."

Friedrich der Große

In der Mitte der Straße stand ein Denkmal. Friedrich der Große blickte hier auf die Kinder der neuen Zeit herab.

„Er war einer der besten Herrscher seiner Zeit," sagte Herr Klinger. „Sein Grundsatz war, der erste Diener des Staates zu

Unter den Linden—Die Universität

sein. Er übte Toleranz in religiösen Dingen, sorgte für ein gutes 5 Schulwesen und erlaubte den Zeitungen oft, ihre Meinung zu sagen. Vom Volke wurde er ,der alte Fritz' genannt."

„Ich weiß auch etwas über ihn. Einer seiner Offiziere war der Baron von Steuben,° der Washingtons Armee nach preußischem Muster organisierte. Amerika hat diesem General Steuben, der 10 in Friedrichs des Großen Schule gewesen war, viel zu danken."

Kurz darauf gingen Walter und Herr Klinger in ein gutes Restaurant, wo sie zu Mittag aßen. Danach machten sie sich wieder auf den Weg.

Der Tiergarten

„Den ganzen Tag wollen wir aber nicht im Lärm des Ge=
schäftsviertels zubringen," sagte Herr Klinger. „Wir werden jetzt
in den Tiergarten gehen."

„Vom Tiergarten habe ich schon gehört. Dort sind wohl wilde
5 Tiere? Es ist ungefähr so wie in Hagenbecks Tierpark in Ham=
burg, nicht wahr?"

„Nein, es ist kein zoologischer Garten. Auch einen solchen hat
Berlin natürlich, aber der Tiergarten ist etwas anderes."

Sie gingen durch das Brandenburger Tor und waren bald
10 unter den Bäumen des Parkes.

„Sehen Sie, dies ist der Tiergarten, der schönste Park Berlins.
Der Name stammt aus dem achtzehnten Jahrhundert. Früher
war es ein großer Wald, worin die Fürsten ihre Jagden hielten.
Später, als hier der Park angelegt wurde, hat man ihm, in Er=
15 innerung an die alte Zeit, den Namen ‚Tiergarten' gegeben. Sie
werden hier zahlreiche Denkmäler sehen."

Gemütlich wanderten Spaziergänger die Fußwege entlang.
Auf den offenen Plätzen spielten die Kinder. Reitwege und breite
Fahrstraßen kreuzten den Park. Schöne Brücken führten zu kleinen
20 Inseln, die in stillen Teichen angelegt waren, auf denen Schwäne
langsam dahinglitten. Hier und da luden Bänke zur Rast unter
alten Eichen ein. Blumen erfreuten das Auge mit ihren schönen
Farben.

„Sie haben nicht zu viel gesagt, Herr Klinger. Dies ist wirk=
25 lich ein schöner Park. Er ist wundervoll."

Die Siegesallee

Schließlich gelangten die Freunde in die Siegesallee.° Zahl=
reiche Statuen der Herrscher von Brandenburg und dem späteren
Königreich Preußen schmückten die Seiten. Es war ein sehr lehr=

reicher Kursus in der Geschichte Preußens. Herr Klinger gab zu mancher Statue die nötigen Erklärungen.

Am Ende der Siegesallee erhob sich die Siegessäule mit dem gigantischen Friedensengel.

Die Siegesallee

Die Freunde stiegen im Inneren auf einer steilen Treppe zur 5 Spitze der Säule empor. Zu Füßen des Engels war eine Plattform. Sie traten hinaus.

Auf der Siegessäule

Welch ein Anblick!

Vor ihnen liegt das Häusermeer der Riesenstadt, die ganze Fläche bis zum Horizont bedeckend. Nahe dabei das dunkle Grün, 10 das helle Gelb und das leuchtende Rot des herbstlichen Tiergartens. Dort liegen das Brandenburger Tor und die geschäftige Innenstadt. Im Osten und Norden sieht man die Arbeiterviertel und den Industriebezirk. Wie spitze Nadeln stechen die Schornsteine in den Rauch und Dunst, der über den Dächern liegt. Im Westen dagegen breiten sich vornehme, ruhige Straßen mit ihren zahlreichen Villen aus.

5 „Das war wirklich schön," sagte Walter, als sie wieder hinabstiegen.

Der Platz der Republik

Wenige Schritte weiter, und sie waren auf dem Platz der Republik. Dort standen zahlreiche Denkmäler von berühmten Generälen und Staatsmännern. Am meisten interessierte Walter 10 das Reichstagsgebäude, vor dessen Front das Denkmal des Fürsten Bismarck, des ersten Kanzlers des Deutschen Reiches, steht.

„Leider ist es schon zu spät, sonst würden wir uns das Reichstagsgebäude auch im Inneren ansehen. Doch da der Reichstag kürzlich angefangen hat zu tagen, werden Sie es am besten bei der 15 Gelegenheit tun, wenn gerade eine Sitzung stattfindet. Dann können Sie das politische Leben Deutschlands gleich an der Quelle kennen lernen."

„Das würde mir gefallen."

Sie waren mit ihrem Spaziergang zu Ende. Walter winkte 20 ein Automobil heran. Sie stiegen ein. Während der Fahrt sagte Walter zu Herrn Klinger:

„Ich werde Sie nun erst nach Hause bringen. Besten Dank für Ihre Führung. Doch wie lange bleiben Sie noch in Berlin?"

„Übermorgen reise ich nach München ab."

25 „Teilen Sie mir die Zeit Ihrer Abfahrt mit. Ich möchte sie gerne an die Eisenbahn bringen."

„Gut, das werde ich tun. Doch hier ist schon das Haus, in dem ich wohne. Guten Abend, Freund Walter."

„Auf Wiedersehen."

9. Im Reichstag

Herr Klinger war nach München abgefahren, und Walter hatte auf dem Bahnhof versprochen, ihn sobald wie möglich in München zu besuchen.

Es war ein nebliger Tag gewesen. Jetzt war eine muntere Gesellschaft im Wohnzimmer der Pension beisammen. Walter 5 erzählte von seinem Spaziergang. Er schloß seine Erzählung mit folgenden Worten:

„Schließlich besichtigten wir das Reichstagsgebäude, aber leider nur von außen. Ich möchte einmal einer Sitzung des Reichstags beiwohnen, doch weiß ich nicht, wie man eine Eintrittskarte er= 10 hält."

Eine Einladung zum Besuch des Reichstags

„Dabei kann ich Ihnen helfen," rief Assessor Dreher, „ich bin mit mehreren Reichstagsabgeordneten bekannt. Es wird nicht so schwer sein, Eintrittskarten zu erhalten. Wie ich höre, soll morgen eine interessante Sitzung stattfinden. Hätten Sie Lust, morgen 15 nachmittag mit mir zu gehen?"

„Sehr gern," antwortete Walter.

„Gut, ich werde gleich den Abgeordneten Kluge anrufen und ihn fragen, ob er uns morgen Eintrittskarten besorgen kann. Ich werde sofort zurück sein." 20

Mit diesen Worten verließ Assessor Dreher das Zimmer.

Politische Unterschiede

„Wie ich sehe," sagte Studienrat Peters zu Walter, „interes= sieren Sie sich auch für das politische Leben. Sie werden da manche Verschiedenheiten zwischen Deutschland und Amerika bemerken."

„Wirklich? Ist Deutschland jetzt nicht auch eine Republik wie 25 die Vereinigten Staaten?"

„Das ist wohl wahr. Das Prinzip ist das gleiche, aber die Formen weichen von einander ab."

„Wie kommt das?"

„Die geschichtliche Entwicklung war in Europa anders als in
5 Amerika."

„Erzählen Sie mir bitte etwas darüber."

Aus Deutschlands Geschichte

„Recht gern. Im Mittelalter hatten wir an Stelle des moder= nen Deutschlands Hunderte von größeren und kleineren Staaten, die sich immer bekriegten und nur lose durch das sogenannte Heilige
10 Römische Reich zusammengehalten wurden. Der Kaiser war meist machtlos. Einige Teile Deutschlands wurden selbständige Staa= ten, wie zum Beispiel die Schweiz, Holland und Belgien. Andere wieder wurden Teile von Nachbarstaaten. Diesem Zustande wurde schließlich durch Bismarck ein Ende gemacht. Es gelang ihm 1871,
15 mit eiserner Tatkraft einen einheitlichen Staat zu schaffen, an dessen Spitze der Deutsche Kaiser stand."

„Darum wird Bismarck auch der eiserne Kanzler genannt, nicht wahr?"

„Jawohl, ohne einen eisernen Willen hätte er dieses Werk
20 nicht vollenden können. Er schuf den Reichstag, der schon seit 1871 nach demokratischem Grundsatz gewählt wurde. Im Jahre 1918 wurde dann das Reich eine Republik."°

Inzwischen war Assessor Dreher zurückgekommen und teilte mit, daß sie gute Aussicht hätten, morgen Eintrittskarten zu einer
25 Reichstagssitzung zu bekommen.

„Erzählen Sie weiter, Herr Studienrat," sagte der Assessor, „es wird Herrn Miller interessieren, da wir morgen zum Reichs= tag gehen."

„Sicherlich," stimmte Walter bei.

Die Verfassung

Studienrat Peters fuhr fort:

„Deutschland ist ein Bundesstaat wie die Vereinigten Staaten. Siebzehn Länder, an Größe sehr verschieden, bilden das Deutsche Reich, das nicht ganz so groß ist wie Texas und über sechzig Millionen Einwohner zählt. Diese Länder sind im Reichsrat° vertreten. Die größten davon sind Preußen, Bayern, Württemberg und Sachsen.

Die wichtigste Einrichtung ist der Reichstag, die parlamentarische Vertretung des deutschen Volkes. Die Reichstagsabgeordneten werden direkt vom Volke gewählt.° Auf je sechzigtausend Stimmen kommt ein Abgeordneter.

Die Regierung

An der Spitze des Reiches steht der Reichspräsident, der unmittelbar vom Volk auf sieben Jahre gewählt wird. Der erste Präsident war Friedrich Ebert,° der sein Amt mit großem Geschick und Takt geführt hat. Ihm folgte der greise Feldmarschall von Hindenburg,° unter dessen Führung Deutschland große Fortschritte gemacht hat.

Der Reichspräsident ernennt den Reichskanzler, der dann die Minister vorschlägt. Reichskanzler und Minister bilden die Regierung, die aber das Vertrauen des Reichstags haben muß, bevor sie ihr Amt beginnen kann. Wenn eine Mehrheit im Reichstag gegen die Regierung stimmt, muß der Reichspräsident neue Männer ernennen, die das Vertrauen des Reichstags haben."

„Das ist allerdings bei uns in Amerika anders. Der Kongreß kann keine Regierung stürzen. Der Präsident hängt in dieser Hinsicht nicht vom Kongreß ab."

Es war spät geworden. Der Studienrat sagte:

„Ehe wir uns trennen, will ich Ihnen noch den ersten Artikel der deutschen Verfassung sagen, der den demokratischen Geist dieser Verfassung zeigen soll:

‚Das Deutsche Reich ist eine Republik: die Staatsgewalt geht vom Volke aus'."

„Seit wann besteht diese Verfassung?" fragte Walter zum Schluß.

5   „Seit dem 11. August 1919."

Das Reichstagsgebäude

„Ein wichtiger Tag. Ich werde ihn mir merken. Meinen Sie nicht auch, Herr Dreher, daß Herr Doktor Peters mich für morgen gut vorbereitet hat?"

„Das will ich meinen," lachte dieser, „doch nun: gute Nacht!"

10   „Gute Nacht!"

Der Reichstagsabgeordnete

Am nächsten Nachmittag gingen Assessor Dreher und Walter zum Reichstagsgebäude.

Am Eingang fragte ein Beamter nach ihren Wünschen. Sie gaben ihm ihre Visitenkarten mit der Bitte, sie dem Herrn Abgeordneten Kluge zu geben.

Es dauerte nicht lange, bis ein älterer Herr zu ihnen kam. Er begrüßte Assessor Dreher und ließ sich dann Walter vorstellen. Es war der Reichstagsabgeordnete Kluge.

„Es ist mir ein Vergnügen, Herr Miller," sagte er, „Ihnen Gelegenheit zu geben, den Reichstag an der Arbeit zu sehen. Leider habe ich jetzt wenig Zeit, denn meine Anwesenheit drinnen ist sehr nötig."

„Ich verstehe vollkommen," bemerkte Walter und drückte seinen Dank aus.

Der Abgeordnete winkte einem Diener.

„Führen Sie die Herren an ihre Plätze!"

Dann eilte der Reichstagsabgeordnete wieder in den Sitzungssaal.

Auf der Tribüne

Walter und Assessor Dreher wurden zu ihren Plätzen auf der Tribüne geleitet. Sie konnten den Saal gut übersehen. Marmorbüsten, wundervolle Gemälde und goldene Leuchter schmückten die Wände.

Unten saßen im Halbkreis die Vertreter des deutschen Volkes. Zu beiden Seiten des Reichstagspräsidenten waren die Sitze der Regierung und des Reichsrats.

Lebhafte Verhandlungen waren im Gange. Die Opposition machte einen Angriff auf die Regierung. Redner der Regierungsparteien° verteidigten natürlich die Regierung. Einige glänzende Reden wurden gehalten, die oft durch Beifall unterbrochen wurden. Auch ein Minister sprach. Zwischenrufe wurden gemacht. Mehrmals mußte der Reichstagspräsident° um Ruhe bitten.

Die Parteien

„Sehen Sie nur, wie unruhig die Kommuniſten ſind,“ ſagte
Herr Dreher.

„Sind es diejenigen, die auf der äußerſten linken Seite ſitzen?“

„Jawohl. An ſie grenzen die Sozialdemokraten, gegenwärtig
5 die größte Partei. Sie haben ungefähr dieſelben Ziele wie die
engliſche ‘Labor Party’. Dann folgt die kleine Gruppe der
Demokraten. In der Mitte ſehen Sie dann das ſogenannte Zen=
trum, die katholiſche Partei Deutſchlands. Dann folgt die deutſche
Volkspartei, die im allgemeinen die Intereſſen der deutſchen In=
10 duſtrie vertritt. Auf der rechten Seite ſehen Sie dann die Deutſch=
nationale Volkspartei, die wieder eine Monarchie in Deutſchland
einführen will. Zwiſchen dieſen größeren Parteien ſitzen dann
noch Vertreter der kleineren Gruppen. Bei den letzten Wahlen
hatten wir nicht weniger als ſechsundzwanzig Parteien.“

15 „Darin übertrifft Deutſchland allerdings Amerika,“ ſagte
Walter und blickte auf das Treiben dort unten.

Eine Abſtimmung

Es kam zu einer wichtigen Abſtimmung.

Alle Abgeordneten verließen den Saal durch zwei Türen und
kehrten dann zu ihren Sitzen zurück.

20 Der Aſſeſſor erklärte:

„Wer mit Ja ſtimmt, geht durch die Ja=tür auf der rechten
Seite des Hauſes, wer gegen das Geſetz ſtimmt, geht durch die
Nein=tür auf der linken Seite.“

Die Regierung hatte die Schlacht gewonnen. Lauter Beifall
25 folgte, unterbrochen von dem Ziſchen der Oppoſition.

Am nächſten Morgen las Walter mit Intereſſe die Zeitung.
Er verſtand jetzt viel beſſer als vorher, was der Bericht über die
Reichstagsſitzung zu ſagen hatte.

10. Das deutsche Schulwesen

Wochen waren vergangen. Walter fühlte sich in Berlin schon wie zu Hause. Das Wintersemester der Universität hatte am fünfzehnten Oktober begonnen, jedoch begannen die Vorlesungen erst am zweiten November.

Die Universität in Leipzig°

Da Walter schon vier Jahre in Amerika die Universität besucht 5 hatte, wurde er in Berlin akademischer Bürger° und zwar Student in der Philosophischen Fakultät.°

Er war mit mehreren Studenten bekannt geworden. Auch einige Amerikaner hatte er getroffen, die ebenfalls die Universität besuchten. Die Professoren waren sehr freundlich, als er sie um 10 Rat fragte.

Nach deutscher Sitte ließ Walter sich diese Visitenkarte drucken:

WALTER MILLER
stud. phil.

Berlin
Nussbergstrasse 97

Ein Gespräch über die Schulen

Über das deutsche Schulwesen hatte er eines Morgens eine
interessante Unterhaltung. Einige Studenten und Walter waren
auf dem Hof der Universität spazieren gegangen, und das Gespräch
5 war auf das Schulwesen gekommen. Man verglich, wie so oft,
Deutschland und Amerika. Außer Walter war noch ein anderer
Amerikaner, der in Europa nur zum Vergnügen reiste, in der
Gruppe. Dieser sagte:

„Die amerikanischen Schulen und Universitäten sind besser.
10 Wir haben in Amerika viel mehr und bessere Schulen als Sie in
Deutschland."

„Aber Sie lernen nicht mehr als wir in Deutschland, eher
weniger."

„Das glaube ich nicht. In Amerika muß ein Student unge=
15 fähr siebzehn Jahre die Schulen besuchen, um die Würde eines
A.M. zu bekommen. Der deutsche Student bekommt in derselben
Zeit schon den Doktor, wie ich gehört habe."

„Wollen Sie damit sagen, daß man in Deutschland weniger
arbeitet als in Amerika?"

20 Das Gespräch wurde lebhaft.

Verschiedene Systeme in Deutschland und Amerika

Ein Student, der viel gereist war, nahm das Wort:

„Es ist verständlich, daß jeder das Beste von seinem Lande denkt, aber es ist falsch zu sagen, Amerika oder Deutschland habe ein besseres System. Die Wahrheit ist, daß die Systeme verschieden sind. Nicht besser oder schlechter, sondern anders. Amerika verdankt deutschen Pädagogen viel. Denken Sie nur an Friedrich Froebel,° der die Kindergärten begründete. Noch heute zeugt in Amerika der Name davon, woher diese Einrichtung stammt. Und

Deutsche Kinder

mancher amerikanische Professor hat seine Ausbildung in Deutschland erhalten, nicht wahr? Dagegen müssen wir in Deutschland jedoch anerkennen, wie viel Amerika für das moderne Erziehungswesen geleistet hat. Ich sage also nochmals, nicht besser sondern anders."

„Aber ist es nicht wahr, daß der amerikanische Student viel längere Zeit studiert als der deutsche?"

5 „Oberflächlich angesehen, haben Sie recht. Doch näher betrachtet, werden Sie finden, daß der deutsche Student eben so viel Zeit gebraucht hat wie unsere amerikanischen Freunde."

„Wieso?"

Das Schuljahr

„In Deutschland hat man ein längeres Schuljahr und eine
10 längere Schulwoche."

„Wollen Sie das bitte erklären?"

„Mit Ausnahme der Universität, die zwei Semester hat, fangen alle deutschen Schulen im Frühling nach Ostern an. Eine Woche Ferien zu Pfingsten, vier Wochen Ferien im Sommer, je zwei
15 Wochen zu Weihnachten und Ostern unterbrechen das Schuljahr, das also aus einundvierzig Wochen besteht. Der Unterricht findet an sechs Tagen der Woche statt. Sonnabend ist ein voller Arbeitstag."

„Das erklärt allerdings die Sache."

„Weiter bedenken Sie bitte, daß das Schulwesen in Deutsch=
20 land einheitlich geregelt ist, und daß man die Lehrer sehr gründlich ausbildet. Wenn ein junger Mann das Reifezeugnis° hat, ist er gewöhnlich gut ausgerüstet, sein Studium auf der Universität zu beginnen."

Hier sagte Walter:

25 „Ich gebe Ihnen recht. In mancher Beziehung soll der ‚Junior' einer amerikanischen Universität weiter sein als der Anfänger auf einer deutschen Universität, aber nach allem, was ich gehört habe, muß diese doch unseren 'graduate schools' entsprechen. Der Besuch einer Universität in Deutschland erfordert
30 jedenfalls eine sehr gründliche Vorbildung."

Das neue System

„Ist der Besuch höherer Schulen nicht ein Vorrecht der oberen und reicheren Klassen?" fragte der andere Amerikaner in der Gruppe.

„Das war einmal, aber jetzt hat jeder Tüchtige dazu Gelegenheit. Es gibt nämlich keine Vorrechte der reichen Klassen im deutschen Erziehungswesen. Jeder Deutsche besucht zuerst vier 5 Jahre die Volksschule. Dann kann ein Schüler, je nach Begabung und Neigung, eine der vier Schulen wählen, die ihn in neun Jahren auf die Universität vorbereiten."

„Was ist der Unterschied dieser vier Schulen?"

Die deutschen Schulen

„Da ist zuerst das Gymnasium. Die alten Sprachen stehen 10 im Mittelpunkt. Latein wird neun Jahre, Griechisch und eine moderne Sprache werden sechs Jahre lang betrieben. Die Oberrealschule legt Gewicht auf zwei moderne Sprachen, gewöhnlich Englisch und Französisch, Mathematik und Naturwissenschaften. Die dritte Schule, das Realgymnasium, steht in der Mitte zwischen 15 den beiden erstgenannten. Die jüngste höhere Schule ist die Deutsche Oberschule, deren Eigenart in einem gründlichen Studium der deutschen Sprache und Kultur besteht."

„Was tut ein Schüler, der auf keine höhere Schule geht?"

„Dieser muß noch vier Jahre in die Volksschule gehen. Dann 20 lernt er einen Beruf, muß jedoch zu gleicher Zeit bis zum siebzehnten Lebensjahr eine Fortbildungsschule besuchen. Hat er später mehr Interesse am Lernen, so kann er die Volkshochschule besuchen."

„Hat ein Schüler nach acht Jahren Volksschule die Möglichkeit, in eine höhere Schule zu kommen?" 25

„Ja, er hat noch eine Möglichkeit. Ein begabter Schüler kann nach acht Jahren Volksschule die sogenannte Aufbauschule besuchen. Dort bleibt er sechs Jahre und ist dann für die Hochschule reif."

„Meinen Sie mit dem Wort ‚Hochschule‘ die Universität?"

„Jawohl. Alle Schulen im Range einer Universität werden so genannt."

„Dann darf man aber niemals unseren amerikanischen Aus=
5 druck 'high school' mit Hochschule übersetzen, denn das bedeutet ja etwas ganz anderes."

„Richtig."

„Können Sie noch mehr über das Schulwesen sagen?" fragte Walter, der gern mehr hören wollte.

Der Unterricht

10   „Nun, es ist wohl bekannt, daß Deutschland eine unter den Nationen ist, welche die meisten Schulen im Verhältnis zur Ein= wohnerzahl haben. Die deutschen Schulen sind sehr modern ein= gerichtet. Man findet große Zeichensäle, Handarbeitssäle, Küchen und Turn= und Schwimmhallen. Die Schule beginnt im Som=
15 mer um sieben Uhr, im Winter um acht Uhr."

„Wie viele Stunden Unterricht haben die Kinder wöchentlich?"

„Da sie täglich ungefähr fünf Stunden haben, so sind es wohl dreißig Stunden. Ehe jedoch die Kinder alt genug sind, zur Schule zu gehen, werden sie oft in die Kindergärten geschickt.
20 Deutschland ist die Heimat der Kindergärten. Überall finden wir diese Anstalten. Friedrich Froebel ist, wie ich schon vorhin sagte, deren Gründer. Er war ein großer Kinderfreund. Sein Ziel war, die Kinder glücklich zu machen, da er selbst eine trübe Jugend= zeit gehabt hatte."

25   Man war inzwischen auf die Straße gelangt, wo gerade eine Gruppe von Knaben unter Leitung eines Lehrers vorbeiging.

Wanderungen der Schüler

„Diese Knaben hier erinnern mich daran," sagte der Student, der bis jetzt gesprochen hatte, „daß es in Deutschland Brauch ist,

mit den Schülern Wanderungen zu machen. In jedem Deutschen
steckt die Wanderlust. Diese Wanderungen dauern zuweilen einige
Tage, ja, manchmal sogar Wochen. Auf diese Weise werden den
Kindern die Schönheiten der Heimat gezeigt. Sie wandern durch
Wald und Feld und singen ihre schönen Lieder. Daneben lernen 5
sie dann auch viel Geographie, Geologie, Botanik und dergleichen."

Wandernde Schüler am Rhein°

Getrennte Schulen

„Es waren nur Knaben, die wir eben vorbeigehen sahen. Wo
waren die Schülerinnen der Klasse?" fragte der Amerikaner.

„O, das will ich noch erklären. Mädchen und Knaben gehen gewöhnlich in getrennte Schulen. Nur auf dem Dorfe gehen sie zusammen in eine Schule, und hier und da findet man auch Mädchen in den höheren Schulen der Knaben, wo sich keine gleiche Anstalt für Mädchen befindet. Erst auf der Universität hört diese Trennung auf."

Die Universität in Bonn

„Wenn wir das nächste Mal bei unseren Unterhaltungen wieder in Hitze kommen sollten, so rufen wir Sie wieder," sagte Walter zu dem Studenten, der sie so gut belehrt hatte.

„Ich stehe Ihnen immer zu Diensten," sagte dieser, und damit war das Gespräch zu Ende.

11. Die deutſchen Studenten

Die erſte Vorleſung

Erwartungsvoll ging Walter in die erſte Vorleſung, in der über die Geſchichte der deutſchen Sprache geleſen werden ſollte. Der Hörſaal war voll Studenten und Studentinnen, die ſich lebhaft unterhielten.

Plötzlich endeten die Geſpräche. Die Tür ging auf, der Pro= 5 feſſor kam herein und ſchritt zum Pult.

Da geſchah etwas für Walter Unerwartetes. Jeder Student trampelte nämlich auf den Fußboden, ſo daß es wie Donner durch den Raum hallte. Der Profeſſor nickte und erwiderte ſo den eigentümlichen Gruß der Studenten. Dann begann er ſeinen 10 Vortrag.

Mehrmals wurde der Vortrag durch Beifall unterbrochen, der wie zu Beginn durch Trampeln mit den Füßen ausgedrückt wurde.

Die Glocke läutete. Die Stunde war vorüber. Der Profeſſor war jedoch ſo vertieft in ſeinen Vortrag, daß er vergaß aufzu= 15 hören. Da begannen, erſt langſam, dann aber immer kräftiger, die Studenten mit den Füßen zu ſcharren. Der Profeſſor wurde aufmerkſam. Dann ſah er nach der Uhr, lächelte und entließ die Studenten.

So erfuhr Walter, daß die deutſchen Studenten ihren Beifall 20 durch Trampeln, das Gegenteil aber durch Scharren ausdrücken.

Die akademiſche Freiheit

„Das gehört ſicherlich zu den Vorrechten der akademiſchen Freiheit, von der ich ſo viel gehört habe," ſagte Walter zu ſeinem Nachbar und ſtellte ſich als Student aus Amerika vor. Auch ſein Nachbar nannte ſeinen Namen. Es war ein Herr Bürger. Dieſer 25 antwortete dann:

„Jawohl, das iſt die akademiſche Freiheit der Studenten. ‚Frei

ist der Bursch', wie ein Studentenlied sagt. Sie werden davon noch mehr sehen. Zum Beispiel werden vielleicht weniger Zuhörer in den nächsten Vorlesungen hier sein als heute, denn es gibt auf den Universitäten in Deutschland keinen Zwang, die Vorlesungen zu
5 besuchen, und die Studenten machen Gebrauch von dieser Freiheit."

„Wie können sie dann aber die Semesterprüfungen bestehen?"

„Die gibt es nicht. Nur am Schluß der ganzen Studienzeit machen die Studenten ein Examen, das natürlich sehr schwer ist. Ein Student muß dann beweisen, ob er wirklich etwas gelernt
10 hat oder nicht."

„Ist das eigentlich ein Vorteil?"

„Das kommt auf den einzelnen Studenten an. In dem ersten und dem zweiten Semester sind die Studenten vielleicht sorgloser, denn sie wollen nach den langen Jahren strenger Schularbeit die
15 Freiheit auf der Universität genießen, aber danach arbeiten sie gewöhnlich fleißig. Haben Sie übrigens eine Verbindung gewählt, der Sie sich anschließen wollen?"

Die Verbindungen

„Ich glaube kaum, daß ich Mitglied in einer Verbindung werde. Ich bleibe ja nur zwei Semester in Deutschland und werde
20 daher nicht viel Zeit für eine Verbindung haben."

„Schade; ich hätte Sie gerne für unsere Verbindung gekeilt."

„Das tut mir leid. Natürlich möchte ich das Studentenleben kennen lernen."

„Dann kommen Sie doch einfach als mein Gast heute abend
25 auf die Kneipe. Unsere Verbindung heißt Gäste gern willkommen."

„Danke sehr. Ich nehme Ihre Einladung an."

Auf der Kneipe

Am Abend gingen Herr Bürger und Walter zusammen auf

die Kneipe. Walter wurde den Anwesenden vorgestellt. Dann
nahmen alle an einem langen Tisch Platz. Wie immer, hatten
alle Studenten bunte Mützen auf dem Kopf und farbige Bänder
über der Brust. Einige hatten einen verbundenen Kopf. Viele
hatten Narben im Gesicht.   5

Oben an der Tafel saß der Vorsitzende. Vor ihm lag ein
Schläger, eine Art Säbel, womit er auf den Tisch schlug, wenn er
etwas sagen wollte.

Auf Kommando wurde getrunken und gesungen. Während
der Pausen unterhielt man sich.   10

Die Namen der Verbindungen

„Wie ich sehe," sagte Walter, „nennen sich die Verbindungen
nicht nach griechischen Buchstaben, wie in Amerika."

„Die Namen der Verbindungen stammen aus früherer Zeit.
Damals bildeten Studenten, die aus einer Stadt oder Gegend
kamen, eine Gruppe und nannten sich nach ihrer Herkunft Sachsen, 15
Franken, Hessen, Braunschweiger usw. Diese Namen blieben,
selbst als später Studenten von anderen Landesteilen Mitglieder
wurden."

„Dann bezeichnen die Namen Sachsen, Westfalen, Franken
usw. jetzt nicht mehr die Herkunft eines Studenten, sondern nur, 20
daß der Student ein Mitglied der betreffenden Verbindung ist."

„Ganz richtig."

„Was für verschiedene Verbindungen gibt es denn hier auf
der Universität?"

„Das kann ich leider nicht sagen. Es gibt zu viele. Im großen 25
und ganzen haben wir die Corps und die Burschenschaften,° welche
die ‚schlagenden' Verbindungen darstellen. Die ‚nichtschlagenden'
Verbindungen dienen verschiedenen Zwecken. Studenten, die in
keiner Verbindung sind, werden die Wilden genannt."

Studenten auf dem Markt

Die Mensuren

„Was bedeuten die Ausdrücke ‚schlagende‘ und ‚nichtschlagende‘ Verbindungen?“

„Die Mitglieder einer schlagenden Verbindung gehen auf die Mensur, das heißt, sie müssen mit einem Schläger gegen den
5 Vertreter einer anderen Verbindung kämpfen.“

„Ist das nicht sehr gefährlich?"

„O, es ist nicht so schlimm. Wichtigere Teile des Körpers, wie Auge, Ohr, Hals usw., sind durchaus geschützt. Nur die Wangen, das Kinn, die Stirn und der Schädel sind ungeschützt. Die Regeln sind sehr streng. Keiner darf einem Hieb ausweichen 5 sondern muß ihn ohne Furcht annehmen. Später ist der Student sehr stolz, wenn er seine Narben zeigen kann."

„Mir gefällt diese Sitte nicht besonders."

„Doch wir denken, daß es eine gute Erziehung ist."

„Schlagen sich denn alle Studenten?" 10

„Wie ich schon sagte, gibt es auch nichtschlagende Verbindungen, die keine Mensur haben. Auch die literarischen und wissenschaft= lichen Vereine der Studenten haben natürlich nichts damit zu tun. Ebensowenig tragen alle Verbindungen Farben, wie wir es tun."

„Warum sind eigentlich die Bänder und Mützen der Studenten 15 dort am Ende des Tisches verschieden von denen der übrigen?"

„O, das sind die Füchse. Sie müssen erst eine Zeit der Prü= fung durchmachen, ehe sie Burschen werden. Sehen Sie dort den älteren Studenten? Das ist der Fuchsmajor, der die Erziehung der Füchse leitet." 20

„Kommen die Mitglieder der Verbindungen nur auf den Knei= pen zusammen, oder gibt es auch Versammlungen im Freien?"

„Jawohl. Auf dem Marktplatz mancher Universitätsstadt sieht man die Studenten zuweilen sogar früh am Morgen, und bei fest= lichen Gelegenheiten marschieren sie in Wichs durch die Straßen." 25

In lustiger Gesellschaft

Das Gespräch endete hier. Es wurde viel gesungen, und Lied folgte auf Lied. Die Gesellschaft war sehr lustig, und Walter verlebte einige recht vergnügte Stunden. Er mußte allerdings noch viele blutige Geschichten über die Mensur anhören.

Studenten in Wichs

Als die Kneipe vorüber war, lud man ihn freundlich ein, wie=
derzukommen. Walter sprach der Verbindung seinen besten Dank
für die genossene Gastfreundschaft aus und ging in der Begleitung
von Herrn Bürger nach Hause.

„Wenn wir einmal ‚Alte Herren‘ und ‚Philister‘ sind,“ sagte 5
Herr Bürger, „dann werden wir oft an solche vergnügte Stunden
denken. Wie wehmütig werden wir dann das alte, gute Lied
singen:

O alte Burschenherrlichkeit! wohin bist du verschwunden?
Nie kehrst du wieder, goldne Zeit, so froh und ungebunden! 10
Vergebens spähe ich umher, ich finde deine Spur nicht mehr.
O jerum, jerum, jerum, o quæ mutatio rerum°!“

12. Fröhliche Weihnachten!

Berlin, den 3. Januar 19..

Liebe Tante!

Ich bin nun schon einige Monate in Deutschland und habe in 15
dieser Zeit viel erlebt und gelernt. Mit dem Studium geht es
vorwärts. Die Weihnachtsferien bieten nun gute Gelegenheit,
Dir° einmal zu schreiben.

Es ist mir natürlich unmöglich, Dir alles mitzuteilen, was
ich bis jetzt in Deutschland erfahren habe. Ich hoffe, Dir das 20
alles mündlich zu erzählen. Jedoch will ich Dir schreiben, was
ich vor und um Weihnachten in Deutschland gesehen habe.

Die Vorbereitungen für Weihnachten

Schon im Herbst fangen hier die Vorbereitungen für das
Weihnachtsfest an. In den Familien werden viele Sachen her=
gestellt, wie zum Beispiel Kleider, Spielsachen usw., die für die 25
Armen bestimmt sind.

Mit jeder Woche vor Weihnachten wächst bei jung und alt die
Spannung. Welch ein Jubel herrscht unter den Kindern, wenn

ungefähr zehn Tage vor Weihnachten in allen Teilen der Stadt
plötzlich der Duft frischer Tannen durch die Straßen weht. Überall
findet man dann kleine Tannenwälder. Es sind die für das Fest
bestimmten Weihnachtsbäume.° Eifrig kauft man sie, denn was
5 wäre in Deutschland Weihnachten ohne einen Weihnachtsbaum?

Von den prächtigen Tannenwäldern des Harzes, des Schwarz=
waldes und anderer deutscher Gebirge kommen diese schönen
Bäume.

Der Christmarkt

Um die gleiche Zeit, wenn die Weihnachtsbäume kommen,
10 beginnt gewöhnlich auch der sogenannte Christmarkt. Es gibt hier
in Berlin und in allen anderen deutschen Städten viele große
Warenhäuser und ausgezeichnete Läden, wo man alles kaufen kann,
was das Herz wünscht, jedoch findet jedes Jahr vor Weihnachten
der altmodische Christmarkt statt.

15 Zahlreiche kleine Buden stehen auf dem Markt. Zwischen den
Buden und Verkaufsständen sind offene Kohlenfeuer, an denen
die Verkäufer sich die Hände wärmen. Denn zuweilen ist es
sehr kalt.

In den Buden glitzert und funkelt es. Flittergold, künstlicher
20 Schnee, Hunderte von bunten, hell leuchtenden Kugeln, niedliche,
kleine Wachsfiguren usw. warten auf Käufer, die den Weihnachts=
baum damit schmücken wollen.

In anderen Buden verkauft man Spielsachen. Puppen, kleine
Eisenbahnen und alle die tausend Schätze der Kinder sind hier zu
25 finden. Die Kleinen schauen mit glänzenden Augen auf die aus=
gebreitete Herrlichkeit. Je näher das Fest kommt, desto größer
wird der Verkehr. Die Menge drängt und schiebt sich durch die
engen Gassen, die von den Buden gebildet werden. Alle Sorgen
werden eine Zeitlang vergessen, und der Geist des nahenden Weih=
30 nachtsfestes erfüllt die Herzen mit Freude.

Das Arbeiten an Geschenken

Auch zu Hause ist jedermann eifrig beschäftigt. Die alten Spielsachen vom letzten Jahr werden ausgebessert, um aufs neue die Kleinen zu erfreuen. Auch die Kinder arbeiten an kleinen Geschenken für die Eltern.

Natürlich haben sie nicht vergessen, den Eltern ihre Wunsch= 5 zettel zu geben, worauf alle ihre Wünsche niedergeschrieben sind. Die Eltern haben auch versprochen, dem Weihnachtsmann die Wunschzettel zu geben.

Endlich ist der vierundzwanzigste Dezember da.

O, wie langsam war doch die Zeit vergangen! Aber heute ist 10 wirklich heiliger Abend. Die Kinder gehen wie im Traum. Geheimnisvolle Laute kommen aus der guten Stube. Keiner darf sie betreten.

Der Weihnachtsmann

Nun wird es draußen dunkel. Die Sterne funkeln am klaren Himmel. Der Schnee knirscht unter den Füßen. Kommt der 15 Weihnachtsmann immer noch nicht?

Da plötzlich klopft es draußen.

Es ist der Weihnachtsmann.

Ein alter Mann in einem großen Mantel und mit einer Zipfel= mütze stampft herein. Er hat einen langen, weißen Bart. Eine 20 große Brille sitzt ihm auf der Nase. Einen schweren Sack trägt er auf dem Rücken, und in der Hand hat er eine große Rute.

Schüchtern stehen die Kinder in der Ecke.

Nun fängt der Weihnachtsmann an, sie zu fragen, ob sie alle während des letzten Jahres artig gewesen seien. Wer mit Ja ant= 25 worten kann, bekommt süße Sachen, Äpfel und Nüsse aus dem Sack. Die unartigen Kinder jedoch bekommen Schläge mit der Rute.

Dann verschwindet der Weihnachtsmann, und bald darauf ruft eine Klingel die Familie in das Zimmer.

Was für eine Pracht hat der Weihnachtsmann hinterlassen!

In der Mitte des Zimmers steht der geschmückte Weihnachtsbaum in hellem Glanz. Darunter liegen die Geschenke. Auf dem Tisch steht eine Weihnachtskrippe.

Die Weihnachtskrippe°

5   Zunächst werden einige Weihnachtslieder gesungen: „Stille Nacht, heilige Nacht," „O du fröhliche, o du selige, gnadenbringende Weihnachtszeit," „O Tannenbaum, o Tannenbaum, wie grün sind deine Blätter."

> Stille Nacht, heilige Nacht!
10   Alles schläft, einsam wacht
> Nur das traute, hochheilige Paar.
> Holder Knabe im lockigen Haar,
> Schlaf' in himmlischer Ruh',
> Schlaf' in himmlischer Ruh'!

In ganz Deutschland singt man am heiligen Abend diese Lieder. Danach wünscht jeder dem anderen fröhliche Weihnachten und eilt zu seinem Platz, wo die Geschenke liegen.

Die Kinder jubeln und zeigen einander ihre Spielsachen, Bücher und andere nützliche Dinge. Jeder 5 findet auch auf seinem Platz Honigkuchen, die in Form von allerlei Figuren gebacken sind.

Dann folgt das Weihnachtsessen. 10

Der Weihnachtsbaum

Die Fenstervorhänge werden in der Weihnachtszeit nicht geschlossen. Die vorbeigehenden Leute können also auch an dem Weihnachtsbaum ihre Freude haben. 15

Man zündet den Baum zum letzten Mal am Neujahrsabend an und beschließt damit das Weihnachtsfest.

Am Neujahrsabend bleiben die 20 meisten Leute bis Mitternacht auf und feiern. Um zwölf Uhr wünscht man einander glückliches Neues Jahr. Von allen Türmen läuten die Glocken. Es ist ein sehr feierlicher Augenblick.

Die Geschichte des Weihnachtsfestes

Die Beobachtung aller dieser Volkssitten war für mich natür 25 lich sehr interessant. Herr Doktor Peters, der in unserer Pension wohnt, gab mir eine sehr interessante Erklärung, warum das Volk das Weihnachtsfest so sehr liebt. Natürlich feiern auch die Völker in südlicheren Gegenden das Weihnachtsfest, doch ist der Charakter dieses Festes dort ein anderer. 30

Die Völker im Norden Europas hatten einen langen, dunkeln
Winter. Sie sehnten sich viel mehr nach Sonne und Licht als die
Völker im Süden, die auch im Winter Sonne und Wärme haben.
Darum war es bei den nordischen Völkern Brauch, am 21. De=
5 zember, wenn die Sonne ihren tiefsten Stand erreicht hatte, die
Sonnenwende durch ein großes Fest zu feiern.

Man machte ein großes Rad aus Holz und befestigte allerlei
brennbare Stoffe daran. Dann trug man es auf die Spitze eines
Berges.

10 Wenn es dann dunkel geworden war, so wurde das Rad an=
gezündet und den Berg hinuntergerollt. Dies war eine symbolische
Darstellung der Sonne und ihres Laufes um die Erde. Dieses
Fest wurde das Julfest genannt.

Als später die alten Stämme der Germanen Christen wurden,
15 erhielt sich diese alte Sitte in christlicher Form. Man feierte dann
in derselben Zeit die Geburt Christi, den man als das wahre
Licht der Welt ansah.

Die strahlenden Lichter zu Weihnachten zeugen also von der
Sehnsucht jener Völker, die im kalten und dunklen Norden Euro=
20 pas gewohnt haben.

Nun, liebe Tante, ich hoffe, daß diese Zeilen Dich nicht gelang=
weilt haben. Da ich jedoch weiß, daß Du Interesse an meinem
Fortschritt im Deutschen hast, so habe ich Dir diesen langen Brief
geschrieben.

25 In der Hoffnung, daß auch Du fröhliche Weihnachten verlebt
hast, und mit der Versicherung, daß ich gelegentlich wieder einmal
von mir hören lasse, bin ich mit freundlichem Gruß

Dein Neffe

Walter Miller.

Zu oft hatte der Matrose diese Frage schon gehört.

„Hören Sie nicht, was ich gefragt habe?" sagte der Kranke ärgerlich.

Jetzt antwortete der Matrose:

„Wir sind drei Kilometer vom Lande." 5

„Gott sei Dank," seufzte der Reisende und sah den Matrosen freundlich an, „in welcher Richtung liegt es?"

„Gerade unter uns," war die Antwort, und seine Hand zeigte nach den Tiefen des Meeres.

Die Freunde lachten über die witzige Bemerkung. 10

3. Deutschlands Lage und Klima

Der Sturm hörte auf. Das Wetter wurde wieder besser, und am letzten Tage der Reise lag goldener Sonnenschein auf der Nordsee.

Hamburg war nicht mehr weit.

„Wollen Sie mir bitte etwas über Deutschlands Lage und 15 Klima erzählen," bat Walter seinen Freund, Herrn Klinger. „Ich habe zwar die Geographie von Deutschland in der Schule gehabt aber viel vergessen."

Die Lage

„Sehr gern," sagte Herr Klinger und begann:

„Deutschland liegt im Herzen Europas. Im Südosten grenzen 20 Österreich und die Tschechoslowakei daran, im Süden die Schweiz, im Westen Frankreich, Belgien und Holland, im Osten Polen und Littauen.

Die nördliche Grenze ist zum größten Teil natürlich, denn dort sind die Nordsee und die Ostsee, während die Alpen und 25 andere Gebirge im Süden eine natürliche Grenze bilden.

Im Osten und Westen dagegen haben wir keine natürlichen

Grenzen. Oftpreußen ift fogar ein vom übrigen Deutfchland ge=
trenntes Stück. Es ift wie eine Infel von Polen und Littauen
umgeben.

Die Flüffe

Deutfchland hat fünf Stromgebiete, die von Südoften nach
5 Nordweften laufen. Die entfprechenden Flüffe find der Rhein, die
Wefer, die Elbe, die Oder und die Weichfel.°

Die Elbe°

Der Main bildet ungefähr die Grenze zwifchen Nord= und
Süddeutfchland. Er fließt in gewundenem Lauf von Often nach
Weften und mündet in den Rhein.

10 Der bedeutendfte Fluß Süddeutfchlands ift die Donau; fie
fließt nach Often und mündet ins Schwarze Meer.

13. Die deutſche Sprache und Literatur
Aus Walters Notizbuch

Verwandtſchaft der Sprachen

Die engliſche und die deutſche Sprache ſind verwandt. Beide kommen von einer gemeinſamen Urſprache. Dieſe Sprache wurde von den Vorfahren der germaniſchen Stämme geſprochen.

Die Angeln und Sachſen waren germaniſche Stämme. Sie kamen im fünften Jahrhundert nach den britanniſchen Inſeln. 5 Dort entwickelte ſich unter verſchiedenen Einflüſſen ihre Sprache zum heutigen Engliſch.

Die deutſche Sprache entwickelte ſich auf dem Feſtland.

Hochdeutſch und Plattdeutſch

Die deutſche Sprache ſpaltete ſich in das Oberdeutſche, das in Süddeutſchland geſprochen wird, und das Nieder= oder Platt= 10 deutſche, das man in Norddeutſchland findet. Die moderne deutſche Schriftſprache iſt hochdeutſch. In Norddeutſchland wird noch viel plattdeutſch geſprochen. Das Plattdeutſche ſteht dem Engliſchen näher.

Hochdeutſch	Plattdeutſch	Engliſch	
ſchlafen	ſlapen	sleep	15
Buch	Book	book	
zwei	twe	two	
eſſen	eten	eat	
laſſen	laten	let	20
Schaf	Schap	sheep	
machen	maken	make	

Man unterſcheidet in der hochdeutſchen Sprache gewöhnlich drei Entwicklungszeiten: die althochdeutſche Zeit bis 1100, die mittel= hochdeutſche bis 1500, die neuhochdeutſche bis zur Gegenwart. 25

Die Abſchnitte der deutſchen Literatur entſprechen im großen und ganzen den Zeiten der Sprachentwicklung.

Die althochdeutsche Zeit

Bis zum Jahre 800 besteht die Dichtung hauptsächlich aus mündlich überlieferten Heldengesängen. Tacitus, der römische Geschichtsschreiber, erzählt um 100 n. Chr., daß die Germanen Lieder sangen, in denen die Götter und Helden gefeiert wurden.

Goethes Arbeitszimmer, Frankfurt am Main

5 In der Zeit der Völkerwanderung bilden sich viele Sagen. Die Gestalt Siegfrieds hat für spätere Dichtungen besondere Bedeutung.

Karl der Große, der von 768 bis 814 regiert, läßt viele Lieder sammeln. Er gründet Schulen und Klöster, wo auch 10 die Dichtkunst gepflegt wird. Meistens wird aber in Latein gedichtet.

Die mittelhochdeutsche Zeit

Die zweite oder mittelhochdeutsche Zeit, die bis 1500 reicht,
ist die Zeit, wo die Kirche mächtig ist und das Rittertum blüht.
Diese Zeit wird die erste Blütezeit in der deutschen Literatur genannt. Spielleute und fahrende Sänger sind die Träger der
Volksdichtung. Die größte Dichtung dieser Art ist das Nibelungenlied, in dessen Mittelpunkt Siegfried steht. Auch die ritterliche
Dichtung blüht. Richard Wagner hat die Stoffe für die meisten
seiner Opern aus dieser Zeit entlehnt.

Als Vertreter des lyrischen Minnesanges ragt besonders Walter von der Vogelweide hervor. Ein Sprüchlein sagt von ihm:

> Herr Walter von der Vogelweide,
> Wer des vergäß', der tät' mir leide!°

Ein anderes niedliches Lied aus jener Zeit lautet in neuhoch-
deutscher Übersetzung:

> Du bist mein, ich bin dein,
> Des sollst du gewiß sein.
> Du bist beschlossen
> In meinem Herzen;
> Verloren ist das Schlüsselein:
> Du mußt immer drinnen sein.

Später verroht der Ritterstand. Die Ritter werden zu Raub-
rittern. Die bürgerliche Dichtung entsteht dann in den Städten.
Die Handwerker behandeln die Dichtkunst nach festen Regeln, genau
so wie sie in ihrer Arbeit verfahren. Ihre Kunst ist darum auch
sehr hölzern.

Die neuhochdeutsche Zeit

Um 1500 beginnt die neuhochdeutsche Zeit. Die Buchdruckerkunst wird erfunden. Neue Erdteile werden entdeckt. Die Kunst
der alten Griechen wird wieder lebendig, und die Wissenschaften

nehmen einen neuen Aufschwung. Diese Bewegungen nennt man
die Renaissance und den Humanismus. Die Literatur wird durch
diese Bewegung stark beeinflußt, und die Übersetzung der Bibel von
Luther bringt die Sprache der da=
5 maligen sächsischen Kanzlei° zur
allgemeinen Geltung.

Viele schöne Kirchenlieder wer=
den gedichtet. Auch das Volkslied
blüht. Der berühmte Schuhmacher
10 Hans Sachs in Nürnberg verfaßt
mehr als 6 000 Dichtungen.

Der dreißigjährige Krieg, durch
religiösen Streit hervorgerufen,
hemmt die Entwicklung der Litera=
15 tur. Frankreichs Einfluß wird in
Deutschland vorherrschend.

Im 18. Jahrhundert erreicht
die deutsche Dichtung ihren Höhe=
punkt.

20   Der Dichter Klopstock leitet die
sogenannte klassische Zeit ein. Les=
sing° ist ein großer Kritiker und
Dichter. Goethe° und Schiller°
sind die größten deutschen Dichter
25 dieser Zeit.

Goethe und Schiller

Auf die klassische Zeit folgt die Romantik, die eine Vertiefung
des Naturgefühls und des Gemütslebens bringt.

Später kommt die Bewegung, die man ‚das Junge Deutsch=
land‘ nennt, und deren Ziele soziale und politische Reformen sind.
30 Heinrich Heine° ist der bekannteste Vertreter dieser Bewegung;
doch ist er besonders als lyrischer Dichter berühmt.

Später finden wir den Naturalismus° und viele andere Strö=

mungen, die bis in die gegenwärtige Zeit reichen.

Ein berühmter Dramatiker des 19. Jahrhunderts ist Friedrich Hebbel.° Dramatiker der neueren Zeit sind unter anderen Gerhart Hauptmann° und Hermann Sudermann.°

Große Roman= und Novellendichter des 19. Jahrhunderts 5 sind Konrad Ferdinand Meyer,° Gottfried Keller,° Theodor Storm,° Peter Rosegger,° Wilhelm Raabe° und andere.

14. Im Theater

Eines Abends beim Essen sagte Walter, daß er am folgenden Abend ‚Wilhelm Tell‘, das Schauspiel von Schiller, ansehen werde.

„Sind Sie hier überhaupt schon einmal im Theater gewesen?“ 10 fragte ihn Fräulein Karsten.

„Ja, ich habe es schon einige Male besucht,“ antwortete Walter.

„Was für Stücke haben Sie denn schon gesehen?“

„Es waren einige moderne Spiele. Sie haben mir ganz gut gefallen. Ich möchte aber gern einmal der Aufführung eines 15 Stückes von Schiller oder Goethe beiwohnen. Sie werden ver= hältnismäßig selten gespielt.“

„Ja, die Leute sprechen viel von den großen Dichtern Goethe und Schiller, wissen aber oft nur sehr wenig von ihnen.“

„Nun, wir hatten auf der Universität in Amerika eine sehr 20 gute Einführung in die deutsche Literatur. Von dem, was über Goethe und Schiller gesagt wurde, habe ich manches behalten.“

Ein Examen

„Soll ich Sie einmal prüfen?“ lachte Fräulein Karsten.

„Wenn Sie wollen, recht gern. Also fragen Sie einmal!“

„Wann haben Goethe und Schiller gelebt?“   25

„Goethe von 1749 bis 1832. Schiller von 1759 bis 1805.“

„An welchem Ort haben sie beide gelebt und ihre bedeutendsten Stücke geschrieben?"

„In dem Städtchen Weimar in Thüringen."

„Nennen Sie einige Gedichte von Goethe!"

5 „Da ist sein Mailied: ‚Wie herrlich leuchtet mir die Natur‘, dann ‚das Heidenröslein‘, ‚der Erlkönig‘ und ‚der Zauberlehrling‘."

„Können Sie eins von diesen auswendig?"

„Sicherlich. Ich kann ‚das Heidenröslein‘ auswendig.

Sah ein Knab' ein Röslein stehn,°
10 Röslein auf der Heiden,°
War so jung und morgenschön,
Lief er schnell, es nah zu sehn,
Sah's mit vielen Freuden.
Röslein, Röslein, Röslein rot,
15 Röslein auf der Heiden.

Knabe sprach: Ich breche dich,
Röslein auf der Heiden!
Röslein sprach: Ich steche dich,
Daß du ewig denkst an mich,
20 Und ich will's nicht leiden.
Röslein, Röslein, Röslein rot,
Röslein auf der Heiden.

Und der wilde Knabe brach
's Röslein° auf der Heiden;
25 Röslein wehrte sich und stach,
Half ihm doch kein Weh und Ach,°
Mußt' es eben leiden.
Röslein, Röslein, Röslein rot,
Röslein auf der Heiden."

„Gut. Können Sie das berühmteste Gedicht von Schiller nennen?"

„Ich denke, das ist sein ‚Lied von der Glocke'."

„Richtig. Was ist Goethes größtes Werk?"

„‚Der Faust.'" 5

„Welche Dramen kennen Sie von Schiller?"

„‚Die Räuber', ‚Wallenstein', ‚die Jungfrau von Orleans', ‚Wilhelm Tell'."°

„Gut. Welche dichterischen Fähigkeiten waren bei Goethe und Schiller am höchsten entwickelt?" 10

„Goethe wird als einer der größten lyrischen Dichter der Welt angesehen. Schiller war ein großer Dramatiker."

„Sehr gut, Herr Miller. Sie haben die Prüfung gut bestanden."

„Na, es war ja gar nicht schwer. Aber jetzt habe ich eine 15 Bitte an Sie. Darf ich Sie morgen abend zum Theater einladen?"

„Jawohl, ich nehme Ihre Einladung mit Vergnügen an."

An der Kasse

Am nächsten Abend gingen Walter und Fräulein Karsten zum Theater. Rechts und links am Eingang waren Kassen, wo die 20 Eintrittskarten gelöst wurden.

Walter hatte für seine Begleiterin und sich durch das Telephon zwei Sitze im ersten Rang bestellt. Er ging zur Kasse, nannte seinen Namen, bezahlte und bekam die Eintrittskarten.

Dann stieg er mit Fräulein Karsten die breite Treppe zum 25 ersten Range empor.

Der Diener gab ihnen je ein Programm, wofür Walter fünfzig Pfennige bezahlte. Dann wurden sie an ihre Plätze geführt.

Das Innere des Theaters

Das Innere des Theaters war sehr hübsch. Rot und Gold waren die vorherrschenden Farben. Von der Decke strahlte helles Licht.

Unten war das Parkett, an den Seiten die Logen. Die drei
5 Ränge waren übereinander gebaut, und ganz oben war die Galerie.

Das Schauspielhaus in Berlin

Die Unterhaltung der Anwesenden wurde lauter und lauter. Immer mehr Leute kamen.

Plötzlich ertönte eine Klingel. Es wurde ruhiger. Dann er=
tönte die Klingel noch einmal, und es wurde dunkel. Der Vor=
10 hang ging in die Höhe.

Am Vierwaldstättersee

Verschwunden war Berlin. Versunken war die Gegenwart. Jetzt war man in der Schweiz.

Da ist das Ufer des Vierwaldstättersees. Die grünen Matten, die Dörfer und die Höfe liegen im hellen Sonnenschein. Im Hintergrund leuchten die hohen Berge der Alpen, mit Schnee und Eis bedeckt.

Die Glocken der Kühe läuten. Ein Fischerknabe, ein Hirt und 5 ein Jäger kommen auf die Bühne. Sie sind die Vertreter der Stände. Jeder von ihnen singt einige Worte. Mit Vergnügen hört Walter die ihm bekannten Verse, die das Schauspiel ‚Wilhelm Tell‘ einleiten.

Plötzlich ändert sich die liebliche Szene. Ein Gewitter naht. 10 Ein Mann kommt atemlos gelaufen. Er wird verfolgt. Die Reiter eines der Landvögte, die auf Geheiß des Kaisers° die freien Schweizer unterdrücken und bedrängen, sind ihm auf den Fersen. Er bittet den Fischer, ihn über den See zu setzen. Das andere Ufer verspricht ihm Rettung. 15

Aber die Wellen des Sees gehen hoch. Der Fischer will es nicht wagen.

Da erscheint Wilhelm Tell. Er sagt zum Fischer:

„Der brave Mann denkt an sich selbst zuletzt.

Vertrau’ auf Gott und rette den Bedrängten!“ 20

Doch vergebens. Also entschließt sich Tell, den Mann zu retten. Es gelingt ihm.

Sehnsucht nach Rettung

Mit jeder Szene nimmt die Spannung zu. Die furchtbaren Taten der Landvögte werden erzählt. Das Volk seufzt unter dem harten Joch und ruft: „Wann wird der Retter kommen diesem 25 Lande?“

Um den Sinn des stolzen Volkes zu brechen, befiehlt Geßler, der grausamste Landvogt, daß jedermann mit gebeugtem Knie einen Hut oben auf einer Stange grüßen soll.

Der Unwille im Volke wächst. Man verabredet, daß die Ver= 30

treter der unterdrückten Kantone° nachts heimlich auf dem Rütli,
einer Bergwiese, zusammenkommen. Dies geschieht. Diese Zu=
sammenkunft bildet den Höhepunkt des zweiten Aktes.

Es ist Nacht. Der See und die Gletscher leuchten im weißen
5 Mondlicht. Die Verschworenen erscheinen mit ihren Fackeln. Die
Beratungen beginnen.

Ein neuer Bund wird beschlossen. Der Pfarrer Rösselmann
spricht die Worte:

> Wir wollen sein ein einzig Volk von Brüdern,
10 > In keiner Not uns trennen und Gefahr.
> Wir wollen frei sein, wie die Väter waren,
> Eher den Tod, als in der Knechtschaft leben.
> Wir wollen trauen auf den höchsten Gott
> Und uns nicht fürchten vor der Macht der Menschen.

Die Pause

15   Der Vorhang fiel. Der zweite Akt war zu Ende. Walter und
seine Begleiterin erhoben sich und gingen während der Pause in
die Halle.

Viele Leute eilten in das Restaurant, das sich im Theater
befand. Auch Walter fragte Fräulein Karsten, ob sie etwas
20 wünsche.

„Nein, ich danke Ihnen. Aber ich schlage vor, daß wir nach
Schluß des Stückes in einem Café noch ein wenig plaudern."

„Ganz wie Sie wünschen."

Die Klingel rief alle auf ihre Plätze zurück.

25   Die Handlung ging weiter.

Wilhelm Tell

Wilhelm Tell mit seinem Knaben grüßt den Hut Geßlers
nicht und wird gefangen genommen. Ein Aufruhr entsteht. Plötz=
lich erscheint der Landvogt Geßler mit seinem Gefolge.

Mit grausamem Hohn zwingt er Tell, von seines Knaben Haupt einen Apfel zu schießen. Alles Bitten, das Fürchterliche abzuwenden, ist vergebens. Tell muß schießen, aber ihm gelingt der Meisterschuß. Dennoch wird er von dem Landvogt gefangen hinweggeführt.

Diese dramatische Szene beschließt den dritten Akt. Im vierten Akt gelingt es Tell, sich zu befreien. Er erschießt den Landvogt Geßler und gibt damit das Zeichen zur Befreiung des Volkes.

Der fünfte Akt bringt den Tag der Freiheit. Jubel und Freude herrschen überall. Tell wird als der Retter des Landes gefeiert.

Das Schauspiel war zu Ende.

Walter führte seine Begleiterin in ein Café. Das war so Sitte nach einem Theaterbesuch.

Die Beiden unterhielten sich noch über das, was sie gesehen und gehört hatten, und gingen dann nach Hause.

15. Im Café

Kurz vor Ende des ersten Semesters machten sich Walter und einige seiner Freunde eines Abends auf den Weg, um den Vortrag eines berühmten Schriftstellers zu hören.

Als sie im Gebäude angelangt waren, wo der Vortrag stattfinden sollte, erfuhren sie, daß der Redner erkrankt sei und der Vortrag nicht stattfinde.

„Was machen wir nun?"

Jemand machte den Vorschlag: „Gehen wir ein wenig bummeln!"

„Gut," riefen alle, „das tun wir. Vielleicht gehen wir dann auch in ein Café."

Die lustige Gesellschaft machte sich auf den Weg.

Die Anschlagsäulen

„Sehen Sie nur,“ rief plötzlich Herr Dreher und zeigte auf eine Anschlagsäule, „hier haben wir die Ankündigung des Vortrags von heute abend. Darüber ist ein Zettel geklebt: Vortrag findet wegen Erkrankung des Redners nicht statt. Wenn wir das eher 5 gesehen hätten, so hätten wir uns den Weg sparen können.“

Die Anschlagsäule

„Ja, was nützen die größten Anschlagsäulen, wenn sie keiner beachtet? Haben Sie auch Anschlagsäulen in Amerika, Herr Miller?“

„Nicht in dieser Form. Anschlagsäulen habe ich zum ersten 10 Mal hier in Deutschland gesehen. Sie sind sehr zweckmäßig, aber nur, wenn man nicht vergißt, die Anzeigen zu lesen.“

„Das wollen wir jetzt alle einmal tun.“

Alle standen jetzt um die Anschlagsäule und lasen die verschiedenen Anzeigen.

„Wollen wir nicht einmal heute abend ins Café Rheingold
gehen?" fragte Assessor Dreher. „Wie ich aus dieser Anzeige hier
sehe, spielen dort zwei ausgezeichnete Orchester."

„Ich bin bis jetzt noch nicht dort gewesen, würde es aber gern
kennen lernen," sagte Walter.   5

„Also gehen wir nach Café Rheingold!"

Auf dem Weg zum Café

Auf dem Weg fragte Walter Fräulein Karsten, die auch in der
Gruppe war, wie die Musik in solchen Cafés wäre.

„Das kommt darauf an. Sie können natürlich nicht erwarten,
daß die Orchester in den Cafés immer so gut sind wie die Orchester,   10
die man im Opernhaus hört. Aber man findet in den besseren
Cafés doch im allgemeinen sehr gute Musik."

Die kleine Gruppe blieb öfters stehen, um einen Blick in die hell
erleuchteten Schaufenster zu werfen. Besonders anziehend schienen
die Auslagen der großen Delikatessengeschäfte zu sein.   15

Einladend lagen im Schaufenster die Delikatessen, die Würste
und Schinken.

„Obgleich ich schon zu Abend gegessen habe, werde ich doch
bei diesem Anblick schon wieder hungrig. Gehen wir darum lieber
weiter," sagte der Assessor.   20

„Nun, wenn Sie so hungrig sind, dann gehen Sie doch hier
in dieses Automatenrestaurant."

„Nein, ich warte lieber, bis wir im Café Rheingold sind."

Walter schaute durch die breiten Schaufenster in das Innere
des Automatenrestaurants.   25

Alle die schönen Sachen, die er soeben in dem Laden gesehen
hatte, waren hier fertig zum Essen zubereitet. Jedermann bediente
sich selbst. Man steckte ein Geldstück in einen Spalt, worauf die
Speise erschien.

„Für Essen und Trinken sorgen die Deutschen gut," sagte   30

Walter zu seiner Begleiterin, „nur glaube ich nicht, daß alle Leute immer so gute Sachen zu essen haben."

„Das ist wahr. Nur wenige können sich das immer erlauben, die Meisten nur bei festlichen Gelegenheiten. Allerdings wird in
5 diesem Gebäude wohl kaum viel von Delikatessen zu finden sein."

Bei diesen Worten zeigte Fräulein Karsten auf ein großes Haus, an dem man eben vorbeikam.

„Wieso?" fragte Walter.

„Dies ist eine der vielen Volksküchen° in Berlin, wo die
10 ärmeren Leute für wenig Geld kräftige Mahlzeiten haben können."

„Eine gute soziale Einrichtung," sagte Walter.

Man kam an verschiedenen Cafés und Restaurants vorbei, die alle gut besetzt waren.

„Die Deutschen sind sehr gesellig. Sie haben gern eine Stätte,
15 wo sie bei einem Glas Bier oder einer Tasse Kaffee sich unter= halten können. Wie ist der Amerikaner denn in dieser Hinsicht veranlagt?" fragte der Assessor.

„Auch der Amerikaner ist gesellig. Aber er zieht die Gesellig= keit in einem geschlossenen Kreise vor. Darum sind in Amerika
20 die Klubs zahlreicher als in Deutschland."

„Nun, der Deutsche fühlt sich in öffentlichen Restaurants und Cafés ganz wohl. Wie alt diese Sitte ist, sehen Sie aus der Tatsache, daß fast alle deutschen Rathäuser auch den Ratskeller haben, wo man gewöhnlich ein gutes Restaurant findet."

Café Rheingold

25 Endlich erschienen die großen, leuchtenden Buchstaben ‚Café Rheingold' vor den Freunden.

Sie gingen hinein.

Musik begrüßte sie. Die Stimmen vieler Menschen trafen ihr Ohr. Die Luft war blau vom Rauch der Zigarren und Zigaretten.

Zahlreiche große und kleine Tische standen im Café, an denen die Leute in lebhafter Unterhaltung saßen.

Die Freunde nahmen Platz, bestellten Getränke, und bald war eine muntere Unterhaltung im Gange.

„Wie gefällt Ihnen die Musik?" fragte Fräulein Karsten.   5

„Sie ist nicht so übel. Jazz scheint auch hier die große Mode zu sein," antwortete Walter.

Im Café

„Das ist wohl wahr. Aber warten Sie nur, bald kommt auch andere Musik. Sehen Sie mal, wie viele Stücke das Orchester spielen kann."   10

Walter besah das Programm, das Tausende von Nummern anzeigte. Fast alle bedeutenden Komponisten der Welt waren vertreten.

„Aus dieser Fülle werden jeden Tag von vormittags bis tief in die Nacht die verschiedensten Stücke gespielt. Die großen Num= 15

mern dort beim Orchester verweisen auf das Programm und geben
so an, was gespielt wird."

„Das andere Orchester fängt jetzt an. Die Nummer 888 ist
angegeben. Sehen wir, was das ist."

An der schönen, blauen Donau

5   „O, der Walzer von Strauß:° ‚An der schönen, blauen
Donau'."

„Wie gefallen Ihnen die Walzer von Strauß, Herr Miller?"

„Ich höre sie sehr gern. Die Musik von Strauß finde ich
wundervoll."

10   Nun klangen die süßen Weisen der ‚schönen, blauen Donau'
durch den Raum.

„Wissen Sie auch, wie es kam, daß Strauß, der in Wien
lebte, diesen Walzer komponierte?" fragte Fräulein Karsten, als
das Stück zu Ende war.

15   „Nein, erzählen Sie die Geschichte."

„Eines Abends, gerade als er sich mit seinem Orchester fertig
zum Spielen machte, hörte Strauß die Verse des Gedichts ‚Die
blaue Donau'. Das Gedicht gefiel ihm, und bald klang in seinem
Geist eine Melodie zu dem Takt der Worte. Da er kein Papier
20 bei sich hatte, so schrieb er mit seinem Bleistift einige Noten auf
seine Manschetten. Als er spät nach Hause zurückkehrte, hatte er
über die Ereignisse des Abends den Vorfall vergessen. Den wun=
dervollen Walzer würde er vielleicht nie komponiert haben, wenn
seine Frau die Noten auf den Manschetten nicht entdeckt hätte.
25 Sie machte ihren Mann darauf aufmerksam und erinnerte ihn so
an die Melodie. Es dauerte nicht lange, so war es der berühmteste
Walzer von Strauß."

„Das ist aber eine interessante Geschichte. Ich erinnere mich
auch noch einiger Walzer von Strauß, die ich immer gern hörte.
30 Es gibt ja sehr viele Walzer von ihm, nicht wahr?"

„Ja, Strauß schrieb über 400 Walzer, die beinahe alle wun=
derschöne Melodien enthalten. Mit Recht wird er darum auch der
Walzerkönig genannt."

„Ist es nicht merkwürdig, daß so viele große Musiker in Wien
gelebt haben?"   5

„In der Tat. Männer wie Haydn,° Mozart,° Beethoven°
und Schubert° machten Wien berühmt."

„Ich glaube, es lohnt sich," sagte Walter, „eine Reise nach
Wien zu machen und alle die Stätten aufzusuchen, wo diese großen
Musiker gelebt haben. Vielleicht benutze ich die Ferien zwischen 10
dem Winter= und Sommersemester und mache eine Reise nach
Wien."

„Das würde ich Ihnen sehr empfehlen."

Das Gespräch wurde von Assessor Dreher unterbrochen, der
Walter fragte: 15

„Wie gefällt es Ihnen in einem deutschen Café?"

„O, es gefällt mir sehr gut. Allzulange möchte ich mich hier
aber nicht aufhalten."

„Ja, das muß man gewöhnt sein. Das Café ist das Paradies
der Junggesellen. Man braucht ja nur eine Tasse Kaffee zu 20
bestellen, um das Recht zu haben, stundenlang hier zu verweilen."

Die deutsche Musik

„Hören Sie bitte, die Musik spielt jetzt Wagner," bemerkte
Fräulein Karsten.

Walter erkannte sogleich, daß es das Lied ‚An den Abendstern‘
aus Wagners berühmter Oper ‚Tannhäuser‘ war.   25

Als die Melodie verklungen war, sagte Walter:

„Wir hören in Amerika Richard Wagners Musik auch sehr
oft und haben sie sehr gern. Die Deutschen sind wirklich außer=
ordentliche Musiker, das muß jeder zugeben."

„Auch das einfache Volk liebt Musik. In keinem Lande der 30

Welt wird wohl das Volkslied mehr gepflegt als in Deutschland, meinen Sie nicht auch?"

„Sie haben recht. Die deutschen Volkslieder sind berühmt. Wir haben diese Lieder immer sehr viel Freude gemacht, wenn wir 5 sie in unseren deutschen Stunden sangen. Einige haben wir sogar auswendig lernen müssen. Zum Beispiel:

> Du, du liegst mir im Herzen,
> Du, du liegst mir im Sinn;
> Du, du machst mir viel Schmerzen,
> 10 Weißt nicht, wie gut ich dir bin;
> Ja, ja, ja, ja,
> Weißt nicht, wie gut ich dir bin!"

Nach einer Weile brach die Gesellschaft auf.

„Es ist zwar schade," meinte der Assessor, „daß der Vortrag 15 heute abend ausgefallen ist, aber wir haben dennoch einen schönen Abend verlebt, nicht wahr?"

„Ganz sicherlich," stimmten alle bei.

Fröhlich kehrte man heim.

16. Der Sport in Deutschland

Eine Anzeige

Folgende Anzeige erschien mit großen Buchstaben in den Zei= 20 tungen und an den Anschlagsäulen:

> Großes Fußball=Wettspiel
> um den Bundes=Pokal
> Berlin : Westdeutschland

„Das wird interessant werden," sagte Walter beim Mittag= 25 essen zu seinem Nachbar, einem Studenten, als man von diesem

Wettspiel sprach. „Ich habe bis jetzt noch kein Fußballspiel in
Deutschland gesehen. Zu diesem werde ich aber gehen. Ich will
einmal sehen, wie die Deutschen im Vergleich zu den Amerikanern
spielen."

„Welche Mannschaft hat denn im letzten Jahre die ameri= 5
kanische Meisterschaft im Fußballspiel gewonnen?" fragte der
Student.

Ein Fußballspiel im Stadium

„Die Meisterschaft? Keine. Das Fußballspiel wird in Amerika
meistens von den Universitäten und 'colleges' gepflegt. Hier in
Deutschland scheint es ja anders zu sein." 10

Vereine als Träger des Sports

„Ja, hier sind hauptsächlich Vereine Träger des Sports. Je=
dermann kann Mitglied werden."

„Treiben denn die Schulen und Universitäten gar keinen Sport?"

„Selbstverständlich. Alle Sportarten werden gründlich betrieben. Das Turnen und der Sport sind Lehrfächer in jeder
5 Schule. Auch Wettkämpfe finden zwischen den verschiedenen Anstalten statt. Die Aufmerksamkeit der Öffentlichkeit ist aber meistens auf den Sport der Vereine gerichtet."

„Gibt es hier viele Sportvereine?"

Das Rudern auf dem Neckar°

„Man findet in Deutschland Tausende von solchen Vereinen."
10 „Übt jeder Verein nur eine bestimmte Sportart?"

„Nein, in den meisten werden alle möglichen Sportarten betrieben. Irgendein Sport hat jedoch oft den Vorrang."

„Ist es nicht sehr schwer, zum Beispiel im Fußballspiel, unter so vielen hundert Vereinen diejenige Mannschaft zu bestimmen, die der Meisterschaft würdig ist?"

Die Organisation des Sports

„Wir haben in Deutschland eine gute Organisation des Sports. Die Vereine einer Gegend bilden einen Bezirk, mehrere Bezirke 5 einen Gau, mehrere Gaue einen Verband. So haben wir unter

Übungen mit Schneeschuhen

anderen den Norddeutschen, den Westdeutschen, den Mitteldeutschen und den Berliner Fußballverband. Alle Verbände zusammen bilden den Deutschen Bund."

„Eine sehr gute Organisation, wie ich sehe." 10

„Auch die Vereine, die andere Sportarten pflegen, sind ähnlich organisiert."

„Und wie findet man nun jedes Jahr den Meister?"

„Die Vereine eines Bezirks spielen gegen einander. Der beste Verein wird der Meister des Bezirks. Dann spielen die Meister der Bezirke und Gaue gegen einander. Die Mannschaft, die dabei
5 die meisten Punkte erhält, wird der Meister des Verbands. Durch die Spiele dieser Meister wird schließlich der deutsche Meister gefunden."

„Hat das Spiel am nächsten Sonntag damit zu tun?"

„Nein. Dieses Spiel geht um die höchste Trophäe im Fuß=
10 ballsport, den Bundespokal. Die Verbände wählen die besten Spieler aus ihren Vereinen und stellen eine Mannschaft auf. Die beste Mannschaft erhält dann als Preis den Bundespokal."

„Schließlich gibt es wohl noch eine Nationalmannschaft, die aus den besten Spielern Deutschlands besteht?"

15 „Selbstverständlich. Da andere europäische Länder ungefähr die gleiche Organisation haben, so kommt es oft zu einem Treffen zwischen den Ländern. So spielt Deutschland gegen die Schweiz, Schweden und manche andere Länder. Bei den Olympischen Spie=
len kämpfen z. B. die Mannschaften der verschiedenen Länder um
20 die Weltmeisterschaft."

„Die Olympischen Spiele zeigen übrigens, daß die Deutschen neben den Amerikanern auf sportlichem Gebiet zu den tüchtigsten Völkern gehören," sagte Walter.

Geschichte des deutschen Sports

„Ja, der Sport hat sich in Deutschland sehr entwickelt. Die
25 Deutschen betrieben schon lange körperliche Übungen. Vor mehr als hundert Jahren wurden die ersten Turnvereine von Ludwig Jahn° gegründet. Jahns Grundsatz, der später der Grundsatz der deutschen Turner wurde, war: Frisch, fromm, fröhlich, frei. Das vierfache F ist das Zeichen der deutschen Turner und wird
30 so geschrieben."

Bei diesen Worten zeichnete der Student das Zeichen der Turner auf ein Blatt Papier.

Das Zeichen der Turner

„Aber der eigentliche Sport ist doch englischen und amerikanischen Ursprungs, nicht wahr?" 5

„Das sagt ja schon der Name. Jedoch fand der Sport bei den deutschen Turnern begeisterte Aufnahme."

Die Regeln

„Sind die Regeln, nach denen 10 der Sport hier ausgeübt wird, die gleichen wie in Amerika? Man spielt hier Tennis genau so wie in Amerika. Das weiß ich, denn ich spiele zweimal in der Woche mit 15 anderen Studenten Tennis. Aber wie ist es mit den anderen Sportarten?"

„Leider kann ich Ihnen das nicht genau sagen. Aber ich denke, daß die meisten Regeln international festgelegt sind. Das ist ja besonders wegen der Olympischen Spiele nötig, die alle vier Jahre 20 stattfinden."

Das Fußballspiel

„Erzählen Sie mir doch etwas über die Regeln des Fußballspiels. Dann werden wir ja sehen, wie weit dieser Sport mit dem in Amerika übereinstimmt."

„Zwei Mannschaften, die aus je elf Spielern bestehen, bekämpfen sich. Jede Mannschaft hat einen Torwart, zwei Verteidiger, drei Läufer und fünf Stürmer. Der Ball darf nur mit den Füßen, dem Kopf und der Brust berührt werden. Nur der 25

Torwart darf auch die Hände gebrauchen. Wenn es gelingt, den
Ball in des Gegners Tor zu bringen, gewinnt man einen Punkt,
auch ein Tor genannt. Wer die meisten Tore hat, ist Sieger."

„Dieses Spiel nennen wir in Amerika nicht Fußball. Das
5 Spiel gleicht unserem 'soccer'."

Dann gab Walter eine Beschreibung des amerikanischen Fuß=
ballspiels. Der Student entgegnete darauf:

„Auch dieses Spiel wird jetzt in Deutschland eingeführt."

„Neulich habe ich einen Bericht über ein Wasserballspiel ge=
10 lesen. Es scheint sehr häufig gespielt zu werden. Was für ein
Spiel ist das?"

„Es gleicht dem Fußballspiel und findet, wie der Name sagt,
im Wasser statt. Die Mannschaften schwimmen und versuchen,
den Ball in des Gegners Tor zu werfen."

15   „Ich habe mir so etwas Ähnliches gedacht. Doch noch eine
Frage. Halten die Deutschen im Sport viele Rekorde?"

Der Zweck des Sportes

„Jawohl. Eine ganze Reihe von Rekorden wurde von deutschen
Sportsleuten aufgestellt. Aber der Zweck des deutschen Sports
ist nicht, Rekorde aufzustellen, sondern die große Masse des Volkes
20 körperlich tüchtig zu machen."

„Ein sehr gesunder Gedanke."

„Darum fördert der Staat auch den Sport. In allen Städten
werden Spielplätze, Turn= und Schwimmhallen gebaut und be=
nutzt. Manche Städte haben ein großes Stadium, das mit allen
25 modernen Einrichtungen versehen ist und Tausenden von Zu=
schauern Gelegenheit gibt, den Kämpfen zu folgen. Aber nicht
das Zuschauen sondern die persönliche Teilnahme ist die Haupt=
sache."

„In welcher Weise fördert der Staat sonst noch den Sport?"

„Das Deutsche Reich hat einen staatlichen Ausschuß für Leibes=
übungen, der den Sport und die körperlichen Übungen überwacht.
Dieser Ausschuß gibt tüchtigen Sportsleuten ein Abzeichen. Das
Abzeichen ist den Leistungen nach entweder aus Gold, Silber oder
Bronze. Jeder, der ein solches Abzeichen erlangen will, muß fünf 5
Prüfungen bestehen, in denen er gewisse Leistungen erreichen muß.
Die ersten drei Leistungen muß man im Schwimmen, im Springen
und im Laufen bestehen. Bei den letzten zwei Prüfungen kann
man zwischen anderen Sportarten wählen.

Auf dem Wege zur Schule im Harz

Das Boxen

Es wird auch in Deutschland jetzt viel geboxt. Die öffent= 10
lichen Boxkämpfe stehen aber meistens auf geschäftlicher Grundlage.
Jedoch auch das Boxen der Amateure nimmt immer mehr zu."

„Dann ist es auf diesem Gebiet genau so wie in Amerika, wo sehr viele Vorkämpfe stattfinden."

„Gelegentlich sehe ich mir auch solche Kämpfe an. Doch die Hauptsache im Sport ist, wie schon gesagt, die persönliche Teil=
5 nahme."

„Darin stimme ich mit Ihnen überein."

17. Leipzig, Dresden, Wien
Aus Walters Tagebuch

(Nach Beendigung des Wintersemesters unternahm Walter Anfang März eine Reise nach Wien über Leipzig und Dresden. Er führte ein Tagebuch. Einige Auszüge sind in folgenden Zeilen
10 gegeben.)

Am 7. März

Leipzig

Heute kam ich in Leipzig an. Es war eine günstige Zeit für meinen Besuch. Die berühmte Leipziger Messe hatte gerade an= gefangen. Die ganze Stadt machte den Eindruck eines großen
15 Markts.

Der Bahnhof ist großartig. Er ist der größte und einer der schönsten in Europa und gibt dem Besucher einen Begriff von der Bedeutung Leipzigs als Handelsstadt. Die Entwicklung Leip= zigs erinnert an diejenige Amerikas. Im letzten Jahrhundert
20 wuchs die Einwohnerzahl von 32 000 auf beinahe 700 000. Die Leipziger Messe hat sehr viel zu dieser Entwicklung beigetragen.

Die Leipziger Messe

Zweimal im Jahre findet die Messe statt, im Frühling und im Herbst. Fast alle Länder der Welt stellen hier ihre Waren aus. Die ganze Stadt ist in Bewegung. Fahnen wehen von allen Häufern. Große Plakate hängen aus den Fenstern. Breite Bänder mit Anzeigen sind über die Straßen gespannt.

Es ist eine Weltausstellung im kleinen. Fünfzig= bis sechzig= taufend Geschäftsleute kommen bei diefer Gelegenheit mit ihren Waren hierher.

5

Die Leipziger Messe

Hunderte von Ausstellungshallen genügen nicht. Selbst in vielen Privathäusern finden Ausstellungen von Waren statt.

Die Messe kann auf eine lange Geschichte zurückblicken. In Leipzig kreuzten sich im Mittelalter die wichtigen Handelsstraßen

zwischen Polen und Thüringen und zwischen Böhmen und Nord=
deutschland. Die Kaiser gaben der Stadt Leipzig viele Vorrechte.
Ein Kreis wurde um Leipzig gelegt. Kam irgendein Kaufmann
mit seinen Waren in dieses Gebiet, so mußte er nach Leipzig
5 kommen und dort seine Waren zum Verkauf ausstellen.

Das Rathaus in Leipzig

Der Pelzhandel hat besondere Bedeutung für Leipzig. Neben
London und St. Louis ist Leipzig der größte Handelsplatz für
Pelzwaren.

Am 9. März

Der Buchhandel

Ich besuchte heute einige Buchläden. Leipzig ist der Mittel=
punkt des Buchhandels in Europa. Hier gibt es mehr als 1100
Verlage und Buchhandlungen und 250 Buchdruckereien. Mehr
als 500 Zeitungen und Zeitschriften erscheinen hier, und mehr 5
als 11 000 Buchhändler haben hier ihre Vertreter.

Die Universität

Leipzig hat eine berühmte Universität. Sie wurde im Jahre
1409 gegründet. Die Ursache dazu gaben 400 deutsche Studenten,
die von der Universität Prag in Böhmen nach Leipzig kamen.
Berühmte Männer haben hier studiert, unter anderen Lessing und 10
Goethe.

Am 10. März

Heute sah ich auch Auerbachs Keller,° der durch Goethes Faust
berühmt wurde. Goethe selbst hat ihn oft besucht, und man zeigte
mir seinen Namenszug. Bilder und Sprüche an den Wänden 15
erzählen von dem Doktor Faust und dem Teufel, dem er sich
ergeben hatte. Man sieht auch, wie der Teufel Löcher in den Tisch
bohrt, aus denen die anwesenden Leipziger Studenten die besten
Weine trinken. Heute trinkt man sie aber in Auerbachs Keller
ohne Teufelskünste. 20

Musik

Die Musik wird in Leipzig sehr gepflegt. Der berühmte Kom=
ponist Johann Sebastian Bach° war von 1723 bis 1750 Organist
an der Thomaskirche. Er legte den Grund für die berühmten
Konzerte im Gewandhaus.° Leipzig ist auch die Vaterstadt Richard
Wagners, der 1813 geboren wurde. Felix Mendelssohn,° ein an= 25
derer berühmter Musiker, lebte und wirkte hier.

Am 11. März

Das Völkerschlachtdenkmal°

Besonders großen Eindruck machte auf mich das gewaltige
Völkerschlachtdenkmal, das außerhalb der Stadt liegt. Es ist zum
Andenken an die Schlacht von Leipzig errichtet. In dieser Schlacht,
5 die im Jahre 1813 stattfand, wurde Napoleon von den vereinigten
Preußen, Russen und Österreichern besiegt.

Dresden vom Flugzeug°

Am 16. März

Im Flugzeug nach Dresden

Ich bin im Flugzeug von Leipzig nach Dresden geflogen. Ich
saß gemütlich wie auf der Eisenbahn. Es war herrlich. Besonders
10 großartig war der Schluß des Fluges. Das silberne Band der
Elbe konnte man schon von weitem sehen. Dann tauchten die
Spitzen und Kuppeln der Kirchen und des Rathauses im Licht

der Abendsonne auf. Es war ein sehr malerisches Bild. Ich hatte sofort den Eindruck, daß Dresden eine kunstliebende Stadt sei. Man findet in der Tat hier zahlreiche Kunstschätze und künst= lerische Gebäude. Es wird wohl mit Recht das Florenz an der Elbe genannt.   5

Ich nahm mir Zeit, alle Schätze in Ruhe zu besichtigen. Zuerst besah ich die Bauwerke der Stadt von außen. Von dem Platz der alten Stadtmauer, wo sich jetzt eine schöne Terrasse be= findet, hat man einen schönen Ausblick auf die wundervollen Ge= bäude. Wendet man sich auf der Terrasse um, so sieht das Auge 10 die Elbe vor sich, belebt mit Dampfern und größeren und kleineren Schiffen. In der Ferne grüßen die blauen Höhen der Sächsischen Schweiz.

Das Opernhaus in Dresden

Die Sixtinische Madonna°

Die Gemäldesammlungen Dresdens sind weltbekannt. Das

berühmteste Bild der Sammlungen ist die Sixtinische Madonna
von Raffael.

　　Das Bild wurde im Jahre 1515 von Raffael gemalt. Der
König von Sachsen kaufte es im Jahre 1754 für einen Preis, der
5 heute ungefähr 25 000 Dollar entspricht. Das war damals eine
gewaltige Summe. Heute ist das Bild Millionen wert. Um es
sicher von Italien nach Sachsen zu bringen, wurde eine Landschaft
über das Bild gemalt, die später wieder entfernt wurde. Als das
Bild in Dresden ankam, befahl der Fürst, es in den Thronsaal
10 zu hängen. Das Licht war am günstigsten dort, wo der Thron
stand. Da stieß der König den Thron ungeduldig beiseite und
rief aus: „Platz für den großen Raffael!"

　　Noch viele andere Gemälde berühmter Meister fand ich in der
Galerie zu Dresden.

Am 18. März

Das Porzellan

15　　Die Porzellansammlungen waren sehr interessant. Hier in
Dresden fand ein Mann Namens Böttcher das Geheimnis der
Herstellung von Porzellan, das die Chinesen schon lange gekannt
hatten.

　　Böttcher war Apotheker und Alchimist und hatte immer viele
20 Schulden. Darum mußte er von einem Lande zum anderen fliehen.
Er hatte den Ruf, Gold machen zu können. Solche Leute konnte
der Kurfürst° von Sachsen, August der Starke,° gebrauchen, denn
er hatte immer Geld nötig. Böttcher fand bei ihm Aufnahme
und sollte nun Gold machen, aber es gelang ihm nicht. Er ge-
25 brauchte eine Ausrede nach der anderen. Schließlich gelang es
ihm, Porzellan herzustellen.

　　Der Kurfürst erkannte sogleich die Bedeutung dieser Entdeckung
und ließ Böttcher mit seinen Arbeitern auf die Albrechtsburg bei
Meißen bringen. Dort wurde eine Fabrik zur Herstellung des

Porzellans errichtet. Das Verfahren hielt man streng geheim. Böttcher und die Arbeiter mußten wie Gefangene leben. Der Kurfürst ließ sie nie frei, denn er wollte nicht, daß sie das Geheimnis verrieten. Noch heute ist Meißen durch seine Porzellanindustrie berühmt.

Die Teller, Vasen, Statuen und andere Gegenstände aus Porzellan, die ich in den Sammlungen sah, waren äußerst kunstvoll hergestellt und mit den schönsten Farben bemalt. Selbst Geld aus Porzellan° wurde in Deutschland einmal gebraucht.

Schandau in der Sächsischen Schweiz

Die Sächsische Schweiz

Am 20. März

Von Dresden machte ich einen Ausflug in die Sächsische Schweiz. Dieses Gebirge wird so genannt, weil es mit seinen schönen Bergen und Tälern an die Schweiz erinnert.

Mit einem Dampfer fuhr ich durch das malerische Elbtal bis
nach Schandau. Von dort begann die Fußwanderung. Ich wan=
derte durch enge, romantische Täler. Ein rauschendes Wasser floß
mir zur Seite. Hohe, steile Felsen bildeten die Wände. Dunkle
5 Wälder wechselten ab mit freundlichen, kleinen Wiesen. Dann
wieder sperrte eine Felswand den Weg. Schließlich gelangte ich
auf die Höhen. Ein weiter Ausblick bot sich dem Auge. Über
Hügel, Wälder und Felder schweifte der Blick ins Unendliche.

Am 28. März

Wien

10   Ich bin jetzt in Wien,° der Stadt der Lebensfreude. Alle
Welt spricht von den lustigen Wienern, und es ist wahr, die Wiener
sind lustige Leute. Sie sind mit Recht stolz auf ihre Stadt.

Wien war die Hauptstadt des ehemaligen Kaiserreichs Öster=
reich=Ungarn. Jetzt ist es der Sitz der Regierung der deutsch=
15 österreichischen Republik. Obgleich die Österreicher Deutsch spre=
chen, ist Österreich doch nicht mit Deutschland verbunden sondern
ist ein selbständiger Staat.

Wien ist eine Weltstadt. Man erzählte mir, daß viele Be=
sucher meinen, es sei schöner als Berlin oder Paris. Es ist ohne
20 Frage eine sehr schöne Stadt. Die Umgebung Wiens hat viele
Naturschönheiten. Die blaue Donau und die Nähe der Alpen
geben Wien einen besonderen Reiz.

Der Stephansdom

Mittelpunkt und Wahrzeichen Wiens ist der Stephansdom
mit seinem schlanken, hohen Turm. Oben auf dem Turm war
25 bis in die Neuzeit eine Wache, die aufpassen mußte, ob irgendwo
ein Feuer ausbrach. Wurde ein Feuer entdeckt, so beschrieb man
den Platz auf einen Zettel, tat diesen in einen Messingball und warf

Der Stephansturm

ihn durch eine Röhre hinab. Das ging natürlich schneller als die 700 Stufen hinunterzulaufen.

Vom Stephansturm aus leite= ten die Wiener auch die Verteidig= 5 ung der Stadt gegen die Türken,° die zweimal tief in Europa ein= drangen. Sie kamen aber nicht weiter als Wien. Hier wurde ihnen Halt geboten, und es ist ein be= 10 sonderes Verdienst der Wiener, die Türken zurückgetrieben zu haben.

Die Umgebung des Rathauses

Den Park vor dem großartigen Rathaus könnte man den zweiten Mittelpunkt von Wien nennen. Er 15 liegt an dem westlichen Teil der Ringstraße, die von den Ufern des Wiener Donaukanals um die in= nere Stadt führt.

Von dieser Stelle vor dem 20 Rathaus sieht man viele öffent= liche Gebäude. Nicht weit von hier ist auch der Volksgarten mit dem Denkmal Grillparzers, des be= rühmten österreichischen Dichters. 25 Ganz in der Nähe ist dann die Hof= burg, wo die Habsburger ihren Sitz hatten.

Es ist nur ein kurzer Spazier= gang von hier bis zur Kapuziner= 30

kirche, wo die Angehörigen dieses einst so mächtigen Hauses zur
letzten Ruhe bestattet sind. Ein ernster, schweigsamer Mönch be=
gleitete mich durch die Kirche. Dumpf hallten unsere Schritte.
Nirgends tritt einem das tragische Schicksal der Habsburger so
5 deutlich vor Augen wie an dieser Stätte. Alle Herrlichkeit ist
dahin. Begraben sind alle Wünsche, Träume und Sorgen.

Das Rathaus in Wien

Das Schloß zu Schönbrunn

Ein freundlicheres Bild bot sich mir, als ich das Kaiserliche
Schloß zu Schönbrunn mit seinem wunderbaren Park besuchte.
Es liegt am südwestlichen Rande von Wien und war der Wohnsitz
10 des Kaisers Franz Joseph, der 68 Jahre Österreich regiert hat.

Von geschichtlichem Interesse ist, daß hier auch der Sohn Na=
poleons,° der Herzog von Reichstatt, gelebt hat. Er starb verlassen
im Jahre 1832 in demselben Zimmer, wo einstmals sein mäch=
tiger Vater als Eroberer gewohnt hatte.

Das Zimmer Napoleons in Schönbrunn

Am 31. März

Der Prater

Was wäre Wien ohne den Prater! Er liegt zwischen der 5
Donau und dem Wiener=Donaukanal. Es ist der Platz, wo die
Wiener alle ihre Sorgen vergessen und lustig sind. Schöne Wege
führen durch den weiten Park. Theater und Rennplätze sind vor=
handen. Zahlreiche Cafés laden zum Besuch ein.

Besonders malerisch sind die Trachten der Landleute, die zum 10
Besuch nach Wien kommen.

Wissenschaft und Kunst

Die Universität ist eine Zierde Wiens. Viele englische und amerikanische Studenten fand ich hier, besonders solche, die Medizin studieren. Wien ist weltberühmt in der medizinischen Wissenschaft. Aus allen Teilen der Welt kommen hier Ärzte und Stu-
5 denten zusammen, um weitere Ausbildung zu erhalten.

Wien pflegt auch getreulich die Tradition seiner großen Musiker. Der große Beethoven wohnte hier. Haydn, Schubert und Mozart nannten Wien ihre Heimat. Gedenktafeln sind an den Häusern angebracht, wo diese Meister gewohnt haben. Zahlreiche
10 Denkmäler und Erinnerungsstücke in den Museen lenken die Aufmerksamkeit der Besucher auf die berühmten Männer Wiens.

18. Der Rundfunk

Über die deutsche Volkswirtschaft

„Willkommen, Herr Miller. Nun sind Sie wieder in Berlin. Wie hat es Ihnen denn unterwegs gefallen?"

Mit diesen Worten begrüßte Frau Borchert beim Abendessen
15 Walter Miller, der gerade von seiner Reise zurückgekommen war.

„Es hat mir sehr gut gefallen. Ich werde Ihnen davon erzählen."

Ostern

„Schade, daß Sie Ostern nicht hier waren. Wir haben eine Überraschung für Sie. Der Osterhase hat uns nämlich neben
20 vielen schönen, bunten Eiern auch einen Rundfunkapparat gebracht. Jetzt werden wir abends immer eine gute Unterhaltung haben."

„Das ist allerdings eine Überraschung. Es hat mir ja sehr leid getan, daß ich Ostern nicht hier sein konnte, denn man hatte mir so viel erzählt von Ostern, und wie es in Deutschland im

Familienkreise gefeiert wird. Ich hätte gern einmal gesehen, wie die Kinder, die an den Osterhasen glauben, das ganze Haus und den Garten nach Ostereiern absuchten. Leider habe ich davon nun nichts gesehen, denn Ostern machte ich gerade eine Wanderung durch die Alpen." 5

Dann begann Walter von seiner Reise zu erzählen. Nach dem Abendessen bat er dann Frau Borchert:

"Zeigen Sie mir jetzt bitte den Rundfunkapparat. Ich bin ziemlich neugierig zu erfahren, was für ein Apparat es ist."

"Gehen Sie nur ins Wohnzimmer, dort steht er." 10

Der Rundfunkapparat

"Ei, das ist aber wirklich ein schöner Apparat. Wenn der Ton auch so gut ist wie das Aussehen, dann bleibt nichts zu wünschen übrig."

Walter stellte den Apparat auf die Sendestation Nauen bei Berlin ein. Ein Orchester spielte liebliche Weisen. Walter lehnte 15 sich in seinen Sessel zurück und lauschte. Sein alter Bekannter aus der Pension, Assessor Dreher, setzte sich neben ihn.

"Feine Sache der Rundfunk, nicht wahr? Nun, Sie als Amerikaner kennen ja das schon lange. Auch bei uns hat sich der Rundfunk sehr gut entwickelt. Wie viel müssen Sie denn monat= 20 lich in Amerika für die Benutzung eines Apparats an den Staat bezahlen?"

"Etwas monatlich an den Staat bezahlen? Das kennen wir nicht. Wir kaufen einen Rundfunkapparat, halten ihn in guter Ordnung, und damit sind die Kosten erledigt." 25

Eine staatliche Einrichtung

"Der Rundfunk ist hier eine staatliche Einrichtung. Jeder, der einen Rundfunkapparat hat, bezahlt monatlich eine bestimmte Summe. Wer unterhält denn in Amerika die Sendestationen?"

„Nicht der Staat. Große Geschäfte sehen im Rundfunk eine gute
Gelegenheit zur Reklame und unterhalten deshalb die Stationen."

„Das ist hier anders. Doch haben wir eine ganze Anzahl
guter Stationen. Musik, Theateraufführungen, Opern, Vorträge,
5 Unterricht in fremden Sprachen, alles dies wird uns jetzt durch
den Rundfunk gebracht."

Walter drehte den Knopf, und man hörte den großen Sender
des Rheinlandes. Ein Redner sprach gerade über die deutsche
Volkswirtschaft.

10 Walter sagte: „Das ist etwas für mich. Ich denke, ich höre
ein wenig zu."

Die Landwirtschaft

„........ und so betrachten wir zuerst die Landwirtschaft.
Deutschland ist ein Industriestaat geworden, und die Einwohner=
zahl der Städte ist mächtig gewachsen. Trotz der Abnahme der
15 Bevölkerung auf dem Lande haben die deutschen Ernten in den
letzten hundert Jahren um das Doppelte zugenommen. Bessere
Methoden, stärkere, besonders künstliche Düngung und der Ge=
brauch von Maschinen haben dazu geholfen. Dennoch kann die
deutsche Landwirtschaft das deutsche Volk nicht ernähren. Jedes
20 Jahr müssen große Mengen von Nahrungsmitteln nach Deutsch=
land eingeführt werden.

Dem Klima entsprechend werden hauptsächlich Getreide, Hül=
senfrüchte, Hackfrüchte und Futterpflanzen angebaut. Unter dem
Getreide spielt der Roggen die Hauptrolle. Dazu kommen noch
25 Hafer, Weizen und Gerste. Die Gerste dient teils als Futter,
teils zur Herstellung von Bier.

Hülsenfrüchte, wie z. B. Erbsen, Linsen und Bohnen, werden
besonders im Osten angebaut.

Von Hackfrüchten ist die Kartoffel fast in ganz Deutschland
30 verbreitet. Sie ist für die Ernährung der Bevölkerung sehr wichtig.

Der Anbau der Zuckerrübe ist auf gewisse Gebiete beschränkt. Am Rhein und an der Mosel ist der Weinbau besonders zu nennen. Obstbäume sind über das ganze Deutsche Reich verbreitet. Die bekanntesten Obstarten sind Äpfel, Birnen, Pflaumen und Kirschen. Gut entwickelt ist auch der Anbau von Gemüse. 5

Der Weinbau

Wiesen und Weiden bilden die Grundlage der Viehzucht. Die günstigen Gegenden dafür sind in den Bergen sowie im feuchteren Norden.

Beinahe ein Viertel des Deutschen Reiches ist mit Wald bedeckt. Die Deutschen halten ihre Wälder in gutem Zustand, dennoch müssen sie viel Holz vom Ausland kaufen. 10

Die Jagd ist von geringerer Bedeutung für die deutsche Volkswirtschaft, dagegen ist die Fischerei in der Nord- und Ostsee wichtig für die Ernährung der Bevölkerung.

Die Bodenschätze

Die Zahl der Bodenschätze ist groß. Von diesen ist die Kohle
am wichtigsten. In Westdeutschland sind die bedeutendsten Kohlenbergwerke. Das Ruhrgebiet ist am bekanntesten. Auch in Sachsen
und Schlesien findet man Kohle. Erdöl gibt es nur wenig, aber
5 an Salz ist Deutschland sehr reich.

Eisenerze sind über das ganze Deutsche Reich verbreitet. Außerdem findet man noch Kupfer, Zink, Blei und Silber. Deutschland
ist aber arm an Gold.

Zahlreiche Mineralquellen gibt es in Deutschland. Sie gehören
10 zu den heilkräftigsten Quellen in Europa.

Die deutsche Industrie

Die Industrie ist im Deutschen Reich ungleich verteilt. Sie
ist hauptsächlich in den Kohlengebieten, den Großstädten und Gegenden vertreten, die dicht bevölkert sind. In Norddeutschland
und östlich von der Elbe ist sie nur gering entwickelt, außer in
15 großen Städten und deren Umgebungen. Industriegebiete ersten
Ranges sind dagegen das rheinisch-westfälische, das sächsische (um
Chemnitz und Plauen) und das schlesische.

Von besonderer Wichtigkeit ist die deutsche Metallindustrie.
Die größten Werke befinden sich im Ruhrgebiet und in Westfalen.
20 Überall bekannt sind die Fabriken von Krupp in Essen.° Die
Hauptplätze für Stahlwaren sind Solingen und Remscheid im
Rheinland.

In hoher Blüte steht der Schiffbau. Wir finden Werften in
Hamburg, Bremen, Kiel, Elbing und Stettin.

25 Durch die Herstellung von wissenschaftlichen Instrumenten
sind unter anderen Jena,° Berlin und Göttingen besonders bekannt. Die Uhren, die in Glashütte und im Schwarzwald hergestellt werden, sind weltberühmt.

Die Porzellanfabrikation hat ihren Hauptsitz in Meißen bei Dresden. Im Thüringerwald gibt es viele Glas= und Spielzeug= fabriken.

Bremen, eine Stadt des Welthandels

In der chemischen Industrie ist Deutschland führend. Farben und Medizin werden in keinem anderen Land vollkommener her= 5 gestellt. Das größte chemische Werk in Deutschland ist das Leu= nawerk bei Merseburg, wo Stickstoff aus der Luft geholt wird. Gummi und Benzin werden von der deutschen chemischen Industrie auch künstlich hergestellt.

Hoch entwickelt ist auch die Textilindustrie, die Hunderttausende 10 von Arbeitern beschäftigt. In der Seidenindustrie wird Deutsch= land nur von Frankreich übertroffen.

Nahrungsmittel werden in sehr guter Qualität in Deutschland

hergestellt. Wer kennt nicht Braunschweiger Leberwurst, Magde=
burger Sauerkraut, Nürnberger Lebkuchen, Lübecker Marzipan?

Deutschland steht an erster Stelle in der Herstellung von Bier.
In Bayern wird wohl verhältnismäßig das meiste Bier getrunken.

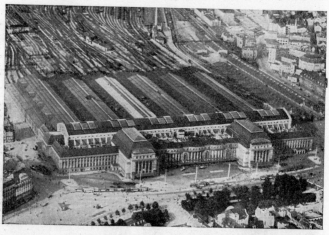

Der Bahnhof in Leipzig

Der Handel

5   Wenn Deutschland diese gewaltige Industrie in Gang halten
will, muß es einen großen Handel betreiben. Nach Deutschland
werden hauptsächlich Rohstoffe eingeführt, welche die Industrie
braucht, und Nahrungsmittel. Ausgeführt werden meistens fer=
tige Waren. Die Kohle ist der am meisten ausgeführte Rohstoff,
10 der Zucker das am meisten ausgeführte Nahrungsmittel."

Der Vortrag war zu Ende.

„Das Zuhören hat sich gelohnt," sagte Walter. „Ich hatte
Glück, sogleich beim ersten Male durch den deutschen Rundfunk
diesen Vortrag zu hören. Es war ein guter Anfang für meine
15 Arbeit im zweiten Semester, das in diesen Tagen beginnt."

19. Potsdam

Nach Wannsee

Die kleine Gruppe traf sich auf dem Bahnhof. Es war noch sehr früh. Wir erkennen in der Gruppe Walter, der mit einigen seiner Freunde heute einen Ausflug nach Potsdam machen wollte.

„Es sieht so aus, als ob wir gutes Wetter haben werden," sagte einer der Teilnehmer, als man im Zuge saß. „Potsdam sollte man nur bei schönem Wetter sehen."

„Ja, ich glaube auch, daß wir Glück haben werden," meinte Doktor Peters. „Natürlich, wenn wir es machten wie viele Besucher Potsdams, brauchten wir nicht nach dem Wetter zu fragen."

„Wie machen es denn diese Leute?" fragte Walter.

„Sie fahren gewöhnlich von Berlin bis nach Potsdam. Dann eilen sie in die Schlösser, besichtigen sie und kehren gleich wieder nach Berlin zurück. Dabei versäumen sie das Beste, nämlich neben den Schönheiten Potsdams auch die herrliche Umgebung zu sehen. Nun, wir machen es anders."

In Wannsee verließen die Freunde den Zug.

Die Havel

„Wir haben jetzt zwei Möglichkeiten vor uns," sagte Doktor Peters, der als Führer diente, „entweder nehmen wir einen Dampfer und fahren auf den Seen, die von der Havel gebildet werden, oder wir gehen zu Fuß nach Potsdam. Was ziehen Sie vor?"

„Wir gehen zu Fuß. Diesen schönen Morgen müssen wir recht genießen."

Eine wundervolle Morgenwanderung begann. Die Wanderer schritten durch dunkle Kieferwälder, die mit balsamischem Duft erfüllt waren. Dann führte ihr Weg sie an den stillen Wassern der Havel vorbei. Der Tau auf den Gräsern funkelte in der Morgensonne. Die Vögel sangen. Blau spannte sich der wolkenlose Himmel über die friedliche Welt.

Als die Freunde den Wald und die stillen Seen verlassen hatten, lag Potsdam in einiger Entfernung vor ihnen.

Doktor Peters nannte die Kirchen und Schlösser der Stadt. Nach einer kurzen Rast ging es weiter.

5 „Nun, Herr Miller, die Gegend, die Sie heute morgen gesehen haben, wird von den Berlinern sehr viel besucht. Heute morgen war alles still und ruhig, aber während des Tages, besonders an Sonntagen, herrscht dort überall ein reges Leben. Segeln, Baden und Schwimmen sind hier dann die liebsten Vergnügungen."

10 „Wie weit ist Potsdam eigentlich von Berlin?"

„Ungefähr fünfundzwanzig Kilometer."

„Das ist nicht sehr weit."

Die Hohenzollern und Potsdam

„Die Hohenzollern haben das auch erkannt und sich dort ihre Paläste gebaut. Jahrhundertelang ist die Geschichte dieser Herr=
15 scher mit Potsdam verbunden. Besonders bekannt wurde Potsdam durch Friedrich den Großen, dessen Lieblingsaufenthalt es war."

„Diente es schon vor Friedrich dem Großen als Sitz der Hohenzollern?"

„O ja. Seit der Zeit des Großen Kurfürsten.° Er erbaute
20 hier das Stadtschloß, das wir nun gleich besichtigen werden. Später wurden dann noch mehrere Schlösser gebaut."

Das Stadtschloß

Man war inzwischen in die Stadt gekommen. Vor den Freun= den erhob sich das Stadtschloß, an dessen einer Seite eine große Linde stand.

25 „Hier wohnte der König Friedrich Wilhelm der Erste, der Vater des großen Friedrich. Er war ein tüchtiger Fürst, jedoch verachtete er Kunst und Wissenschaft. Für große Soldaten hatte er besondere Vorliebe, und er scheute keine Kosten, wenn er einen

langen Kerl für sein Regiment bekommen konnte. Mit seinem Sohn hatte er viel Streit. Dieser liebte Kunst und Literatur, und das schien dem Vater zu weichlich. Aber trotzdem ist dieser Sohn der größte Hohenzoller geworden."

Friedrich der Große

Man betrat die Räume Friedrichs des Großen, der zu Anfang seiner Regierung hier wohnte. Merkwürdig war in einem Zimmer eine Falltür, die Friedrich hatte bauen lassen. Durch diese erschien auf Befehl ein Tisch mit allen gewünschten Speisen. Diese Einrichtung machte die Gegenwart von Dienern überflüssig, wenn Friedrich der Große mit seinen Ministern und Generälen über geheime Pläne sprechen wollte.

Vom Arbeitszimmer des Königs sah man die schon erwähnte Linde. Hier, so erzählte der Führer, nahm Friedrich der Große die Bittschriften seiner Untertanen entgegen. Zeigte sich der König nicht, so kletterte ein Ungeduldiger wohl auch auf den Baum und machte den König aufmerksam, der dann ans Fenster kam und die Bittschrift annahm.

Gleich nach dem Beginn seiner Regierung tat Friedrich der Große einen berühmten Ausspruch in der Beantwortung eines solchen Gesuches. Er sagte: „Die Religionen müssen alle geduldet werden. In meinem Staat kann ein jeder auf seine Weise selig werden."

Fünf Minuten Wegs vom Stadtschloß entfernt steht die Garnisonkirche, die wegen ihrer Glocken berühmt ist.

Hier besichtigten die Freunde das Grab Friedrich Wilhelms des Ersten und Friedrichs des Großen. Napoleon war hier einmal als berühmter Besucher. Er soll damals zu seinen Begleitern gesagt haben, indem er auf den Sarg Friedrichs des Großen zeigte: „Wenn dieser noch lebte, wäre ich heute nicht hier."

Sanssouci

Nach einer kleinen Rast und Erfrischung in der Stadt machten sich die Freunde auf den Weg nach dem Park und Schloß Sanssouci. Sie liegen nahe bei der Stadt.

Schloß Sanssouci

Der Park und das Schloß Sanssouci haben Potsdam den Namen „das preußische Versailles"° gegeben. Friedrich der Große hat Sanssouci geschaffen.

Der Park war gut gepflegt. Hohe, schattige Bäume säumten die Alleen ein. Von einem großen Springbrunnen führte eine breite Treppe zur Terrasse hinauf, die vor dem Schloß lag. Von dort bot sich dem Auge ein schöner Rundblick.

„Der alte Fritz, wie das Volk Friedrich den Großen nannte, bewies guten Geschmack, als er diesen Platz für sein Schloß wählte, nicht wahr?"

„Das will ich meinen."

„Ja, hier auf dieser Terrasse wollte er auch begraben werden. Das hatte er bestimmt. Sein Nachfolger hat jedoch diesen Wunsch nicht erfüllt."

„Warum nannte der König das Schloß ‚Sanssouci'?"

„Darüber erzählt man folgendes. Einst ging Friedrich hier mit einem französischen Philosophen spazieren. Er sprach über seine Kämpfe. Als die beiden hier an der Terrasse vorüberkamen, wo Friedrich sein Grab bauen lassen wollte, zeigte der König nach jener Stelle und meinte: 'Quand je serai là, je serai sans souci (Wenn ich erst einmal dort bin, werde ich ohne Sorge sein).' Davon hat später das Schloß den Namen bekommen: Sanssouci (ohne Sorge)."

Unter der Leitung eines Führers ging die Gruppe durch das Schloß. Seit Friedrichs Zeit wohnt niemand hier, und alles ist genau so geblieben, wie es zu Lebzeiten des großen Königs war.

Die historische Mühle

Die Wohnräume des Königs waren sehr einfach. Er war gewohnt, im Sommer und im Winter um vier Uhr morgens aufzustehen und zu arbeiten. Sein Wahlspruch war: Der König ist der erste Diener seines Staates. Er handelte auch danach. Die Geschichte von dem Müller, der eine Mühle nahe bei dem Schloß hatte, beweist das. Doktor Peters erzählte die Geschichte, als man die alte Mühle sehen konnte:

„Nahe bei dem Schloß hatte ein Müller eine Mühle. Ihr Geklapper störte den König oft. Eines Tages war er den Lärm satt und ließ den Müller kommen. Er fragte ihn, wie viel er für seine Mühle haben wolle. Der Müller antwortete, die Mühle sei nicht verkäuflich. Und dabei blieb er. Alle Bitten des Königs halfen nichts. Schließlich wurde Friedrich zornig und sagte, er werde die Mühle einfach niederreißen lassen. Darauf erwiderte

der Müller, das Gericht in Berlin würde ihm aber schon sein
Recht geben. Der König gab schließlich nach und zeigte dadurch,
daß er Gerechtigkeit liebte."

Die historische Mühle

Das Neue Palais

Die Freunde wanderten vom Schloß Sanssouci weiter durch
5 den Park und erreichten nach ungefähr fünfzehn Minuten das Neue
Palais, ein großes Schloß, gleichfalls von Friedrich dem Großen
erbaut.

Nach der Besichtigung des Neuen Palais, das besonders der
letzte Deutsche Kaiser° als Wohnsitz gern hatte, gingen sie zum
10 Bahnhof.

Vom Zuge aus schauten alle noch einmal zurück auf Potsdam.
Prächtig lagen in der goldenen Abendsonne die stolzen Bauten,
mächtige Zeugen einer vergangenen Zeit.

20. Der Spreewald

Berlin, den 12. Juni, 19..

Mein lieber Freund!

In einigen Monaten kehre ich nun wieder nach Amerika zurück, und immer habe ich Dir noch nicht geschrieben, wie ich es ver= sprochen hatte. Ich kann Dir nicht alles erzählen, was ich bis jetzt 5 in Deutschland erfahren habe; denn dazu habe ich nicht die Zeit, und der Brief würde zu lang werden. Die meisten Erfahrun= gen werde ich Dir mündlich erzählen, wenn wir uns wieder treffen.

Wie Du weißt, studiere ich in Berlin. Die freie Zeit benutze ich, Museen und wissenschaftliche Sammlungen zu besichtigen und 10 Ausflüge in die Umgebung zu machen. Kürzlich war ich in Pots= dam, wovon ich Dir später einmal erzählen werde. Heute will ich Dir von einer schönen Fahrt nach dem Spreewald berichten, der das Ziel vieler Fremden ist, die nach Berlin kommen.

Lage und Bevölkerung

Bei Berlin teilt sich die Spree in nur wenige Kanäle, aber 15 ungefähr fünfundachtzig Kilometer stromaufwärts, südöstlich von der Reichshauptstadt, bildet sie mehr als zweihundert größere und kleinere Wasserstraßen. Dieses Gebiet ist ungefähr dreißig Meilen° lang und hat an manchen Stellen eine Breite von fünf Meilen. Es ist der Spreewald. Wie der Name schon sagt, bedeckt Wald die 20 zahlreichen Inseln, die durch die Arme der Spree gebildet werden.

Im Spreewald wohnt eine nicht germanische Bevölkerung. Diese Leute sind die Nachkommen der slawischen Wenden, die sich vor den germanischen Stämmen in die Sümpfe zurückgezogen haben. Heute ist aus diesem Sumpf eine schöne Gegend geworden, 25 die gern von den Großstädtern zur Erholung aufgesucht wird.

Die Tracht

Die Bewohner des Spreewalds haben noch ihre eigene Tracht.

Ich habe sie hier in Berlin schon oft gesehen, denn die Kinder=
mädchen der reichen Berliner Familien kommen meistens aus dem
Spreewald und tragen auch in der Großstadt ihre bunte Tracht.
Die Männer sind einfacher gekleidet, aber die Kleidung der Frauen
5 und der Mädchen ist malerisch. Leuchtende Farben, wie z. B. rot,
sind vorherrschend. Besonders auffallend sind die großen, weißen
Hauben, die manchmal so breit sind, daß zwei Mädchen nicht
nahe bei einander sitzen können.

Auf dem Wege zur Kirche°

Letzten Sonntag fuhren ein guter Bekannter von mir und ich
10 sehr früh am Morgen nach Burg, das mitten im Spreewald liegt.
Nachdem wir hier den Gottesdienst in der großen Kirche besucht
hatten, hauptsächlich um die Spreewälder in ihrer malerischen
Tracht zu bewundern, begann unsere Reise zu Wasser.

Der Verkehr

Der Verkehr im Spreewald findet auf den Armen der Spree statt. Alle Arten von Kähnen werden benutzt, schwere, die zur Beförderung großer Lasten dienen, und leichte, die nur für wenige Personen bestimmt sind. Mit einer langen Stange, die am Ende mit Stahl beschlagen ist, wird der Kahn im Wasser fortgestoßen. 5 Man hört nur wenig Geräusch; es ist ein seltsamer Anblick, wenn die Kähne so schweigend aneinander vorbeigleiten.

Die Feuerwehr im Spreewald°

Im Winter sind der Schlitten und die Schlittschuhe die Verkehrsmittel im Spreewald. Der Briefträger und die Polizei sowie auch die Feuerwehr eilen dann schnell auf Schlittschuhen auf den 10 gefrorenen Armen der Spree dahin.

Wir fuhren auf dem Hauptarm der Spree. Wie ein Park lag der Wald zu beiden Seiten. Manchmal führte unsere Wasserstraße durch fruchtbare Wiesen. Kleine Kanäle führten an der Seite ins offene Land, wo man zuweilen die roten Dächer der 15

Bauernhäuser leuchten sah. Jeder Bauernhof hat einen kleinen
Hafen. In einigen Häfen sahen wir Kähne, die hoch mit Heu
beladen waren. Auch das Vieh wird auf Kähnen befördert. Die
feuchten Wiesen sind für die Viehzucht sehr günstig. Auf dem
5 trockeneren Lande werden hauptsächlich Gurken und Flachs an=
gebaut.

Manchmal fuhren wir durch einen schmalen Kanal, an Häus=
chen und Gärten vorbei. Dann wurde es wieder still. Der Wind
schlief. Kaum bewegten sich die Blätter der Bäume. Golden
10 schien die Sonne vom blauen Himmel auf das tiefe Grün der
Wiesen.

Leise trieb unser Kahn durch die stillen Wasser. Plötzlich
tauchte vor uns am Ufer eine Gestalt auf. Auf einem Bein stand
ein Storch im Grün einer Wiese. Den Kopf hatte er in die
15 Schultern gezogen; den langen Schnabel steckte er gerade vor sich
in die klare Luft.

Das Dorf Lehde

Endlich erschien ein kleiner Wald. Dort lag das Dorf Lehde.
Der Kanal war so eng geworden, daß nur drei Kähne aneinander
vorbeifahren konnten. Unser Kahn landete beim Gasthaus „Zum
20 fröhlichen Hecht'.° Dort rasteten wir.

Dieses Gasthaus mit seinen zahlreichen Stuben und Winkeln
ist die Sehenswürdigkeit von Lehde. Ein Tanzsaal ist auch vor=
handen, und die Musik spielt dauernd Tänze. Die Mädchen in
ihren steifen Röcken, bunten Tüchern, dunklen Samtmiedern und
25 farbigen Schürzen boten mit den jungen Männern in ihren seide=
nen, schwarzen Westen ein prächtiges Bild. Unermüdlich drehten
sich die Paare im Tanz.

An den Seiten saßen die Alten und tranken in Ruhe ihren
Kaffee. Auf langen Brettern an den Wänden entlang standen
30 altertümliche Gläser, Teller und Schüsseln. Zahlreiche Bilder

schmückten die Wände.

Auch das Dorf selbst ist malerisch. Alle Häuser stehen auf kleinen Inseln, zwischen denen der Verkehr nur mit Kähnen statt= finden kann. Im Winter allerdings, wenn das Wasser gefroren ist, läuft alles Schlittschuh. Das muß dann ein fröhliches Leben 5 sein, wenn man auf blanken Schlittschuhen durch den ganzen Spree= wald sausen kann.

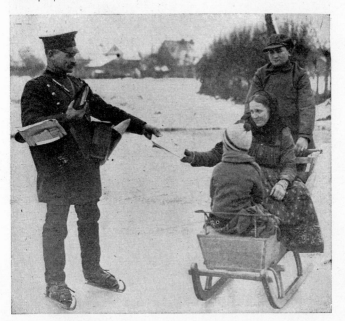

Der Briefträger auf Schlittschuhen

Die Heimfahrt

Die Heimfahrt war sehr schön. Es wurde Nacht. Still glitt unser Kahn auf den dunkeln Wassern dahin, in denen sich die

Sterne spiegelten. Die Luft war von dem Duft des Heues erfüllt.
Tausende von Grillen zirpten im Grase. Ich dachte an das Ge=
dicht von Mathias Claudius:°

Ein Haus im Spreewald

Der Mond ist aufgegangen,
5   Die goldenen Sternlein prangen
      Am Himmel hell und klar.
      Der Wald steht schwarz und schweiget,°
      Und aus den Wiesen steiget
      Der weiße Nebel wunderbar.

10   Mit herzlichem Gruß und in der Hoffnung auf ein frohes
      Wiedersehen, bin ich Dein alter Freund

                              Walter Miller.

21. Auf dem Lande

Vorbei waren die zwei Semester auf der Berliner Universität. Schon winkte die Heimat Amerika, doch ehe Walter dorthin zurückkehrte, wollte er noch einige Wochen in Deutschland reisen.

Eine Einladung aufs Land

Das Leben auf dem Lande in Deutschland kannte er noch nicht. Er folgte also gern der Einladung eines Studenten namens Fried= 5 rich Brunke. Dieser hatte ihn gebeten, einige Tage mit ihm bei seinen Eltern auf dem Dorf zu verbringen. Der Vater des Stu= denten war ein Bauer. Das Dorf lag nördlich vom Harz in Niedersachsen, wo in alten Zeiten die Verwandten der Sachsen wohnten, die im fünften Jahrhundert mit den Angeln nach Eng= 10 land zogen. Die zwischen Elbe und Weser gelegene Gegend ist als sehr fruchtbar bekannt.

Walter nahm von allen Freunden und Bekannten in Berlin Abschied und reiste eines schönen Morgens mit Friedrich Brunke ab. Der Weg führte über Magdeburg und Braunschweig. Am 15 Nachmittag kamen sie auf der Station des Dorfes an. Vater Brunke, dem man die Zeit der Ankunft telegrafisch mitgeteilt hatte, holte sie mit Pferd und Wagen ab.

„Unser Hof liegt außerhalb des Dorfes und ist ungefähr eine halbe Stunde von hier entfernt," sagte Herr Brunke nach der 20 Begrüßung, „darum habe ich Sie abgeholt. In Amerika fährt jetzt wohl, wie ich gelesen habe, jedermann im Automobil. Wir gebrauchen aber immer noch die Pferde."

Der Bauernhof

Bald tauchte der Bauernhof vor ihren Augen auf. Feld und Wald umgaben ihn. 25

Von einer Anhöhe zogen ſich die Felder herab, auf denen der
Roggen ſchon beinahe reif zur Ernte ſtand. Die Felder waren
in ſehr guter Ordnung. Einzelne Reihen von Bäumen faßten
einen Teil der Felder ein und bezeichneten die Grenzen. Nicht
5 weit von den Feldern ſtand ein kleiner Wald, deſſen Schatten in
der heißen Sommerzeit ſicherlich angenehm war.

Auf dem Lande

Das Haus hatte kein Strohdach, wie einige im Dorfe, ſondern
war mit roten Ziegeln bedeckt. Auf der Spitze des Giebels ſah
man zwei aus Holz geſchnitzte Pferdeköpfe.° Dieſen Schmuck
10 findet man an vielen Häuſern in Niederſachſen. Die Wände des
Hauſes waren weiß und gelb angeſtrichen. Auf dem Dache war
ein Storchneſt. Auf der anderen Seite des Hauſes lagen Ställe
und Scheunen um den geräumigen Hof. Vor der Haustür war
eine große Linde, unter deren Schatten einige Bänke ſtanden.

Dem Wohnhause gegenüber sah man durch ein Tor in den Garten. Dort breiteten starke und gesunde Obstbäume ihre Zweige aus. Gemüse und Salat wuchsen dort. Hier and da war Rasen mit frischem, grünem Gras, geziert mit roten Rosen und anderen schönen Blumen.

So weit das Auge über den Garten sah, war alles grün. Denn jenseits des Gartens lagen die großen Wiesen des Bauern= hofes, auf denen im Sommer die Pferde und Kühe weiden, und die auch das Heu für den Winter liefern.

Nicht weit vom Hause war ein Teich, in dem Karpfen und andere Fische lustig schwammen.

Als der Wagen in den Hof fuhr, erhob sich der Hund, der in der Sonne gelegen hatte, und begrüßte mit freudigem Bellen die Ankommenden. Die Frau des Bauern trat aus der Tür und hieß Walter und ihren Sohn willkommen. Sonst war niemand auf dem Hof. Die Knechte und Dienstmädchen waren draußen auf dem Felde bei der Arbeit.

Walter wurde in das kleine Gastzimmer geführt. Es gefiel ihm sehr gut. Gegen Abend machte er mit Friedrich einen kurzen Spaziergang durch die Felder.

Auf dem Felde

Am anderen Morgen ging er früh mit auf das Feld und half bei der Arbeit. Er wollte den Deutschen hier zeigen, daß ein amerikanischer Student auch mit der Hand arbeiten kann. Zuerst war es zwar nicht sehr einfach, und die Arme und der Rücken schmerzten bald, doch da er in Amerika auf dem Lande schon ge= arbeitet hatte und auch gesund und kräftig war, so ging es bald besser. Auch das kräftige Essen schmeckte ihm dann ausgezeichnet.

So vergingen einige Tage.

Eines Abends nach dem Essen, als das Vieh gefüttert war, setzte sich der Bauer mit seiner Familie unter die Linde. Aus

feiner langen Pfeife paffte er dicke Rauchwolken. Man sprach über
die Ereigniffe der letzten Tage.

„Alle Achtung, Herr Miller!" sagte der Bauer. „Sie haben
uns in diesen Tagen gut geholfen. Ich hätte gar nicht geglaubt,
5 daß Sie als Student so schwere Arbeit tun könnten."

Auf dem Felde°

„Ja, in Amerika lernt man arbeiten. Wenn man nicht viel
Geld hat und doch studieren will, so geht es nicht ohne schwere
Arbeit. Übrigens scheint man in Deutschland auf dem Lande nicht
so viel mit Maschinen zu arbeiten wie bei uns."

10 „Das hat alles seine Gründe. Für kleinere Höfe würden sich
große Maschinen nicht lohnen. Auch sind hier die menschlichen Ar-
beitskräfte wohl nicht so teuer wie bei Ihnen. Auf großen Gütern
jedoch, die ungefähr Ihren ausgedehnten Farmen entsprechen,
arbeitet man ebenso wie in Amerika mit modernen Maschinen."

Die Ernte

„Es wundert mich, daß Sie hier in Deutschland so viel ernten. Was mag die Ursache sein?"

„Die Wissenschaft des Ackerbaues ist in Deutschland sehr hoch entwickelt. Wir haben verhältnismäßig nur wenig Land zur Verfügung, wenn man an die Einwohnerzahl in Deutschland denkt. 5 Seit Jahrhunderten sind die besten Methoden versucht worden, um so viel wie möglich zu ernten. Wie Sie wohl wissen werden, helfen die Fortschritte der deutschen chemischen Industrie viel dabei mit. Aus der Luft wird jetzt der für uns Bauern so wichtige Dünger geschaffen." 10

„O, ich erinnere mich jetzt. Neulich habe ich durch den Rundfunk einen Vortrag darüber gehört."

Ein deutscher Bauer

„Es hilft auch, daß der Bauer seinen Boden liebt und Hof und Acker in guter Ordnung hält."

„Ja, das muß ich sagen. Ihre Ställe und Scheunen sind 15 immer rein und sauber. Auch das Vieh und die Pferde sehen so gut gepflegt aus."

„Sein Vieh und seine Sachen muß man doch in gutem Zustand halten."

„Daß Sie das tun, sah ich heute nachmittag, als Sie ein 20 Wagenrad ausbesserten und am Feuer arbeiteten."

Über das Gesicht des Bauern glitt ein Lächeln:

„O, es ging ganz gut. Ja, nichts ist besser als frischer Mut und ein gesunder Körper. Ich fühle mich bei der Arbeit wohl."

„Man sagte mir, und ich habe es auch selbst oft gesehen, daß 25 die Deutschen sehr gern und gründlich arbeiten, wenn auch sonst manche Unterschiede unter ihnen bestehen."

Unterſchiede in Deutſchland

„Sie haben recht, Herr Miller. Es gibt große Unterſchiede
unter den Deutſchen, ſo wie es auch Dutzende von Dialekten gibt.
Die Landwirtſchaft zeigt in den verſchiedenen Landesteilen große
Unterſchiede. Der Bauer in Norddeutſchland lebt anders als der
5 in Süddeutſchland. Auch die Trachten in den verſchiedenen Teilen
Deutſchlands ſind nicht dieſelben. Die Häuſer ſind verſchieden
gebaut. Kurz, man ſollte kaum glauben, daß in unſerm Deutſchland ſo viele Unterſchiede beſtehen.“

„Ja, davon habe ich ſchon ſelbſt etwas geſehen. Während der
10 Wochen, in denen ich mich noch in Deutſchland aufhalten will,
werde ich wohl noch mehr davon entdecken.“

„Wohin wollen Sie denn noch reiſen, ehe Sie nach Amerika
zurückkehren?“

Walters Pläne

„Über den Harz und Thüringen will ich nach Süddeutſchland
15 fahren. Vielleicht mache ich auch einen Ausflug in den Schwarzwald. Dann werde ich den Rhein hinunterfahren.“

„Nun, da wünſche ich Ihnen viel Glück und alles Gute auf
den Weg. Doch hoffe ich, daß Sie noch eine Weile bei uns
bleiben.“

20 „Es gefällt mir ſehr gut bei Ihnen, jedoch werde ich wohl
übermorgen Abſchied nehmen müſſen, wenn ich meine Pläne aus-
führen will.“

„Da war aber leider die Freude, die uns Ihr Beſuch gemacht
hat, nur ſehr kurz. Na, wenn Sie ſpäter einmal wieder nach
25 Deutſchland kommen, vergeſſen Sie uns nicht. Sie werden jederzeit bei uns herzlich willkommen ſein.“

Dann mußte Walter von Amerika erzählen. Die Knechte
und Dienſtmädchen, die um den alten Brunnen geſeſſen hatten,

kamen auch herbei und hörten zu. Danach sangen alle noch einige schöne Volkslieder, wie z. B.: ‚In einem kühlen Grunde‘ und ‚Der Lindenbaum‘.

Am Brunnen vor dem Tore, da steht ein Lindenbaum,
Ich träumt’ in seinem Schatten so manchen süßen Traum; 5
Ich schnitt in seine Rinde so manches liebe Wort,
Es zog in Freud’ und Leide zu ihm mich immer fort,
Zu ihm mich immer fort.

Ich mußt’ auch heute wandern vorbei in tiefer Nacht,
Da hab’ ich noch im Dunkel die Augen zugemacht; 10
Und seine Zweige rauschten, als riefen sie mir zu:
Komm her zu mir, Geselle, hier find’st du deine Ruh’,
Hier find’st du deine Ruh’.

Es gefiel Walter in dieser friedlichen Umgebung. Nach den Monaten des Studiums in dem geräuschvollen Berlin tat ihm 15 die Ruhe gut.

Gute Nacht!

Es war schon sehr spät, als der Bauer endlich rief:
„Nun aber Schluß! Zu Bett! Morgen müssen wir wieder früh aufstehen und wollen dann munter sein. Gute Nacht!“
Walter lag noch einige Zeit wach und lauschte durch das offene 20 Fenster auf die Stimmen der Nacht. Es rauschte leise in den Zweigen, und der Wind trieb den süßen Duft der Wiesen und des frischen Heues ins Zimmer. Von den Ställen hörte man ab und zu das Stampfen der Pferde. Sonst war alles still.

22. Der Harz, Thüringen und Nürnberg

Aus Walters Tagebuch

Am 10. August

Der Abschied von Brunkes war sehr herzlich. Friedrich be=
gleitete mich auf meiner Reise, um mir in Braunschweig und
Hildesheim sowie im Harz als Führer zu dienen. Er hatte in
5 Braunschweig das Gymnasium besucht und von hier aus oft
Ausflüge in den Harz gemacht.

Braunschweig

Braunschweig, nördlich vom Harz gelegen, gehört zu den
ältesten Städten Deutschlands. Es ist die Hauptstadt des gleich=
namigen Freistaates und hat ungefähr 150 000 Einwohner. Die
10 Stadt machte einen modernen Eindruck, jedoch fanden wir zahl=
reiche Straßen und Plätze, die mit ihren alten, schiefen Häusern
wie Bilder eines Märchenbuchs aussahen. Braunschweig hat eine
stolze Geschichte. Es war eine der führenden Hansastädte.°

Ich besichtigte den Dom, die Andreaskirche und das Gewand=
15 haus. Im Dom liegt der berühmte Herzog Heinrich der Löwe
begraben, der viel für Braunschweig getan hat. Vor dem Dom
steht das Denkmal des Löwen, den Heinrich aus Kleinasien mit=
gebracht hatte. Dieser Löwe ist heute das Wahrzeichen Braun=
schweigs.

20 Die Andreaskirche liegt inmitten alter Häuser. Mit ihrem
hohen Turm bietet sie einen malerischen Anblick in dieser alten
Umgebung. Das Gewandhaus, wo früher die Kaufleute mit
Tüchern und Kleidern handelten, ist eines der schönsten alten Ge=
bäude in Deutschland.

Till Eulenspiegel

25 Die Bürger von Braunschweig haben viel Sinn für Humor.
Till Eulenspiegel hat hier gelebt, und ihm zu Ehren hat man

einen Brunnen errichtet. Dieser bekannte Spaßmacher wurde um
das Jahr 1300 nahe bei Braunschweig geboren. Zahlreiche Bücher
über ihn, in denen seine Streiche erzählt werden, sind seit dem
Mittelalter erschienen. Als wir den Brunnen besichtigten, erzählte
mir Friedrich Brunke folgende Geschichte von ihm: 5

Ein Löwe ist das Wahrzeichen Braunschweigs

Till Eulenspiegel arbeitete einst hier in Braunschweig bei einem
Bäcker. Jeden Abend fragte er, was er für den nächsten Tag
backen solle. Eine überflüssige Frage. Denn außer Brot wurde
gewöhnlich nichts gebacken. Eines Abends nun wurde der Bäcker
über das ewige Fragen ärgerlich und sagte zornig: „Meinetwegen   10
backe Eulen und Affen.“ Am anderen Morgen war er nicht wenig
überrascht, als er anstatt des Brotes nur Eulen und Affen gebacken
fand. Till wurde natürlich sofort entlassen, aber bis heute lachen
noch alle in Braunschweig über seinen Streich.

Der Till Eulenspiegel=Brunnen in Braunschweig

Nahe bei der Bäckerei, wo Eulenspiegel arbeitete und wo man immer noch gebackene Eulen und Affen verkauft, steht sein Denk= mal. Affen und Eulen spritzen Wasser in ein Becken, und mit lustigem Grinsen schaut Till zu.

Von dem eigenartigen, trockenen Humor der Einwohner er= zählte mir Friedrich noch folgendes:

„Aller Anfang ist schwer," sagte der junge Dieb. Dann stahl er den Amboß.

„Ich strafe meine Frau nur mit guten Worten," sagte Leh= mann. Dann warf er ihr ein Gesangbuch an den Kopf.

Malerische Häuser in Hildesheim

Am 12. August

Hildesheim

Hildesheim, westlich von Braunschweig gelegen, ist seit tausend Jahren der Sitz eines Bischofs. Es ist bekannt wegen der großen

Anzahl seiner mittelalterlichen Häuser, die mit ihren hohen Gie=
beln und bunten Malereien die alte Zeit recht lebendig machen.
Die Stadt soll im Jahre 814 gegründet worden sein. Die Sage
erzählt darüber folgendes:

Das Knochenhauer Amtshaus in Hildesheim

Der tausendjährige Rosenstock

5   Der Kaiser Ludwig der Fromme° ging eines Tages auf die

Jagd und verirrte sich. Bei einem wilden Rosenstock wurde er
endlich von seinen Gefährten gefunden. Aus Dankbarkeit ließ er
einen Gottesdienst an dieser Stelle abhalten. Als man dann den
Rückweg angetreten, entdeckte der Priester, daß man die heiligen
Geräte zurückgelassen hatte. Er eilte zurück und fand sie an einem   5
Rosenstock hängen, der seine Zweige so fest um die heiligen Geräte
geschlungen hatte, daß sie nicht losgemacht werden konnten. Über=
rascht von diesem Wunder befahl der Kaiser, daß an diesem Platz,
früher einer heidnischen Göttin geweiht, eine Kirche gebaut werden
solle. Der Sitz des Bischofs wurde nach diesem Ort verlegt.   10

Als wir den alten Dom mit seinen zahlreichen Schätzen besich=
tigten, zeigte uns der Mönch den alten Rosenstock, der nun mehr
als ein Jahrtausend alt ist.

Von den alten Häusern gefiel mir ganz besonders das soge=
nannte Knochenhauer Amtshaus am Marktplatz. Es hat sieben   15
Stockwerke, von denen vier in dem ungeheuer hohen Giebel sind.

Goslar
Am 13. August

Goslar war unser nächstes Ziel. Es liegt am Harz und hat
eine ebenso alte Geschichte wie die beiden schon besuchten Städte.
Goslar hat sein mittelalterliches Aussehen sehr gut bewahrt.   20

Die bedeutendste Sehenswürdigkeit ist das Kaiserhaus, das
älteste weltliche Bauwerk und zugleich der größte Palast in roma=
nischem Stil' in Deutschland. Viele Jahre lang war Goslar eine
beliebte Residenz der alten deutschen Kaiser.

Wanderungen im Harz
Am 16. August

Mit Friedrich Brunke habe ich einige schöne Wanderungen   25
durch den Harz unternommen. Wir trafen häufig Gruppen von
jungen Leuten, die unter dem Namen Wandervögel bekannt sind.
In leichter Kleidung, mit allerlei Musikinstrumenten versehen,
marschieren die Wandervögel durch ganz Deutschland. In keinem

anderen Lande ist das Wandern so beliebt wie in Deutschland.
Der Harz steigt aus der norddeutschen Ebene empor. Er ist
das nördlichst gelegene Gebirge in Deutschland. Er hat eine Länge
von ungefähr hundert Kilometern und ist dreiunddreißig Kilometer
5 breit. Die Berge des Harzes sind dicht mit dunkeln Tannen=
wäldern bedeckt. In den Tälern liegen Städtchen und Dörfchen.

Wandervögel

Der Charakter der Bevölkerung entspricht der Natur des
Harzes. In den Leuten lebt eine rege Phantasie, die durch das
geheimnisvolle Dunkel der Wälder und der steilen, wilden Felsen
10 gefördert wird. Keine Gegend Deutschlands ist reicher an Sagen
und Märchen. Es ist das Land der Feen, Elfen und Zwerge.
Gold und Edelsteine liegen, wie das Volk glaubt, in den Bergen,
bewacht von Riesen und Zwergen. Selbst der Teufel soll eine
große Vorliebe für den Harz haben.

Der Brocken

Jedes Jahr, in der Nacht zum ersten Mai, soll der Teufel eine große Versammlung auf dem Brocken, dem höchsten Berge des Harzes, abhalten. Dann kommen alle Hexen und Zauberer dort zusammen, tanzen, spielen und beten den Teufel an. Goethe hat dieser Sage in seinem berühmten Werk ‚Faust' auch einen ₅ Platz gegeben.

Auf dem Brocken

Wir hatten Glück mit dem Wetter. Es war sehr klar an dem Tage, als wir oben auf dem Brocken waren. Die Aussicht über den Harz und die norddeutsche Ebene war sehr schön. Man erzählte uns, daß die Aussicht nur sehr selten so gut sei. ₁₀

Von romantischer Schönheit war die Wanderung durch das Bodetal. Die Bode entspringt auf dem Brocken.

Im westlichen Teil des Harzes wird hauptsächlich Viehzucht und daneben schon seit dem zehnten Jahrhundert Bergbau betrieben. Im östlichen Teil findet man mehr Ackerbau. Überall ist aber die Forstwirtschaft vorherrschend.

5 Das Motto der Bevölkerung des Harzes ist:

> Es grüne die Tanne,
> Es wachse das Erz,
> Gott schenke uns allen
> Ein fröhliches Herz!

10 Nach Beendigung unserer Harzreise nahmen Friedrich Brunke und ich Abschied von einander. Er kehrte nach Hause zurück, und ich fuhr über Halle nach Thüringen. In Weimar machte ich halt.

Goethes Gartenhaus in Weimar

Weimar
Am 17. August

Weimar° ist die Hauptstadt des Staates Thüringen und ist
berühmt als der ehemalige geistige Mittelpunkt Deutschlands.
Goethe und Schiller haben hier gelebt.

Eine gerade Straße führt vom Bahnhof in die Stadt. Vor 5
dem Theater steht das bekannte Denkmal° von Goethe und Schiller,
die gemeinsam einen Lorbeerkranz halten.

Nahebei ist das Haus, wo Schiller wohnte. Oben unter
dem Dach ist sein einfaches Arbeitszimmer, worin er 1805 starb.
Die Zimmer haben noch die alte Einrichtung, und alles ist so 10
geblieben, wie es zu Schillers Zeit war.

Goethes Haus ist größer. Auch hier sind die Räume so ge=
blieben, wie sie zur Zeit des Dichters waren. Sein Schlafzimmer,
wo er, in seinem Lehnstuhl sitzend, 1832 starb, ist von größter
Einfachheit. In anderen Teilen des Hauses ist jetzt ein Museum, 15
in dem sich zahlreiche Andenken an Goethe, Handschriften, Bücher
und Bilder von ihm befinden.

Inmitten eines schönen Parkes liegt Goethes Gartenhaus,
worin er während der ersten Jahre seines Aufenthalts in Weimar
wohnte. 20

Die Wartburg
Am 19. August

Die Wartburg ist die Perle des Thüringerwaldes. Sie wird
die Königin der Thüringer Burgen genannt. Berühmte Künstler
malen die Burg immer und immer wieder, und Tausende von
frohen Wanderern erscheinen jährlich hier. 25

Die Wartburg liegt nahe bei Eisenach, einer freundlichen Stadt
mit manchen geschichtlichen Erinnerungen. Luther, der Reforma=
tor, Bach, der Komponist, und Fritz Reuter, der plattdeutsche
Dichter, haben hier gelebt.

Ich ſtieg am Vormittag zur Burg hinauf. Auf ſchattigen Wegen ging es bergan. Ab und zu konnte ich die Burg durch die Bäume ſehen, denn ſie überragt auf ihrem ſteilen Felſen die Umgebung und iſt von weither ſichtbar.

Die Wartburg

5 Dicht unter der Wartburg liegt ein Gaſthaus, wo ich mir eine Eintrittskarte für den Beſuch der Burg löſte. Dann ging ich über eine Brücke durch ein Tor in die Burg. Der Hof iſt voll romantiſcher Schönheit. Man könnte glauben, daß man im Mittelalter, der Zeit der Ritter und der Minneſänger, lebte.

10 Der Teil der Burg, den man zuerſt betritt, iſt der älteſte. Hier wurde der Bau der Burg von dem Landgrafen Ludwig dem Springer um das Jahr 1073 begonnen. Die Sage erzählt darüber folgendes:

Die Gründung der Burg

Auf der Jagd, bei der Verfolgung eines Hirsches, war der Landgraf hier auf die Spitze des Berges gekommen. Während er sich ausruhte, bemerkte er, wie günstig die Lage des Berges für eine feste Burg war. „Wart' Berg, du sollst mir eine Burg werden!" so sprach er. Bald danach begann er auch mit dem Bau. 5 Es war aber noch eine Schwierigkeit zu überwinden. Der Berg gehörte nämlich nicht dem Landgrafen sondern einem anderen Ritter. Dieser klagte bei dem Kaiser. Das Gericht fand auf dem Berge statt, und der Landgraf wurde gefragt, ob er schwören könne, daß er auf eigenem Boden baue. Sofort stießen Ludwig und 10 noch zwölf andere Ritter ihre Schwerter in die Erde und schwuren, daß der Bau auf des Landgrafen Boden stattfände. Ludwig hatte nämlich vorher heimlich in der Nacht viele hundert Körbe Erde von seinem Besitz heraufbringen lassen. So gewann er den Prozeß.

.In einem der Häuser, die auf der rechten Seite liegen, wenn 15 man vom Tor in den Hof geht, befindet sich die Stube, wo Martin Luther eine Zeitlang lebte. Der Führer zeigte uns die Stelle, wo Luther das Tintenfaß zerbrochen hat, das er dem Teufel an den Kopf werfen wollte. Der Teufel soll ihm nämlich erschienen sein, als er mit der Bibelübersetzung beschäftigt war. 20

Der Palast

Auf der Ostseite der Burg erhebt sich das schönste Gebäude, der Palast genannt. Dieses Gebäude diente als das eigentliche Wohnhaus der Fürsten. Zahlreiche Malereien schmückten die Wände. Mir gefielen besonders die Bilder, die den Sängerkrieg aus dem Jahre 1207 darstellen. Ähnliche Szenen finden sich auch 25 in der Oper ‚Tannhäuser' von Richard Wagner, der hier auf der Wartburg die Anregung zu dieser Oper erhielt. Auch die Bilder aus dem Leben der heiligen Elisabeth gefielen mir. Unser Führer erzählte die folgende Geschichte aus ihrem Leben:

Die heilige Elisabeth

Die Landgräfin Elisabeth war sehr mildtätig gegen die Armen und Kranken. Sie besuchte sie täglich und brachte ihnen Wein, Brot und Fleisch. Aber ihr Mann verbot es ihr. Trotzdem fuhr sie damit fort. Eines Tages überraschte sie der Landgraf, als sie
5 mit einem gefüllten Korbe aus der Burg ging. Er fragte sie, was sie da im Korbe habe. In ihrer Angst richtete die Landgräfin ein Gebet zum Himmel, und als der Landgraf nun in den Korb blickte, siehe, da hatten sich die Speisen, die für die Kranken bestimmt waren, durch ein Wunder in schöne, duftende Rosen ver=
10 wandelt. Da sank der Landgraf auf die Knie und versuchte niemals wieder, seine Frau an ihrem frommen Werk zu hindern.

Nach der Besichtigung der Gebäude stieg ich auf den alten Wachtturm, der an der südwestlichen Ecke der Burg steht.

Weithin kann das Auge von hier aus sehen. Im Osten liegt
15 ein Berg, in dem der Sage nach Frau Venus wohnt. Nach Süden zu erblickt man den Thüringerwald mit seinen Bergen, Felsen und anmutigen Tälern.

Am 21. August

Nürnberg

Ich halte mich jetzt in einer Gegend auf, die reich an geschicht=
20 lichen Erinnerungen ist. Die Königin dieser Gegend ist die Stadt Nürnberg.

Es ist eine moderne Großstadt, und zuerst war ich etwas ent= täuscht, doch als ich in die eigentliche alte Stadt kam, änderte sich das Bild. Das Mittelalter wurde lebendig, in dem Nürnberg
25 der wichtigste Handelsplatz für die Güter war, die vom Osten über Venedig nach Deutschland kamen.

Nach der Entdeckung Amerikas verloren aber die Handels= straßen über die Alpen ihre Bedeutung; auch in Nürnberg wurde es still. Die Stadt schlief ein. Ein Versuch der Bürger, den

Handel wieder aufzubauen, wurde durch den dreißigjährigen Krieg gehindert. Immer wieder zogen Soldaten durch die Stadt. Große Summen Geldes mußten bezahlt werden. Die Stadt wurde ganz arm.

Der Henkersteg in Nürnberg

Doch Nürnberg erholte sich. Heute ist es eine wichtige In= 5
dustriestadt. Die Herstellung von Bleistiften und Spielwaren ist besonders entwickelt. Auch Maschinen aller Art werden in Nürn= berg gemacht. In der ganzen Welt findet man diese Erzeugnisse.

Am reizvollsten war mir jedoch das alte Nürnberg mit seinen alten Häusern, seiner stolzen Burg und seinen ehrwürdigen Kirchen. 10

Der alte Henkersteg mit seinem viereckigen Turm sowohl als die romantischen Reste der Stadtmauer sind sehr malerisch. Einen eigenartigen Anblick bietet auch das alte Spital, das auf zwei massiven Steinbogen gebaut ist, die sich über den Fluß spannen.

Sehenswert sind die vielen Brunnen der Stadt, vor allem
der ‚Schöne Brunnen'. Ein anderer bekannter Brunnen stellt
das Gänsemännchen dar, das unter seinen Armen zwei Gänse
hält, aus deren Schnäbeln das Wasser in ein Becken fließt.

5   Nach der Besichtigung einiger Kirchen und des Denkmals von
Albrecht Dürer stieg ich auf die Burg. Hier schaute ich von einem
hohen Turm auf Burg und Stadt hinab. Die roten Dächer der
Häuser, das Grün der Bäume, die alten krummen Straßen, hier
und da die spitzen Türme der Kirchen, alles das bot einen unver=
10 geßlichen Anblick. Im Hofe der Burg stand eine neunhundert=
jährige Linde. Wenn die erzählen könnte! Sie hat viel erlebt.
Manche deutsche Kaiser mögen sich in ihrem Schatten ausgeruht
haben.

Hier auf der Burg wohnten auch die Grafen, die den Kaiser in
15 Nürnberg vertraten. Jahrhundertelang hatten die Hohenzollern
dieses Amt, bis 1415 einer dieser Grafen von Nürnberg, Friedrich
VI., Brandenburg erhielt und damit die Geschichte der Hohen=
zollern mit Berlin verknüpfte.

Sehr lehrreich war für mich das Germanische Museum, das
20 in einem früheren Kloster untergebracht ist. Das Museum ent=
hält eine der wertvollsten Sammlungen deutscher Altertümer.

Am Abend ging ich um die alte Mauer der Stadt spazieren,
die noch sehr gut erhalten ist.

Wenn einer Deutschland kennen
25   Und Deutschland lieben soll,
Muß man ihm Nürnberg nennen,
Der edlen Künste voll.
Dich nimmer noch veraltet,
Du treue, fleißige Stadt,
30   Wo Dürers Kunst gewaltet,
Hans Sachs gesungen hat.°

Hier endet Walters Tagebuch.

Auf dem Markt in Nürnberg

23. München

Die wenigen Tage, die Walter in München blieb, vergingen schnell. Bei seiner Ankunft hatte Herr Klinger ihn vom Bahnhof abgeholt. Sie fuhren gemeinsam nach Klingers Haus, das in einer ruhigen, vornehmen Straße lag. Frau Klinger empfing
5 den Gast sehr freundlich, und bald fühlte Walter sich in diesem Kreis lieber Menschen wie zu Hause.

„Sie werden sehen," sagte Herr Klinger nach dem Abendessen zu Walter, als alle gemütlich im Wohnzimmer beisammen saßen, „daß München und Bayern in mancher Hinsicht von anderen
10 Teilen Deutschlands verschieden sind. Der Süddeutsche hat ein anderes Temperament als sein norddeutscher Landsmann, und München, als die Hauptstadt von Bayern, hat eine ganz eigene Art."

Die bayrische Art

„So? Was für eine Art ist denn das?"

15 „Es ist die Gemütlichkeit und der demokratische Geist, den alle Klassen des Volkes seit Jahrhunderten im Verkehr untereinander und mit den Fremden zeigen. Natürlich gibt es Ausnahmen, und die bayrische Grobheit ist nicht unbekannt, aber das Beste des bayrischen Wesens ist doch die Gemütlichkeit."

20 „Sie erwähnten da etwas von demokratischem Geist. Die demokratische Verfassung besteht in Deutschland aber erst kurze Zeit, nicht wahr?"

„Ja, die demokratischen Einrichtungen sind noch jung. Trotz= dem hat ein demokratischer Geist seit alter Zeit hier im Süden
25 geherrscht. Kennen Sie die Geschichte vom König Max und den Gänsen?"

„Nein, die Geschichte ist mir unbekannt."

König Max und die Gänse

„König Max machte einmal ganz allein eine Wanderung aufs
Land. Unterwegs entdeckte er, daß er auf dem Platze, wo er sich
vor ein paar Minuten ausgeruht, einen wichtigen Brief hatte liegen
lassen. Auf der nahen Wiese sah er einen Knaben Gänse hüten
und bat ihn, zurückzulaufen und ihm den Brief zu holen. Er 5
versprach dem Knaben auch eine gute Belohnung. Aber der kleine
Hirt wollte nicht. ‚Ich kann meine Gänse nicht verlassen,‘ sagte er.
‚Mache dir keine Sorge darüber,‘ beruhigte ihn der König. ‚Ich
werde die Gänse hüten, während du fort bist.‘ Aber der Knabe
zögerte. ‚Ich bin der König,‘ sagte Max, ‚und verspreche dir, 10
daß den Gänsen nichts geschieht.‘ Schließlich gab der Knabe dem
König seinen Stock, zeigte ihm, wie er die Gänse zusammenhalten
könne, und lief davon, um den vergessenen Brief des Königs zu
holen. Nach kurzer Zeit war er wieder zurück und fand den König
schwitzend und ratlos, denn die Gänse liefen auf der ganzen Wiese 15
herum. Der König entschuldigte sich und sagte, daß er nur wenig
Erfahrung mit Gänsen habe. Dann gab er dem Jungen ein Gold=
stück. Dieser sagte darauf: ‚Du bist vielleicht ein guter König,
aber ein guter Hirt wirst du nie!‘“

„Von der Gemütlichkeit der Bayern,“ sagte Walter, „habe ich 20
schon ein wenig im Zuge bemerkt. In meinem Abteil saßen
einige Münchener. Als sie sich begrüßten, sagten sie: Grüß di
Gott, und beim Abschied riefen sie einander zu: Behüt di Gott.
Ich fand das zuerst sehr merkwürdig.“

„Ja, das sind hier die gewöhnlichen Grüße.“ 25

„Die Bayern scheinen sehr religiös zu sein.“

Die Gründung Münchens

„Die Kirche hat im öffentlichen Leben eine große Bedeutung,
das ist wahr. Seit der Gründung Münchens sind Klöster und
Kirchen mit der Geschichte der Stadt verbunden.

Der Name München geht zurück auf das lateinische 'Ad Monachos' und bedeutet: Bei den Mönchen. Zuerst hat also hier ein Kloster gestanden. Um das Kloster herum entwickelte sich später eine Stadt. Ein besonderes Verdienst um die Ent=
5 wicklung der Stadt hat der Herzog Heinrich der Löwe."

Die Frauenkirche in München

„Heinrich der Löwe? Ist das nicht der Herzog, von dem ich bei meinem Besuch in Braunschweig gehört habe?"

„Ganz recht. Dieser Herzog herrschte nicht nur über Sachsen sondern auch über Bayern."

„Wie kam es, daß er München half, eine Stadt zu werden?"

„Nicht weit von hier führte eine Brücke über die Isar, die einem Bischof gehörte. Da der große Verkehr über diese Brücke guten Zoll einbrachte, war natürlich deren Besitz ein gutes Ge= schäft. Als nun Heinrich Herzog von Bayern wurde, dachte er, daß das Geld ebensogut in seine Tasche wandern könnte. Er zerstörte darum die Brücke des Bischofs und baute eine hier in München wieder auf. Um diese Brücke zu schützen, errichtete er eine Mauer um den kleinen Ort. Seit jener Zeit entwickelte sich München als eine Stadt."

Die Besichtigung der Stadt

Am nächsten Morgen begann Walter mit Herrn Klinger die Besichtigung der Stadt. Der Himmel war blau. Einige weiße Wolken zogen darüber hin.

„Selbst der Himmel zeigt die Farben Bayerns," sagte Herr Klinger und erklärte, daß Blau und Weiß die Farben Bayerns seien.

Zunächst machte man eine Rundfahrt durch die Stadt. Breite Brücken führten über die Isar. Die Freunde fuhren die am östlichen Ufer der Isar liegenden Anlagen entlang. Dann ging es nach Westen über die Brücke in den inneren Teil der Stadt. Weithin sichtbar waren die kupfernen Zwiebeltürme der Frauen= kirche, das Wahrzeichen der Stadt München. Nahe dabei war das Neue Rathaus, von dessen Turm eine Fahne wehte.

„Sehen Sie die Fahne dort?" fragte Herr Klinger. „Sie bedeutet, daß man heute eine gute Aussicht vom Turm des Rat= hauses hat und die Alpen sehen kann. Wollen wir hinaufsteigen?"

„Natürlich."

Vom Turm bot sich den Freunden ein weiter Blick über

München sowie über die Felder und Wälder der Umgebung. Fern am südlichen Himmel konnte man die weißen Spitzen der Alpen sehen. Ein wunderschöner Anblick!

Nach der Besteigung des Turmes wurde die Rundfahrt fort= 5 gesetzt. Man erreichte schließlich die Nymphenburg, die Residenz der ehemaligen bayrischen Könige. Prachtvolle Gebäude und ein großartiger Park zeigten auch hier, wie die deutschen Fürsten ver= sucht hatten, dem Beispiel des französischen Königs Ludwig XIV zu folgen.

10 „König Ludwig der Erste von Bayern, der im neunzehnten Jahrhundert München zur Kunststätte machte, hat sein Wort gehalten," bemerkte Herr Klinger auf der Rückfahrt.

„Wieso?"

„Nun, er hat gesagt: Ich will aus München eine Stadt 15 machen, die Deutschland so zur Ehre gereichen soll, daß keiner Deutschland kennt, wenn er nicht München gesehen hat."

Das Deutsche Museum

Während der folgenden Tage besuchten Herr Klinger und Walter die Museen und Galerien. Besonders bemerkenswert war das Deutsche Museum.° Es ist auf einer Insel gelegen, die von 20 der Isar gebildet wird, und beherbergt eine Ausstellung der Ent= wicklung des deutschen Gewerbes und der deutschen Industrie. Ein vollständiges Bergwerk ist angelegt, in dem der Besucher das ganze Verfahren der Erz= und Kohlengewinnung verfolgen kann. Zahlreiche Modelle zeigen die Entwicklung aller modernen Ma= 25 schinen und Einrichtungen, von der ersten einfachen Erfindung an bis zum letzten vollendeten Werk der Gegenwart. Die Besucher können die Modelle selbst in Gang setzen und sehen, wie sie arbeiten.

Die Gemäldesammlungen und die Schätze des Nationalmu= seums machten es klar, daß München die führende Kunststadt 30 Deutschlands ist, besonders was die Malerei betrifft. Mit Be=

wunderung besuchte Walter die vielen vornehmen Läden, in denen
Kunstwerke und Altertümer zu kaufen waren.

Das Deutsche Museum in München

Ein Ausflug nach Oberbayern

Ein Ausflug beschloß den Aufenthalt Walters in München.
Wie Tausende von Münchnern machten er und Herr Klinger mit
Rucksack und Bergstock eine Wanderung durch das nahebei gelegene   5
Oberbayern. Sie bewunderten die Seen südöstlich von München
mit ihren stolzen Schlössern, wanderten durch liebliche Täler und
kletterten über schroffe Felsen.

Oberammergau

Von großem Interesse war für Walter ein Besuch in Ober=
ammergau, einem lieblich gelegenen Dorf, von dem er schon in   10

Amerika gehört hatte. Hier werden alle zehn Jahre die berühmten
Passionsspiele aufgeführt, die das Leben und Leiden Jesu darstellen.
Tausende von Zuschauern aus Amerika und Europa kommen dann
zu diesen Spielen nach Oberammergau.

Rast auf der Wanderung

5   Das Dorf bietet einen freundlichen Anblick. Die Häuser sind
weiß angestrichen und mit schönen Bildern verziert. Blumen
grüßen von den Fenstern. Das Theater, wo die Spiele aufgeführt
werden, hat Sitzplätze für viele tausend Zuschauer. Ein Teil der
Bühne ist im Freien. Der Himmel und die Berge bilden den
10 Hintergrund.

      „Wie lange werden die Spiele schon aufgeführt?" fragte Walter.

      „Seit 1633. Damals kam die Pest in diese Gegend und
forderte viele Opfer. Oberammergau blieb aber wie durch ein

Wunder verschont, und die Bewohner gelobten dafür, alle zehn
Jahre ein Spiel aufzuführen, das Jesu Leben und Leiden darstellt."

„Und nur die Einwohner von Oberammergau führen es auf?"

„Jawohl, nur diese. Aber fast das ganze Dorf spielt mit,
ungefähr sechshundert Schauspieler. Die Trachten zu den Spielen 5
werden gleichfalls hier angefertigt. Sie sind aus den feinsten
Stoffen gemacht und nach alten Mustern oder nach Malereien
großer Künstler hergestellt."

Einzug in Jerusalem, aus dem Passionsspiel in Oberammergau

Abschied von München

Der Abschied von München tat Walter leid. Auf dem Bahn=
hof dankte er Herrn Klinger für alle Freundlichkeiten. Beide 10
hofften, sich einmal wiederzusehen. Der Zug setzte sich in Be=
wegung, und bald war das gemütliche München den Blicken ent=
schwunden.

24. Im Südwesten Deutschlands

Die Reise zum Schwarzwald

Walter reiste von München über Augsburg° und Ulm° nach
Donaueschingen im Schwarzwald. Die Zeit erlaubte es ihm
nicht, sich in Augsburg aufzuhalten, einer der reichsten Handels=
städte des Mittelalters.

5 Auch von der Stadt Ulm an der Donau konnte er nur wenig
sehen, denn sein Aufenthalt dort war sehr kurz. Er sah den
mächtig hohen Turm des im gotischen Stil° erbauten Münsters,
der mit seinen 161 Metern der höchste Kirchturm in der Welt ist.

Schwarzwälder Trachten°

Weiter ging die Reise, den Quellen der Donau entgegen, die
10 bei Donaueschingen im Schwarzwald liegen. In Donaueschingen
bestieg Walter den Zug, der quer durch den Schwarzwald, durch
das Höllental, nach Freiburg in Baden geht. Liebliche Matten

wechselten mit düsteren, schwarzen Tannenwäldern. Nur wenige zusammenliegende Ortschaften konnte man sehen, jedoch erblickte er zahlreiche Bauernhöfe, die vereinzelt in den Tälern und an den Abhängen lagen. Hier und da sah er Schwarzwälder in ihrer alten malerischen Tracht. Die Häuser hatten ein eigenartiges Aus= 5 sehen. Ein Mitreisender, dem Walter darüber eine Bemerkung machte, sagte:

Das Schwarzwaldhaus°

Das Schwarzwaldhaus

„Es ist das typische Schwarzwaldhaus, das Sie hier sehen. Das Dach reicht tief herab und deckt die aus Tannenholz erbauten

Wände. Oft, wie Sie sehen, verbindet eine Art Brücke das Haus mit dem Berge, an den es sich lehnt. Über diese Brücke gelangt die Ernte bequem unter das Dach zu dem weiten Raum, der als Scheune dient."

5 „Dann ist also alles unter einem Dach untergebracht?"

„Allerdings. Das Schwarzwaldhaus bietet zwischen seinen vier Wänden für Menschen und Tiere und Vorräte zugleich Raum."

„Das scheint ja sehr zweckmäßig zu sein. Doch wie schön die geschnitzten Geländer aussehen, die vorn das Haus schmücken."

10 „Ja, das Schwarzwaldhaus ist wegen seines schönen Aussehens berühmt. Besonders das altmodische Strohdach trägt dazu bei, dem Haus einen malerischen Anblick zu geben."

„Es ist romantisch, gewiß. Aber ist es nicht sehr gefährlich? Wie leicht kann ein Feuer dort entstehen."

15 „Viele Schwarzwaldhäuser sind schon durch Feuer zerstört worden. Darum wird auch jetzt das Bauen in der altmodischen Art nicht mehr erlaubt. Natürlich verliert dadurch das Schwarz= waldhaus etwas von seinem eigenartigen Reiz."

Der Schwarzwald

„Nun, es bleibt ja noch vieles übrig, was den Schwarzwald
20 anziehend macht."

„Ja, seine landschaftlichen Reize, die dichten, dunklen Wälder, die schroffen Klippen, die hohen Berge und die einsamen Täler sowie seine zahlreichen Heilquellen, Kurorte und Wintersportplätze machen den Schwarzwald zum Ziel vieler Besucher aus allen
25 Teilen der Welt."

„Das ist natürlich von großer Bedeutung für den Wohlstand des Schwarzwälder Volks, nicht wahr?"

„Ja, der Fremdenverkehr ist sehr gut entwickelt. Natürlich haben sich die Schwarzwälder noch auf anderen Gebieten erfolgreich
30 gezeigt."

Die Kuckucksuhr

„Hat man nicht im Schwarzwald die Kuckucksuhr° erfunden?"

„Ja, diese Erfindung ist vor ungefähr zweihundert Jahren gemacht worden. Die Herstellung von Uhren im Schwarzwald geht jedoch noch weiter zurück. Sie hängt überhaupt mit der Schnitzerei anderer Holzwaren zusammen."   5

„Das verstehe ich nicht ganz."

„Nun, an Holz ist der Schwarzwald sehr reich. Es wurde natürlich nicht nur als Brenn= und Bauholz verwendet, sondern man schnitzte an den langen, einsamen Winterabenden auch allerlei nützliche Sachen daraus. Diese Tätigkeit hat sich dann zu einer   10 richtigen Kunst entwickelt. Im Sommer wurden dann die ge= schnitzten Waren von umherziehenden Schwarzwäldern verkauft. Einst brachte ein solcher eine hölzerne Uhr mit. Man versuchte, sie nachzumachen, was schließlich auch gelang. Um 1730 wurde dann die erste Kuckucksuhr hergestellt, und damit begann die Ent=   15 wicklung der großartigen Uhrenindustrie im Schwarzwald."

„Es ist wahr, diese Industrie ist berühmt. Man findet Uhren aus dem Schwarzwald in der ganzen Welt. Ich erinnere mich, daß unser Professor der deutschen Sprache in Amerika eine solche Uhr in seinem Zimmer hatte."   20

„Die Forstwirtschaft spielt natürlich in diesen Gebirgen mit seinen dichten Wäldern auch eine große Rolle. Tausende von schlanken, schweren Stämmen werden jährlich von den Flüssen zu Tal getragen."

Im Höllental

Die Reisenden schwiegen jetzt. Sie sahen auf die Landschaft,   25 die im Höllental besonders reizvoll wurde. Man sah auf beiden Seiten steile Höhen. Ab und zu verschwand der Zug in der

dunklen Nacht eines Tunnels. Rauschend begleitete ein Fluß die
Reisenden durch die engen Schluchten.

Das Höllental im Schwarzwald

Freiburg und Karlsruhe

Schließlich, als man die Station Himmelreich verlassen hatte,
öffnete sich das Tal. Durch eine Ebene, die von allen Seiten
5 von den steilen Bergen des Schwarzwalds eingeschlossen ist, näherte
sich der Zug Freiburg. Das Münster, aus rotem Sandstein
erbaut, glühte prächtig im Sonnenschein.

Nach einem zweitägigen Aufenthalt in Freiburg, der von Walter zu einem Ausflug in den Schwarzwald und einer Besichtigung
10 der Stadt benutzt wurde, ging die Reise weiter über Karlsruhe,
die freundliche, schöne Hauptstadt Badens, nach Heidelberg, der
berühmten Universitätsstadt am Neckar.

Heidelberg

In Heidelberg unterbrach Walter die Reise und besuchte einige
Freunde. Diese hießen ihn willkommen und gingen mit ihm
hinaus, um ihm Heidelberg zu zeigen. Zuerst, wie das für Stu=
denten ja natürlich ist, besichtigten sie die Universität.

"Dies ist die Universität Heidelberg, Freund Walter," sagte ein ⁵

Der Zwerg Perkeo

Amerikaner, der hier studierte.
"Sie wurde im Jahre 1386 ge=
gründet und ist also die älteste
Universität in Deutschland."

Das große Faß

Weiter ging es zum Schloß ¹⁰
hinauf, dessen Ruinen man
weithin sehen konnte. Still
lagen die Höfe in der Sonne.
Kühl wehte es durch die schat=
tigen Gänge. Die Freunde ¹⁵
stiegen in den Keller und be=
sichtigten das berühmte große
Faß von Heidelberg. Walter
betrachtete es mit Staunen.
"250 000 Flaschen Wein ²⁰
kann dieses Faß halten," sagte ein Student. "Man muß einen
tüchtigen Durst haben, um diese Menge trinken zu können, nicht
wahr?"

"Und doch," fügte ein anderer Begleiter hinzu, "soll jemand
das Faß ausgetrunken haben, nämlich ein Zwerg, der Perkeo hieß. ²⁵

Das war der Zwerg Perkeo
Im Heidelberger Schloß,
An Wuchse klein und winzig,
An Durste riesengroß."

Am Neckar

Am Abend nach Sonnenuntergang machten Walter und ein
Freund einen Spaziergang auf der anderen Seite des Neckars.
Langsam den Philosophenweg ansteigend, hatten sie eine weite Aus=
sicht auf Heidelberg, das Schloß, das Neckartal und die Rhein=
5 ebene. Die Landschaft lag im Mondlicht vor ihnen. Durch die
Hirschgasse kehrten sie zurück. Als sie bei einer Kneipe vorbeikamen,
hörten sie Studenten das Lied singen:

Alt Heidelberg, du feine,
Du Stadt an Ehren reich,
10   Am Neckar und am Rheine
Kein' andre kommt dir gleich.°

Der Römer in Frankfurt am Main

Frankfurt am Main

Früh am nächsten Morgen mußte Walter weiter reisen, obgleich er gern noch in Heidelberg geblieben wäre. Aber er wollte noch Frankfurt am Main° besuchen.

Der Zug brauste durch die Rheinebene und bald war Walter in Frankfurt. Das Wetter war schön. Er sah sich den Römer 5 an, das alte Rathaus der Stadt. Weiter führte ihn sein Weg zum Dom, wo früher die deutschen Kaiser gekrönt wurden. Dann ging er zu dem Hause, wo Goethe geboren und groß geworden war. Dort sah er zahlreiche Erinnerungsstücke an den großen Dichter. Besonders interessierte ihn das Puppentheater, womit 10 Goethe als Knabe gespielt hatte.

Als Walter später am Ufer des Mains spazierte, erzählte ihm ein Bürger die Geschichte von der Gründung Frankfurts:

Karl der Große und die Sachsen

„Karl der Große, der König der Franken, der im Jahre 800 vom Papst zum Kaiser gekrönt wurde, kämpfte viel mit den 15 Sachsen, die er zum Christentum bekehren wollte. Einmal wurde er aber besiegt und mußte mit seinem Heer fliehen. Die Sachsen verfolgten ihn und waren ihm dicht auf den Fersen. Im Nebel kam er mit seinen Franken an den Main. Was war jetzt zu tun? In seiner Not betete der Kaiser und versprach, wenn Gott ihm 20 aus dieser Lage helfe, so werde er hier zu Gottes Ehre eine Stadt bauen.

Wie durch ein Wunder wich der Nebel, und die Franken sahen, wie eine weiße Hirschkuh mit ihren Jungen mitten durch den Fluß zum anderen Ufer ging. Auf diese Weise entdeckten sie eine 25 Furt durch den Main und entkamen ihren Feinden. Als die Sachsen an den Fluß kamen, kehrte der Nebel zurück. Nach seiner Errettung sagte Karl: Diese Stätte soll von nun an der Franken Furt heißen, aber dort drüben sollen die Sachsen hausen."

„Bis heute," so fuhr der Bürger fort, „nennt man die beiden
Städte am Main Frankfurt und Sachsenhausen. Und, sehen Sie,
hier haben wir auch das Denkmal des Kaisers Karl, der unserer
Stadt den Namen gegeben hat."

Frankfurt am Main

5   Bei diesen Worten zeigte der Bürger auf das Denkmal Karls
des Großen dicht bei der neuen Brücke, die nicht weit von der
Stelle über den Main führt, wo die Furt gewesen sein soll.

25. Der Rhein

„Hallo, Arthur, wie geht es Dir denn noch," begrüßte Walter
herzlich seinen Freund Arthur Hanhardt, der wie er selber ein
Jahr in Deutschland studiert hatte, und mit dem er nun in Mainz°
zusammentraf, um mit ihm die Heimreise nach Amerika zu machen.

„Danke," antwortete Arthur, „mir geht es sehr gut. Ich habe 5
keinen Grund zu klagen, besonders jetzt nicht, wo wir nach Hause
reisen."

„War es nicht ein guter Gedanke, unseren Aufenthalt in
Deutschland mit einer Rheinfahrt abzuschließen?"

„Ausgezeichnet, alter Junge. Ich bin froh, daß wir es so 10
einrichten konnten."

Mainz

Das Wiedersehen der alten Freunde fand, wie gesagt, in Mainz
statt, wo sie einen Dampfer den Rhein hinunter nach Köln nehmen
wollten. Es war am Nachmittag; da ihr Schiff aber erst am
nächsten Morgen abfuhr, so gingen sie ein wenig durch Mainz 15
spazieren. Häufig sahen sie an öffentlichen Gebäuden das Wappen
von Mainz, ein Wagenrad.

„Ist das nicht sonderbar, daß Mainz ein Wagenrad im Wap=
pen hat? Weißt du, warum?" fragte Walter.

„Ich habe etwas darüber gelesen," erwiderte Arthur. „So 20
viel ich weiß, soll es von dem alten Erzbischof Willigis, der um
das Jahr 1000 lebte, zum Wappen von Mainz gemacht worden
sein."

„Erzähle doch, was du weißt."

„Es ist nicht so viel. Wie du weißt, ist Mainz seit alten 25
Zeiten der Sitz eines Erzbischofs, der zugleich auch ein Kurfürst
des deutschen Reiches war. Nun war einmal der Sohn eines
armen Wagners durch seine Frömmigkeit und Tüchtigkeit Erz=
bischof geworden. Die reichen, stolzen Einwohner der Stadt,

ärgerlich darüber, daß ein Mann von so geringer Herkunft über
sie herrschen sollte, malten Wagenräder an Wände und Türen des
Palastes und der Kirche, um den Erzbischof Willigis damit zu
ärgern. Sie erreichten jedoch ihr Ziel nicht. Im Gegenteil. Der
5 Erzbischof machte das Rad zu seinem Wappen und ließ darunter
schreiben: Willigis, Willigis, denk', woher du gekommen bist."

"Hoffentlich haben die stolzen Einwohner die Lehre daraus
gezogen, daß nicht die Herkunft sondern die Tüchtigkeit eines
Mannes die Hauptsache ist."

Gutenberg

10 Am Theater sahen die Freunde das Denkmal von Gutenberg,°
der hier in Mainz die Buchdruckerkunst erfunden haben soll.
Walter sagte:

"Von hier aus hat also die Buchdruckerkunst ihren Zug durch
die Welt begonnen. Wie so manche Erfinder hat Gutenberg selbst
15 sehr wenig an seiner Erfindung verdient. Andere haben die Früchte
seiner Arbeit geerntet."

Der Dampfer

Am nächsten Morgen gingen die Freunde zur Landungsbrücke
und bestiegen den Dampfer. Sie belegten Plätze ganz vorn, um
die beste Aussicht auf alle Schönheiten des Rheins zu haben.

20 Der Dampfer war weiß angestrichen. An beiden Seiten waren
die mächtigen Räder angebracht, die den Dampfer fortbewegten.
Auf blauem Grunde leuchtete in goldenen Buchstaben der Name
des Dampfers: Frauenlob. Unter Deck waren schön einge=
richtete Räume, wo man sich bei schlechtem Wetter aufhalten
25 konnte. Auch ein gutes Restaurant war an Bord.

Ein letztes Rufen, dann wurden die Taue losgemacht. Die
Räder begannen das Wasser zu schlagen, und majestätisch glitt
der Dampfer den Strom hinunter.

Die Romantik des Rheins

Der Rhein! Wie viele geschichtliche und romantische Erin=
nerungen sind mit diesem Wort verbunden! Wie viele Völker hat
der Rhein schon kommen und gehen sehen! Von der Zeit der
alten Römer bis in die Gegenwart war er Zeuge von vielen ge=
schichtlichen Ereignissen. Immer war er verknüpft mit dem Schick=
sal des deutschen Volkes.

Berühmt ist der Rhein auch durch seine Romantik. Von den
Gletschern der Schweizer Alpen kommend, braust er zu Tal, an
der Schweizer Grenze einen großen See, den Bodensee, bildend.
Nicht weit von seinem Austritt aus dem Bodensee stürzen seine
grünen Wassermassen sich herab und bilden den schönen Wasserfall
bei Schaffhausen. Dann macht der Rhein bei Basel ein scharfes
Knie und fließt nach Norden durch die deutschen Lande.° Am
Anfang dieses Laufes bildet er nach Westen die Grenze nach Frank=
reich, wo das liebliche Elsaß liegt. Von Osten grüßen den Rhein
die düsteren Hänge des Schwarzwaldes. Bunte Landschaften,
blühende Städte, Burgen und Ruinen sieht er auf seinem Lauf.
Wahrlich, nur wenige Flüsse der Welt können sich an Bedeutung
und Schönheit mit dem Rhein messen.

Die Freunde betrachteten das liebliche Bild, das die von Bäu=
men umrahmten Ufer boten. Von den Bergen winkten die Reben,
die im glühenden Schein der Sonne reiften.

Das Leben auf dem Rhein

Auf dem Rhein selbst herrschte reges Leben. Der schnelle
Dampfer überholte große Flöße, die, aus Hunderten von Stäm=
men zusammengebunden, von den Gegenden des oberen Rheins
kamen. Dann wieder mußte das Schiff, auf dem unsere Freunde
reisten, einem Dampfer ausweichen, der eine ganze Reihe schwerer
Kähne schleppte, die mit Kohlen, Erzen, Lebensmitteln, Früchten
oder anderen Gütern beladen waren. Auf dem hinteren Teil dieser

riesigen Kähne war ein Häuschen gebaut, worin der Schiffer mit
seiner Familie lebte. Wäsche hing auf der Leine zum Trocknen.
Der Schornstein rauchte. Ein Hund bellte.

„Diese Schiffer scheinen auf dem Wasser zu Hause zu sein,"
5 meinte Walter.

„Sie sind es auch," entgegnete Arthur. „Sie haben sogar
Ziegen und Schweine an Bord, kurz, beinahe alles, was man auf
dem Lande hat."

Der Mäuseturm bei Bingen

Bei Bingen

Bei Bingen macht der Rhein einen scharfen Bogen. In der
10 Mitte des Stromes steht ein alter Turm.

„Hier, Arthur, sehen wir den berühmten Mäuseturm, wo die
Mäuse den grausamen Bischof Hatto° gefressen haben."

„Haha," lachte Arthur, „ich kenne die Geschichte natürlich auch. Wir haben sie ja in unserer ersten deutschen Grammatik gelesen. Erinnerst du dich noch, welche Erklärung uns der Lehrer über den Namen ‚Mäuseturm' gab?"

„Gewiß. Der Turm hieß früher eigentlich der Mauteturm. Das Wort ‚Maut' bedeutete ‚Steuer' oder ‚Zoll', und der Turm war für den Zweck erbaut, von den vorbeifahrenden Schiffen Zoll zu erheben. Das Volk hat dann später daraus ‚Mäuseturm' gemacht und zur Erklärung die bekannte Sage von dem Bischof Hatto gedichtet, den die Mäuse gefressen haben sollen."

„Immerhin ist es interessant, diesen alten Turm zu sehen, nicht wahr?"

„Na, freilich. Doch vergiß nicht, jetzt rechts hinaufzusehen, wo das gewaltige Nationaldenkmal auf dem Niederwald steht."

Die Freunde sahen hinauf, wo auf einem Vorsprung des Niederwalds die große Gestalt der Germania stand, die dort zum Zeichen der Einigung Deutschlands errichtet worden ist.

Weiter ging die Fahrt. Tief furchte der Kiel des Schiffes den Strom. Die Ufer wurden steiler und kamen einander oft sehr nahe. Überall fanden sich an den Hängen gut gepflegte Weinberge. Kleine, saubere Häuschen schauten zwischen Obstgärten hervor. Hin und wieder zeigten sich auch nur kahle Felsen. Dann wurde zur Abwechslung ein Schloß sichtbar, dann wieder Ruinen, von dichtem Gebüsch umgeben.

Die Ritter

„Was muß das für eine Zeit gewesen sein," sagte Walter, „als die Ritter hier noch hausten."

„Und die Schiffe anhielten und ausraubten," fügte Arthur hinzu.

„Ja, sie waren sehr unabhängig und gewalttätig, diese alten Ritter. Den Fürsten, ja, selbst dem Kaiser, trotzten sie auf ihren

feſten Burgen, die auf dieſen ſteilen Felſen lagen. Die Bauern
mußten für ſie arbeiten, die Felder beſtellen und Vieh liefern.
Doch damit nicht genug, ſahen ſie auch den Teil des Rheins, an
dem ihr Land lag, als Eigentum an und erhoben von den vorbei=
5 fahrenden Schiffen hohen Zoll."

„Dieſe Zeiten ſind vorbei. Nur Ruinen zeugen jetzt noch von
der früheren Herrlichkeit."

Der Strom wird immer enger, und es ſcheint, als ob die
felſigen Ufer dem Schiff den Weg ſperren wollen. Aber es geht
10 vorwärts, und plötzlich taucht eine Burg auf, die mitten auf einer
Inſel im Rhein liegt. Es iſt die Pfalz bei Kaub, errichtet, um
drückende Zölle von den Schiffen zu erheben. Heute jedoch hält
niemand mehr die Schiffe an, und der Dampfer zieht vorüber.

Die Lorelei

Die Lorelei

Wieder werden die Ufer steil. Nur Wasser und Felsen sind zu sehen. Auf einmal springt auf der rechten Seite ein gewaltiger Felsen auf. Senkrecht fällt er zum Strom ab. Da ertönt auch schon allgemeiner Gesang:

Ich weiß nicht, was soll es bedeuten,   5
Daß ich so traurig bin;
Ein Märchen aus alten Zeiten,
Das kommt mir nicht aus dem Sinn.

Die Luft ist kühl und es dunkelt,
Und ruhig fließt der Rhein;   10
Der Gipfel des Berges funkelt
Im Abendsonnenschein.

Die schönste Jungfrau sitzet
Dort oben wunderbar,
Ihr goldnes Geschmeide blitzet,   15
Sie kämmt ihr goldenes Haar.

Sie kämmt es mit goldenem Kamme
Und singt ein Lied dabei;
Das hat eine wundersame,
Gewaltige Melodei.   20

Den Schiffer im kleinen Schiffe
Ergreift es mit wildem Weh;
Er schaut nicht die Felsenriffe,
Er schaut nur hinauf in die Höh'.

Ich glaube, die Wellen verschlingen   25
Am Ende Schiffer und Kahn;
Und das hat mit ihrem Singen
Die Lorelei getan.

Jeder auf dem Schiff singt dieses bekannte Lied von Heinrich Heine, denn dieser Felsen ist die berühmte Lorelei. Auf dem Felsen erscheint, wie die Sage berichtet, im Mondenschein die Fee Lorelei und lockt den unvorsichtigen Schiffer ins Verderben. Im Bogen
5 strömen die reißenden Wasser des Rheins um den Felsen.

Stromab von der Lorelei liegt zwischen Fluß und Felsen geklemmt das Städtchen Goarshausen mit den beiden Burgen Katz und Maus.

„Die beiden Namen," sagte Arthur, „zeigen, in welchem Ver-
10 hältnis die Bewohner dieser Burgen mit einander gelebt haben."

„Ja, darüber kann kein Zweifel bestehen. Doch sieh, hier auf der linken Seite liegt die Ruine Rheinfels," rief Walter. „Wie ich aus dem Buch sehe, ist es die größte Ruine am Rhein."

Koblenz

Man nähert sich Koblenz.° Auf dem linken Ufer bewundern
15 die Freunde kurz vor Koblenz die Burg Stolzenfels, die eine der schönsten Burgen am Rhein ist. Bald fährt der Dampfer die schönen Anlagen der Stadt Koblenz entlang und hält an der Landungsbrücke. Der Aufenthalt ist nur kurz.

Vom Dampfer sehen die Freunde das Denkmal Kaiser Wil-
20 helm des Ersten. Es steht auf dem Kaisereck, das durch den Zusammenfluß des Rheins und der Mosel gebildet wird. Die Reise geht nun eine Zeitlang durch ebenes Land. Nur zur Rechten erheben sich einige Höhen.

Das deutsche Volkslied

Da die Landschaft augenblicklich nichts besonders Sehenswertes
25 bot, lauschten die Freunde den Liedern, die von den Reisenden gesungen wurden.

„Sind diese Lieder nicht schön?" sagte Walter.

Arthur antwortete:

„Ja, es liegt ein wunderbarer Zauber in den Volksliedern. Ich erinnere mich eines Ausspruchs von Heinrich Heine, der einmal sagte, daß man in diesen Liedern den Herzschlag des deutschen Volkes fühle."

„Die Volkslieder zeigen uns die deutsche Volksseele. Schon zu Hause in Amerika habe ich gern deutsche Lieder gehört. Aber wie viel schöner klingen sie hier auf dem Rhein." 5

Da sie einige dieser schönen Lieder kannten, stimmten Walter und Arthur in den Gesang ein.

Der Drachenfels

Da wurde auf der rechten Seite das Siebengebirge sichtbar, 10 so genannt nach den sieben Bergen, die das Gebirge bilden. Schroff stieg der Drachenfels empor. Von dort hat man eine herrliche Aussicht auf den Rhein. Zahlreiche Sagen knüpfen sich an diese Berge. Unsere Freunde hörten, wie jemand die Geschichte vom Drachenfelsen erzählte: 15

„Als auf dem linken Ufer des Rheins schon das Christentum eingeführt war, lebten auf der anderen Seite noch germanische Stämme, die den neuen Glauben bitter bekämpften. Diese heidnischen Germanen machten häufig Einfälle auf das andere Ufer und kehrten gewöhnlich, reich beladen mit Beute, in ihre Heimat zurück. 20

Auf einem dieser Züge raubten sie einst die Tochter eines christlichen Königs. Da sie von großer Schönheit war, stritten sich mehrere Fürsten der Germanen um ihren Besitz. Aber die Jungfrau wollte keinen Heiden heiraten. Es wurde also beschlossen, sie einem Drachen zu opfern, der in einer Höhle des Berges hauste. 25

Eines Morgens früh, als der Drache noch schlief, wurde die Jungfrau in die Nähe der Höhle gebracht und an einen Baum gebunden. Neugierig wartete die Menge. Was würde geschehen?

Kaum war der Drache aus der Höhle gekommen, so erblickte er sein Opfer. Wütend eilte er auf die Jungfrau zu. Doch ruhig 30

hielt diese ihm ein Kreuz entgegen. Da ergriff den Drachen eine
solche Furcht, daß er sich von dem hohen Felsen hinab in den
Strom stürzte und in den Wellen versank. Die Heiden aber fielen
auf die Knie und beteten Gott an, welcher der Jungfrau solche
5 Macht gegeben hatte.

Die Höhle kann man noch in der westlichen Seite des Berges
sehen. Auch das Blut des Drachen fließt noch. Es ist der Wein, der
auf den Höhen des Drachenfelsen wächst, und der so genannt wird.

Einer anderen Sage nach soll der deutsche Held Siegfried° hier
10 einen Drachen getötet haben."

Am Rhein in Bonn

Bonn

Bonn kam in Sicht. Arthur sagte:

„Auf der Universität von Bonn haben früher die preußischen
Prinzen und auch der letzte Deutsche Kaiser studiert."

„Wurde hier in Bonn nicht auch Beethoven geboren?"

„Ja, dieser große Komponist hat hier 1770 das Licht der Welt erblickt."

„Bonn ist eine reizende Stadt. Die grünen Hügel des Sieben= 5
gebirges, der Rhein und die schöne Umgebung machen Bonn jeden=
falls zu einem idealen Aufenthalt für Studenten."

„Deutschland hat viele schöne Gegenden. Man weiß nicht, wo
es am schönsten ist. Alle Orte, die ich besuchte, haben mir gefallen.
Doch der Rhein scheint die Krone von allen zu sein."

„Viele Lieder drücken denselben Gedanken aus. Höre nur, wie 10
die jungen Leute dort singen: Nur am Rhein, da will ich leben!"

Köln

Rascher eilte jetzt der Dampfer dahin. Der Strom war breit
geworden. Die Gebirge traten zurück. Es ging durch eine frucht=
bare Ebene. Da sah man, wie am fernen Horizont zwei schlanke
Türme hoch zum Himmel hinaufstrebten. Es war der erste Gruß 15
von Köln,° dessen alter, ehrwürdiger Dom° weithin sichtbar ist.

Der Dampfer hielt an der Landungsstelle, nicht weit von dem
mächtigen Dome.

Ein Spaziergang durch Köln

Es war später Nachmittag, als Arthur und Walter durch die
engen Straßen der inneren Stadt wanderten. Der Verkehr war 20
lebhaft. In einer alten Wirtschaft kehrten sie ein und aßen einen
‚halben Hahn‘, wie die witzigen Kölner ein mit Käse belegtes
Brötchen nennen.

Dann wurde die Wanderung fortgesetzt. Die Freunde kamen
an den Rhein. Sie wanderten über eine Brücke, um die Stadt 25
vom anderen Ufer zu betrachten. Dort fanden sie eine Bank und
setzten sich nieder.

Vor ihnen lag der breite Strom. Ruhig glitten die Schiffe

vorbei. Über die gewaltige Brücke rollten die Wagen, und don=
nerten die Eiſenbahnzüge. Und drüben die herrliche Stadt! Alles
vereinigte ſich zu einem großartigen Bilde.

Köln

Die Sonne ſtand tief im Weſten. Die Stadt mit ihren zahl=
5 reichen Türmen und hohen Giebeln erſchien wie auf einen goldenen
Hintergrund gemalt.

„Es iſt ein geſegnetes Land, in dem ſich Köln entwickelt hat,“
bemerkte Arthur. „Schönheit und Fruchtbarkeit gehen hier Hand
in Hand.“

Die Geſchichte Kölns

10 „Ich kann gut begreifen,“ ſagte Walter, „daß die Römer hier
die Feſtung ‘Colonia Agrippina’ bauten, und daß ſich dann aus
der Feſtung ein wichtiger Handelsplatz entwickelte.“

„Die Geschichte der Stadt reicht zweitausend Jahre zurück.
Wie viel Freude und Leid mag die Stadt in dieser Zeit erfahren
haben! Am berühmtesten ist Köln durch seinen Dom, an dem
man jahrhundertelang gearbeitet hat, ehe er vollendet war. Köln
hat überhaupt viele Kirchen, in denen sich zahlreiche Kunstschätze   5
befinden."

„Der vielen Kirchen wegen nennt man es wohl auch das heilige
Köln?"

„Das mag sein. Doch dürfen wir nicht vergessen, daß Köln
eine der ältesten deutschen Universitäten hat. Sie wurde im Jahre   10
1388 gegründet. Zwar wurde sie im letzten Jahrhundert von
Napoleon geschlossen, doch seit 1919 hat sie ihre Tore wieder
geöffnet."

Drüben sank die Sonne hinter den Türmen und Giebeln.
Die Abendglocken klangen herüber. Kühl wehte es vom Rhein,   15
und Dämmerung legte sich über Strom und Stadt.

Der Kölner Dom

Am nächsten Morgen standen Arthur und Walter früh auf
und besichtigten die Sehenswürdigkeiten der Stadt. Die alten
Häuser, die Kirchen und Kapellen der Innenstadt sowie die modernen Viertel der Außenstadt boten ein anregendes Bild. Eine   20
breite Ringstraße legte sich wie ein Gürtel um die Stadt, be-
ginnend und endend am Rhein.

Schließlich gingen die Freunde in den Dom, einen der größten
der Welt. Mit Staunen sahen sie das Innere des Domes mit
seinem ungeheuren Raum und hohen Säulen. Durch künstlerisch   25
bemalte Fenster fiel gedämpftes Licht in den Raum, eine geheimnisvolle Dämmerung verbreitend. Ein Mönch zeigte ihnen die
zahlreichen Schätze des Domes und führte sie zu der Gruft, in
der die drei Weisen° aus dem Morgenlande begraben sein sollen.

Zuletzt bestiegen Walter und Arthur einen der Türme, um   30

von dort einen letzten Blick auf das Rheinland zu werfen. Der
Wind heulte durch die steinernen, luftigen Türme. Tief unten
lag die geschäftige Stadt. Rauch stieg von den Schornsteinen der
Häuser in die blaue Luft. Das silberne Band des Rheins, belebt
5 mit vielen Schiffen, schlängelte sich durch die grünen Ebenen und
verschwand in der Ferne. Im Süden sah man am Horizont die
Hügel des Siebengebirges. Walter sagte:

„Hier können wir den Dichter verstehen, der dem Rhein diese
Zeilen widmete:

10   Dich grüß' ich, du breiter, grüngoldiger Strom,
         Euch Schlösser und Dörfer und Städte und Dom,
         Ihr goldenen Saaten im schwellenden Tal,
         Dich Rebengebirge im sonnigen Strahl,
         Euch Wälder und Schluchten,—dich Felsengestein:
15   Wo ich bin, wo ich gehe, mein Herz ist am Rhein!"

Nach Bremen

Die Freunde stiegen hinab. Sie gingen zum Bahnhof, wo ihr
Zug schon bereit stand. Eilig nahmen sie ihre Plätze ein. Über
Düsseldorf, die Kunststadt am Rhein, über Essen, die berühmte
Industriestadt im Ruhrgebiet, durch die fruchtbaren Ebenen West=
20 falens trug der Zug sie nach Bremen, der ältesten deutschen Hafen=
stadt, an der Weser gelegen.

Hier hatte Walter zum letztenmal Gelegenheit, eine typische
alte Stadt zu sehen. Besonders das Rathaus mit seinen pracht=
vollen Räumen zeugte von dem Reichtum, den die Bremer Kauf=
25 leute durch ihren Welthandel erworben hatten. Schon im Mittel=
alter war Bremen eine der führenden Hansastädte, und noch heute
steht es als Hafen= und Handelsstadt neben Hamburg an der
Spitze des deutschen Welthandels.

In Bremerhaven bestiegen Walter und Arthur den Dampfer
30 nach Amerika.

Die Taue des Schiffes wurden gelöst. Die Maschinen be=
gannen zu arbeiten. Schneller und schneller fuhr der Dampfer.
Bald war man in der Nordsee. In der Ferne versank die Küste.

Das Rathaus in Bremen

Schweigend nahmen die Freunde Abschied von Deutschland. Dann
gingen sie zum Vorderteil des Schiffes und schauten vorwärts. 5
Dort im Westen lag ihre Heimat, Amerika, das Land ihrer
Zukunft.

O alte Burschenherrlichkeit

Studentenlied   Studentenweise

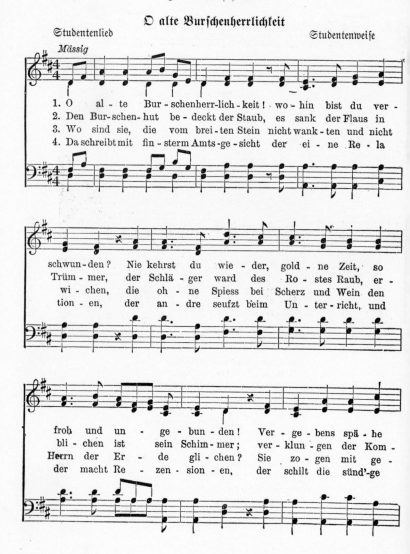

1. O al - te Bur - schenherr-lich-keit! wo - hin bist du ver-
2. Den Bur-schen-hut be - deckt der Staub, es sank der Flaus in
3. Wo sind sie, die vom brei-ten Stein nicht wank - ten und nicht
4. Da schreibt mit fin - sterm Amts-ge-sicht der ei - ne Re - la

schwun - den? Nie kehrst du wie - der, gold - ne Zeit, so
Trüm - mer, der Schlä - ger ward des Ro - stes Raub, erwi - chen, die oh - ne Spiess bei Scherz und Wein den
tion - en, der an - dre seufzt beim Un - ter - richt, und

froh und un - ge - bun - den! Ver - ge - bens spä - he
bli - chen ist sein Schim - mer; ver - klun - gen der Kom-
Herrn der Er - de gli - chen? Sie zo - gen mit ge-
der macht Re - zen - sion - en, der schilt die sünd'-ge

ich um-her, ich fin-de dei-ne Spur nicht mehr. O
mers-ge-sang, ver-hallt Ra-pier= und Spo-ren-klang. O
senk-tem Blick in das Phi-li-ster-land zu-rück. O
See-le aus, und der flickt ihr ver-fall-nes Haus. O

je-rum, je-rum, je-rum, o quae mu-ta-tio re-rum!

5　Allein das rechte Burschenherz
　　Kann nimmermehr erkalten;
　　Im Ernste wird, wie hier im Scherz,
　　Der rechte Sinn stets walten;
　　Die alte Schale nur ist fern,
　　Geblieben ist uns doch der Kern,
　　Und den lasst fest uns halten !

6　Drum, Freunde ! reichet euch die Hand,
　　Damit es sich erneue,
　　Der alten Freundschaft heil'ges Band,
　　Das alte Band der Treue.
　　Klingt an und hebt die Gläser hoch,
　　Die alten Burschen leben noch,
　　Noch leb' die alte Treue !

Der Lindenbaum

Wilhelm Müller   Franz Schubert

1. Am Brun - nen vor dem To - re, da
2. Ich musst' auch heu - te wan - dern vor
3. Die kal - ten Win - de blie - sen mir

steht ein Lin - den - baum, ich träumt' in sei - nem
bei in tie - fer Nacht, da hab' ich noch im
grad' ins An - ge - sicht, der Hut flog mir vom

Schat - ten so man - chen sü - ssen Traum; ich
Dun - kel die Au - gen zu - ge - macht; und
Ko - pfe, ich wen - de - te mich nicht. Nun

schnitt' in sei - ne Rin - de so man - ches lie - be
sei - ne Zwei - ge. rausch-ten, als rie - fen sie mir
bin ich man - che Stun - de ent - fernt von je - nem

Wort, es zog in Freud' und Lei - de zu
zu: Komm her zu mir, Ge - sel - le, hier
Ort, und im mer hör' ich's rau - schen: Du

ihm mich im - mer fort, zu ihm mich im - mer fort.
find'st du dei - ne Ruh', hier find'st du dei - ne Ruh'.
fän - dest Ru - he dort, Du fän - dest Ru - he dort.

Die Lorelei

Heinrich Heine   Friedrich Silcher

1. Ich weiss nicht, was soll es be - deu - ten, dass
2. Die schön - ste Jung - frau sit - zet dort
3. Den Schif - fer im klei - nen Schif - fe er -

ich so trau - rig bin, .. ein Mär - chen aus al - ten
o - ben wun - der - bar, .. ihr gold - nes Ge - schmei - de
greift es mit wil - dem Weh, .. er schaut nicht die Fel - sen

Zei - ten, das kommt mir nicht aus dem
blit - zet, sie kämmt ihr gol - de - nes
rif - fe, er schaut nur hin - auf in die

Sinn. Die Luft ist kühl und es dun - kelt und
Haar. Sie kämmt es mit gol - de - nem Kam - me und
Höh'. Ich glaube, die Wel - len ver - schlin - gen am

ru - hig fliesst der Rhein, . der Gi - pfel des Ber - ges
singt ein Lied da - bei, . das hat ei - ne wun - der -
En - de Schif - fer und Kahn, . und das hat mit ih - rem

fun - kelt im A - bend - son - nen - schein.
sa - me, ge - walt' - ge Me - lo - dei.
Sin - gen die Lo - re - lei ge - tan.

Den lieben langen Tag

Philipp Düringer   Volksweise

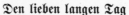

1. Den lie-ben lan-gen Tag hab' i' nur Schmerz und Plag', den lie-ben
2. Denn ach, mein Lieb ist tot, ist nun beim lie-ben Gott, denn ach, mein
3. Seh' i' die Stern-lein gehn, glaub' in sein Aug' zu sehn, seh' i' die

lan-gen Tag hab' i' nur Schmerz und Plag' und darf am A-bend doch nit
Lieb ist tot, ist nun beim lie-ben Gott, der war mit Herz und Seel' der
Stern-lein gehn, glaub' in sein Aug' zu sehn und möcht' wie sonst dann mit ihm

wei - ne. Wenn i' am Fen-ster steh' und in die
mei - ne! Kann ihn nit se-hen mehr, das fällt mir
ko - sen. Doch ach, er ist ja tot! Wann rufst auch

Nacht 'nein seh', so ganz al - lei - ne, dann muss i'
gar so schwer, und i' muss wei - ne, bin so 'al -
mi', mein Gott, uns zu ver - ei - ne, nach lan - gem

wei - ne. Wenn i' am Fen - ster steh' und in die
lei - ne. Kann ihn nit se - hen mehr, das fällt mir
Wei - ne. Doch ach, er ist ja tot! Wann rufst auch

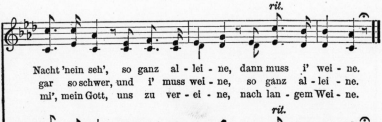

Nacht 'nein seh', so ganz al - lei - ne, dann muss i' wei - ne.
gar so schwer, und i' muss wei - ne, so ganz al - lei - ne.
mi', mein Gott, uns zu ver - ei - ne, nach lan - gem Wei - ne.

O Tannenbaum

Volkslied   Volksweise

Mässig

1. O Tan-nen-baum, o Tan-nen-baum, wie treu sind dei - ne Blät - ter!
2. O Tan-nen-baum, o Tan-nen-baum, du kannst mir sehr ge - fal - len;
3. O Tan-nen-baum, o Tan-nen-baum, dein Kleid will mich was leh - ren:

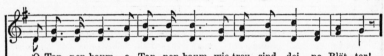

O Tan-nen-baum, o Tan-nen-baum, wie treu sind dei - ne Blät - ter!
O Tan-nen-baum, o Tan-nen-baum, du kannst mir sehr ge - fal - len.
O Tan-nen-baum, o Tan-nen-baum, dein Kleid will mich was leh - ren;

Du grünst nicht nur zur Som-mer-zeit, doch auch im Win - ter, wenn es schneit
Wie oft hat nicht zur Weihnachtszeit ein Baum von dir mich hoch er-freut!
Die Hoffnung und Be - stän - dig - keit gibt Trost und Kraft zu al - ler Zeit.

O Tan‑nen‑baum, o Tan‑nen‑baum, wie treu sind dei‑ne Blät‑ter!
O Tan‑nen‑baum, o Tan‑nen‑baum, du kannst mir sehr ge‑fal‑len.
O Tan‑nen‑baum, o Tan‑nen‑baum, dein Kleid will mich was leh‑ren.

O du lieber Augustin
Volkslied

O du lie‑ber Au‑gu‑stin, Au‑gu‑stin, Au‑gu‑stin, O du lie‑ber Au‑gu‑stin; al‑les ist hin! Geld ist weg, Mädl ist weg, al‑les weg, al‑les weg! O du lie‑ber Au‑gu‑stin, al‑les ist weg!

Du, du liegst mir im Herzen

Volksweise

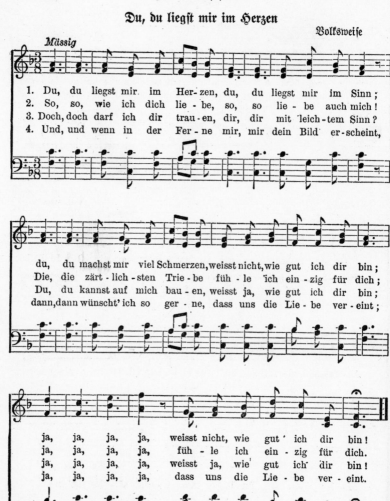

1. Du, du liegst mir im Her-zen, du, du liegst mir im Sinn;
2. So, so, wie ich dich lie-be, so, so lie-be auch mich!
3. Doch, doch darf ich dir trau-en, dir, dir mit leich-tem Sinn?
4. Und, und wenn in der Fer-ne mir, mir dein Bild er-scheint,

du, du machst mir viel Schmerzen, weisst nicht, wie gut ich dir bin;
Die, die zärt-lich-sten Trie-be füh-le ich ein-zig für dich;
Du, du kannst auf mich bau-en, weisst ja, wie gut ich dir bin;
dann, dann wünscht' ich so ger-ne, dass uns die Lie-be ver-eint;

ja, ja, ja, ja, weisst nicht, wie gut ich dir bin!
ja, ja, ja, ja, füh-le ich ein-zig für dich.
ja, ja, ja, ja, weisst ja, wie gut ich dir bin!
ja, ja, ja, ja, dass uns die Lie-be ver-eint.

In einem kühlen Grunde

Joseph von Eichendorff

Friedrich Glück

1. In ei - nem küh - len Grun - de, da geht ein Müh - len -
2. Sie hat mir Treu' ver - spro - chen, gab mir' ein Ring da -
Rascher (mf) 3. Ich möcht' als Spielmann rei - sen, weit in die Welt hin -
Rascher (f) 4. Ich möcht' als Rei - ter flie - gen, wohl in die blut'-ge
Langs. (pp) 5. Hör' ich das Mühl-rad ge - hen, ich weiss nicht, was ich

rad, mein Lieb-chen ist ver-schwun-den, das dort ge - woh-net
bei, sie hat die Treu' ge - bro - chen; das Ring - lein sprang ent -
aus und sin - gen mei - ne Wei - sen und gehn von Haus zu
Schlacht, am stil - len Feu - er lie - gen, im Feld bei dunk-ler
will. Ich möcht' am lieb-sten ster - ben, da wär's auf ein - mal

hat, mein Liebchen ist ver - schwunden, das dort ge - woh - net hat.
zwei, sie hat die Treu' ge - bro - chen; das Ring - lein sprang ent - zwei.
Haus, und sin - gen mei - ne Wei - sen und gehn von Haus zu Haus.
Nacht, am stil - len Feu - er lie - gen im Feld bei dunk - ler Nacht.
still, ich möcht' am lieb-sten ster - ben, da wär's auf ein - mal still.

Der gute Kamerad

Ludwig Uhland　　　　　　　　　　　　Friedrich Silcher

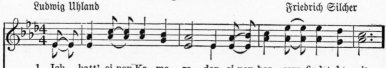

1. Ich hatt' ei-nen Ka - me - ra - den, ei-nen bes - sern findst du nit.
2. Ei - ne Ku - gel kam ge - flo - gen. Gilt's mir o-der gilt es dir?
3. Will mir die Hand noch rei - chen, der - weil ich e - ben lad'.

Die Trommel schlug zum Strei -te, er ging an mei - ner Sei - te in
Ihn hat es weg - ge - ris - sen, er liegt mir vor den Fü - ssen, als
"Kann dir die Hand nicht ge - ben, bleib du im ew'- gen Le - ben mein

glei - chem Schritt und Tritt, in glei - chem Schritt und Tritt.
wär's ein Stück von mir, als wär's ein Stück von mir.
gu - ter Ka - me - rad, mein gu - ter Ka - me - rad!"

Stille Nacht

Volkslied

Volksweise

1. Stil - le Nacht, hei - li - ge Nacht! Al - les schläft, ein - sam wacht
2. Stil - le Nacht, hei - li - ge Nacht! Hir - ten erst kund ge - macht
3. Stil - le Nacht, hei - li - ge Nacht! Got - tes Sohn, o wie lacht

nur das trau - te, hoch - hei - li - ge Paar. Hol - der Kna - be im
durch der En - gel Hal - le - lu - ja, tönt es laut von
Lieb' aus dei - nem gött - li-chen Mund, da uns schlägt die

lock - i - gen Haar, schlaf' in himm - li-scher Ruh', schlaf' in himmlischer Ruh'!
fern und nah: Christ der Ret - ter ist da, Christ der Ret - ter ist da!
ret - tende Stund', Christ, in dei - ner Ge - burt, Christ, in dei - ner Ge - burt!

O du fröhliche

Johannes Falk
Langsam

Sizilianiſche Volksweiſe

1–3. O du fröh-li-che, o du se-li-ge gna-den-brin-gen-de

Weih-nachts-zeit! Welt ging ver-lo-ren, Christ ist ge-bo-ren,
O-ster-zeit! Welt lag in Ban-den, Christ ist er-stan-den,
Pfing-sten-zeit! Christ, un-ser Mei-ster, hei-ligt die Gei-ster,

1–3. freu-e, freu-e dich, o Chri-sten-heit!

Sah ein Knab' ein Röslein stehn

Johann Wolfgang von Goethe   Heinrich Werner

Mässig bewegt

1. Sah ein Knab' ein Rös-lein stehn, Rös-lein auf der Hei - den, war so jung und
2. Kna-be sprach: ich bre - che dich, Rös-lein auf der Hei - den! Rös-lein sprach: ich
3. Und der wil - de Kna - be brach's Rös-lein auf der Hei - den; Rös-lein wehr-te

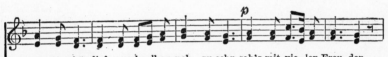

mor-genschön, lief er schnell, es nah zu sehn, sah's mit vie-len Freu-den.
ste - che dich, dass du e - wig denkst an mich, und ich will's nicht lei-den.
sich und stach, half ihm doch kein Weh und Ach, musst' es e - ben lei-den.

Rös-lein, Rös - lein, Rös-lein rot, Rös - lein auf der Hei - den.

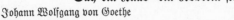

Fragen und Übersetzungen

1. Die Abreise

Fragen: 1. Was für ein Dampfer gleitet aus dem Hafen von New York? 2. Wohin fährt der Dampfer? 3. Wer lehnt am Geländer? 4. Warum verläßt der junge Mann Amerika? 5. Wozu benutzt er jede Gelegenheit? 6. Was fragt ihn ein Reisegefährte? 7. Was antwortet er darauf? 8. Wo hat er Deutsch gelernt? 9. Wie heißen die beiden Reisenden? 10. Von woher kommt Herr Klinger jetzt? 11. Wo wohnt er? 12. Wohin will Walter Miller gehen? 13. Was will er in Berlin? 14. Wozu ladet Herr Klinger Walter ein?

Übersetzung: 1. A large steamer leaves New York. 2. It glides slowly out of the harbor. 3. A young man leaves his homeland. 4. His name is Walter Miller. 5. He goes to Germany to attend the university in Berlin. 6. It is his first trip over the ocean. 7. Walter speaks some German already. 8. He had three years of German in a university in America. 9. But he needs much practice. 10. Soon he makes an acquaintance on the ship. 11. It is Robert Klinger, a musician from Germany. 12. Now Walter has a good opportunity to speak German.

2. Auf dem Ozean

Fragen: 1. Welche Sprache benutzten die Freunde? 2. Wie war das Wetter auf dem Atlantischen Ozean? 3. Wann gab es Kinovorstellungen? 4. Wie war das Wetter während der letzten Tage der Reise? 5. Wer war unter den Glücklichen, die nicht seekrank wurden? 6. Wie war die Oberfläche des Meeres? 7. Was taten Walter und Herr Klinger schnell nach jeder Mahlzeit? 8. Wen trafen sie an Deck? 9. Was fragte der seekranke Passagier? 10. Was antwortete der Matrose? 11. In welcher Richtung lag das Land?

Überſetzung: 1. Walter and Mr. Klinger were on the ship several days. 2. Walter spoke German with his friend. 3. He spoke better every day. 4. The weather was beautiful for several days. 5. It was a glorious trip. 6. The passengers read books and newspapers. 7. The band played beautiful melodies, and many danced. 8. Everybody was happy. 9. The passengers hoped for more good weather. 10. But a violent storm began, and the ocean changed. 11. Many of the passengers were seasick. 12. There were not many in the dining room. 13. Walter and Mr. Klinger were lucky not to be sick. 14. They were much on deck in the fresh air.

3. Deutſchlands Lage und Klima

Fragen: 1. Worum bat Walter ſeinen Freund? 2. Wo liegt Deutſchland? 3. Nennen Sie die Länder, die an Deutſchland grenzen. 4. Wie iſt die Lage Oſtpreußens? 5. Wie viele Stromgebiete hat Deutſchland? 6. Nennen Sie die entſprechenden Flüſſe. 7. Welcher Fluß bildet die Grenze zwiſchen Nord= und Süddeutſchland? 8. Wohin fließt die Donau? 9. Wie iſt die Temperatur in den Sommermonaten in Deutſchland? 10. Wie ſind die Winter? 11. Welche Gebirge liegen in Mitteldeutſchland? 12. Warum reiſen die Deutſchen in den Ferien nach Süddeutſchland?

Überſetzung: 1. On the last day of the trip the weather was beautiful again. 2. Walter and Mr. Klinger talked about Germany. 3. Mr. Klinger told him about Germany's position and climate. 4. Many countries border Germany on the east and west. 5. The North Sea and the Baltic form a natural boundary. 6. Mountains form a natural boundary on the south. 7. The Main River flows between North and South Germany. 8. Travelers find the Rhine very interesting. 9. The climate in Germany is mild and also very healthful. 10. There are many mountains in Central Germany. 11. We find many health resorts and mineral springs here. 12. The Black Forest and the Bavarian Alps are covered with forests. 13. The valleys in these forests are beautiful. 14. "You will meet many Americans there," said Mr. Klinger.

4. Die Landung

Fragen: 1. Warum hatte Walter nicht gut geſchlafen? 2. Wie war die Luft an Deck? 3. Was hielt den Dampfer ans Land gebunden?

4. Warum sind viele Leute auf die Landungsbrücke gekommen? 5. Welche Personen durften durchgehen? 6. Wo fand jeder sein Gepäck? 7. Was für eine Uniform hatten die Beamten? 8. Was hatte Walter in seinem Gepäck? 9. Wie zeigte der Beamte, daß die Sache erledigt war? 10. Beschreiben Sie die Szene am Zuge.

Übersetzung: 1. Mr. Klinger and Walter were ready for landing. 2. Walter had gotten up early. 3. The ship had arrived during the night. 4. Many people were on the pier. 5. They had come to meet friends and relatives. 6. The officials examined Walter's passport. 7. Everything was in order. 8. Walter and his friend had no difficulties with their baggage. 9. They only had clothes and books, and these were not dutiable. 10. The officials made marks on the baggage. 11. The two friends were now ready, and the train soon brought them to Hamburg.

5. Ein Brief aus Hamburg

Fragen: 1. An wen schreibt Walter? 2. Was hatte Walter dem Professor versprochen? 3. Wo wird Walter den Winter über bleiben? 4. Wie groß ist Hamburg? 5. Was zeigt die Bedeutung Hamburgs als Handelsstadt? 6. Wo liegen die Häuser mancher reichen Kaufleute? 7. Was machte einen besonderen Eindruck auf Walter? 8. Was sieht man im Hafen? 9. Wohin gingen die Freunde am Nachmittag? 10. Wie leben die Tiere in diesem Park? 11. Wodurch sind die Tiere von den Besuchern getrennt?

Übersetzung: 1. Walter was now in Hamburg. 2. He wrote a letter to a professor in America. 3. His letter tells about the trip over the ocean. 4. Walter says that he was not seasick. 5. I learned much about Germany from Mr. Klinger. 6. Hamburg is the second largest city in Germany. 7. As in New York, we find here the elevated and the subway, the street car, the bus, and the automobile. 8. The Alster Basin is a small lake in the heart of the city. 9. We made a sightseeing trip through the harbor. 10. I saw the enormous locks. 11. There were ships from all parts of the world. 12. Large ships are built in Hamburg. 13. We visited Hagenbeck's zoo. 14. I will write another letter to you from Berlin.

6. Nach Berlin

Fragen: 1. Warum wollte Walter die Eisenbahn benutzen und nicht das Flugzeug? 2. Wer löste die Fahrkarten? 3. Welches Wort verstand

Walter nicht richtig? 4. Worüber war Walter froh? 5. Welche Arten von Zügen hat man in Deutschland? 6. Was für Plätze fanden die Freunde in ihrem Abteil? 7. Wohin legten sie ihr Gepäck? 8. Was bedeutet das Wort ‚D=Zug‘? 9. Warum fuhren früher die meisten Leute in der vierten Klasse? 10. Wie viele Leute beschäftigt die Deutsche Reichsbahn? 11. Von wem wird die Deutsche Reichsbahn kontrolliert? 12. Was ist das Zeichen zum Mit= tagessen? 13. Wie war das Essen? 14. Wohin kann man vom Zuge tele= phonieren? 15. Worüber unterhielten sich die Reisenden? 16. Wieviel kostet ein Flug von Berlin nach Leipzig? 17. Welches lenkbare Luftschiff hat mehrere Besuche in Amerika gemacht? 18. Wie nennt man das Fliegen ohne Motor? 19. Wie lange bleiben die Segelflieger oft in der Luft? 20. Warum hat die Post zahlreiche Kraftlinien eingerichtet? 21. Wo hatte Walter die Unter= grundbahn schon gesehen? 22. Wie viele Linien findet man übereinander auf manchen Strecken?

Übersetzung: 1. Walter and Mr. Klinger are going to Berlin. 2. Both are ready. 3. The automobile is already here. 4. One can go by aeroplane from Hamburg to Berlin. 5. But one learns and sees more on the train. 6. Soon they were at the station. 7. Walter bought two tickets to Berlin. 8. Germany has several kinds of trains. 9. Formerly there were four classes. 10. The two passengers were very comfortable in their compartment. 11. Over the seat was a net for the baggage. 12. The railroads in Germany and America are different. 13. In America the coach is undivided. 14. A German coach has compartments. 15. Every compartment has a door, which leads to the side aisle. 16. But all trains do not have this arrange- ment. 17. The German Federal Railroad is a large organization controlled by the state. 18. On this train we have a dining car. 19. We shall have a good meal in the dining car. 20. You can tele- phone on a moving train. 21. The air service is developing fast. 22. Business men are especially interested in the development of the air service. 23. Traveling in an aeroplane is not expensive. 24. It does not cost as much as one thinks. 25. The Graf Zeppelin has made several trips to America. 26. Germany does not have as many automobiles as America. 27. The bus is very convenient for the outlying villages. 28. In Berlin we find the elevated and the sub- way 29. Soon the train arrived at the station. 30. Walter was now in Berlin. 31. The journey had been very pleasant for Walter and the other travelers.

7. In der Pension

Fragen: 1. Bei wem wohnte Herr Klinger in Berlin? 2. Was ist ein Studienrat? 3. Von wem hatte Walter die Adresse der Pension erhalten? 4. Was möchte Herr Klinger für Walter tun? 5. Wodurch wurde Walter an Amerika erinnert? 6. Wo hielt das Auto? 7. Wer öffnete die Tür? 8. Wohin wurde Walter geführt? 9. Wie begrüßte Frau Borchert Walter? 10. Was für eine Dame war Frau Borchert? 11. Wie redete Walter Frau Borchert an? 12. Wie wünschte Frau Borchert, angeredet zu werden? 13. Was für Zimmer bekam Walter? 14. Wie waren die dicken Federbetten? 15. Worum wollte er Frau Borchert bitten? 16. Was fragte das Dienst= mädchen? 17. Was bestellte Walter? 18. Wann kam Frau Borchert herein? 19. Was versprach sie? 20. Wie oft ißt man in Berlin? 21. Was gibt es zum ersten Frühstück? 22. Um welche Zeit ißt man das zweite Frühstück? 23. Wann findet die Hauptmahlzeit statt? 24. Wie zählt man die Stunden in Deutschland? 25. Was gibt es zum Abendessen? 26. Wem wurde Walter vorgestellt? 27. Wer waren Walters Nachbarn? 28. Was war eine häufige Frage? 29. Was für ein Instrument spielt Walter? 30. Wann wurde Walter am Telephon gewünscht? 31. Wer hat ihn angerufen?

Übersetzung: 1. Walter and Mr. Klinger are in the station. 2. Mr. Klinger will remain a few days. 3. He will live with his sister. 4. Walter went to a boarding house. 5. His professor had given him the address. 6. Mr. Klinger knows Berlin well. 7. He will show Walter the attractions. 8. Walter stepped into an automobile. 9. Everything was lively on the streets. 10. He heard the German language everywhere. 11. The streets were narrower than in America. 12. Soon he arrived at the boarding house. 13. He rang, and a maid opened the door. 14. She gave his card to Mrs. Borchert. 15. Mrs. Borchert was very friendly. 16. Walter's rooms were very nice. 17. He expressed his satisfaction to Mrs. Borchert. 18. Walter went to bed and slept well. 19. It was almost nine o'clock when he awoke. 20. When he was ready, he went to the dining room. 21. The maid brought him his breakfast. 22. In Germany they eat more often than in America. 23. There are two breakfasts. 24. Then they eat at one o'clock, at four o'clock, and again at eight. 25. The evening meal consists of cold food. 26. Walter's baggage had arrived. 27. Soon it was one o'clock. 28. Mrs. Borchert introduced Walter to the ladies and gentlemen in the boarding house. 29. Walter answered many questions. 30. He drew no comparisons between Germany and

America. 31. Miss Karsten was a music student. 32. Walter also likes music. 33. He plays the violin. 34. Mr. Klinger called up in the afternoon

8. Ein Spaziergang durch Berlin

Fragen: 1. Wie viele Einwohner hat Berlin? 2. Welche Städte sind größer als Berlin? 3. Warum iſt Berlin das Herz des europäiſchen Ver=kehrs geworden? 4. In welchem Bauſtil iſt das Brandenburger Tor errichtet? 5. Was befindet ſich auf dem Brandenburger Tor? 6. Wie lang and breit iſt die Straße: Unter den Linden? 7. Wie viel koſtet es, einen Stuhl unter den Bäumen zu mieten? 8. Was liegt gegenüber der Staatsoper? 9. Was befindet ſich in dem Zeughaus? 10. Woraus hat ſich Berlin zu einer Welt=ſtadt entwickelt? 11. Was liegt um den Luſtgarten herum? 12. Welche Vorſchrift ſah Walter oft? 13. Wie regelten die Schutzleute den Verkehr? 14. Was bedeuten die roten Armbinden bei einigen Schutzleuten? 15. Weſſen Denkmal ſtand in der Mitte der Straße? 16. Welchen Grundſatz hatte Friedrich der Große? 17. Was hat Baron von Steuben getan? 18. Was ſchmückt die Seiten der Siegesallee? 19. Was erhebt ſich am Ende der Siegesallee? 20. Was iſt auf der Siegesſäule? 21. Wie war der Anblick auf der Siegesſäule? 22. Was befindet ſich auf dem Platz der Republik? 23. Wofür hatte Walter das meiſte Intereſſe?

Überſetzung: 1. Mr. Klinger came next morning. 2. He walked with Walter to the Brandenburg Gate. 3. The houses were beauti-fully adorned with flowers. 4. Berlin is kept very clean. 5. The city has four million inhabitants. 6. Berlin is the center of European traffic. 7. Soon they reached the Brandenburg Gate. 8. It rests on large pillars. 9. Above is the goddess of victory. 10. *Unter den Linden* is a famous street. 11. Walter and Mr. Klinger walked on this beautiful street toward the castle bridge. 12. The many trees form a beautiful promenade. 13. Mr. Klinger and Walter passed hotels, stores, and other buildings. 14. They saw the opera house, the university, picture galleries, museums, the cathedral, and the former royal castle. 15. Walter was used to metropolitan traffic in America. 16. Berlin is a metropolitan city. 17. On the streets were large advertising pillars. 18. There was much traffic at the crossings and on the squares. 19. "The policemen with red armbands speak foreign languages," said Mr. Klinger. 20. They went on and came to the statue of Frederick the Great. 21. Baron von Steuben was one of Frederick's officers. 22. This officer organized Washington's army. 23. Walter and Mr. Klinger went to the *Tiergarten*. 24. This park is the most beautiful in Berlin. 25. Children played in the park. 26. There were benches under the oak trees. 27. On Victory Avenue one sees many statues. 28. At the end of Victory Avenue is the Column of Victory. 29. Walter and Mr. Klinger ascended the Column of Victory. 30. From here they could see the large buildings of the city. 31. They descended and were on Republic Square. 32. Walter was interested in the Reichstag Building. 33. Mr. Klinger will go to Munich the day after tomorrow.

9. Im Reichstag

Fragen: 1. Mit wem war der Affeffor Dreher bekannt? 2. Worin gleicht Deutfchland Amerika? 3. Was hatte man im Mittelalter an Stelle des modernen Deutfchlands? 4. Wie wurde Deutfchland im Mittelalter genannt? 5. Wer fchuf einen einheitlichen Staat? 6. Wie wird Bismarck genannt? 7. Wann wurde das Reich eine Republik? 8. Wie viele Länder bilden das Deutfche Reich? 9. Welche find die größten Länder? 10. Wer fteht an der Spitze des Reiches? 11. Wie hieß der erfte Präfident? 12. Wer folgte ihm? 13. Wer ernennt den Reichskanzler und die Minifter? 14. Wie heißt der erfte Artikel der deutfchen Verfaffung? 15. Wann gingen Affeffor Dreher und Walter zum Reichstagsgebäude? 16. Was fagte ihnen der Reichstagsabgeordnete? 17. Befchreiben Sie den Saal. 18. Was war zu beiden Seiten des Reichstagspräfidenten? 19. Wer verteidigte die Regierung? 20. Nennen Sie die deutfchen Parteien. 21. Wie fand die Abftimmung ftatt? 22. Wodurch wurde der Beifall der Regierungsparteien unterbrochen? 23. Wie las Walter am nächften Morgen die Zeitung?

Übersetzung: 1. Walter told his friends about his walk. 2. "I saw the Reichstag Building, but I would like to be present at a session," said Walter. 3. Mr. Dreher knows several members of the Reichstag. 4. He will secure the tickets. 5. Mr. Peters tells Walter about Germany's political life. 6. Germany is now a republic, like the United States. 7. But the two republics are different. 8. Germany's political history is very interesting. 9. In the Middle Ages there were hundreds of large and small states. 10. They always fought, and the emperor was powerless. 11. In 1871, Bismarck

created the German Empire. 12. Now the Reich is a republic.
13. "Tomorrow we can go to the Reichstag," said Mr. Dreher.
14. "I shall receive tickets from my friend Mr. Kluge." 15. The
representatives in the Reichstag are chosen by the people. 16. The
president of the Reich is elected for seven years. 17. Mr. Peters
also told Walter about the constitution. 18. The next day they went
to the Reichstag Building. 19. The representatives sat in a half
circle. 20. Germany has many political parties. 21. Some of the
representatives went through the aye-door, and the others went
through the nay-door. 22. Then they all returned to their seats.
23. The aye-door is on the right side of the house, and the nay-door
is on the left side. 24. The next day Walter read the report of the
session of the Reichstag in the paper.

10. Das deutsche Schulwesen

Fragen: 1. Wann begann das Wintersemester der Universität?
2. Wie lange hatte Walter in Amerika die Universität besucht? 3. Wo
wohnte Walter in Berlin? 4. Wen hatte er auf der Universität getroffen?
5. Worüber hatte er eines Morgens eine interessante Unterhaltung? 6. Wo
waren Walter und einige Studenten spazieren gegangen? 7. Was sagte ein
Amerikaner in der Gruppe? 8. Was für ein Student nahm das Wort?
9. Wer hat die Kindergärten gegründet? 10. Was haben viele amerikanische
Professoren in Deutschland erhalten? 11. Wann fangen gewöhnlich die
deutschen Schulen an? 12. Wann gibt es Ferien? 13. An wie vielen Tagen
findet der Unterricht statt? 14. Wann kann ein junger Mann das Studium
auf der Universität beginnen? 15. Was erfordert der Besuch einer deutschen
Universität? 16. Welche Schule besucht jeder Deutsche zuerst? 17. Wie viele
Jahre braucht er danach zur Vorbereitung auf die Universität? 18. Was
steht im Mittelpunkt des Gymnasiums? 19. Wie lange studiert man Latein
und Griechisch? 20. Auf welche modernen Sprachen legt die Oberrealschule
Gewicht? 21. Welche anderen höheren Schulen gibt es noch? 22. Was tut
ein Schüler, der auf keine höhere Schule geht? 23. Wie sind die deutschen
Schulen eingerichtet? 24. Wie lange dauern die Wanderungen der Schüler
zuweilen? 25. Wo gehen Knaben und Mädchen zusammen in eine Schule?

Übersetzung: 1. Walter is attending the university. 2. The
lectures began November 2nd. 3. It is a custom to have calling
cards. 4. Walter had cards printed. 5. He became acquainted with

some American students. 6. One day they had a lively conversation about the school system in America and in Germany. 7. An American student said, "Our schools are larger and better." 8. The Americans attend school many years. 9. In Germany they have a longer school year and also a longer school week. 10. They have only four weeks vacation in summer. 11. They have two weeks vacation in the fall and two weeks at Christmas and at Easter. 12. The pupils attend school on Saturday also. 13. The German university corresponds to the graduate school of an American university. 14. Formerly the higher schools were only for the richer classes. 15. They are now for everybody. 16. Every student attends the grade school four years. 17. Then he can choose one of four schools. 18. These schools prepare him for the university. 19. The ancient languages are studied in the classical high school. 20. In the science high school they study modern languages, mathematics, and natural science. 21. Some do not go to the higher schools. 22. Then they must go four years more to the grade school. 23. School begins at seven o'clock in summer and eight o'clock in winter. 24. Froebel was the founder of the kindergarten. 25. He wanted to make the children happy. 26. The students saw a group of boys under the leadership of a teacher pass by. 27. These pupils were hiking. 28. Germany has separate schools for boys and girls.

11. Die deutschen Studenten

Fragen: 1. Worüber sollte in der ersten Vorlesung gelesen werden? 2. Was taten die Studenten im Hörsaal, als der Professor hereinkam? 3. Wie erwiderte der Professor den Gruß der Studenten? 4. Was sagt ein Studentenlied über die akademische Freiheit? 5. Welchen Zwang gibt es auf der Universität in Deutschland nicht? 6. Wann machen die Studenten gewöhnlich ein Examen? 7. Wie ist dieses Examen? 8. Warum wollte Walter kein Mitglied einer Verbindung werden? 9. Wozu wurde Walter eingeladen? 10. Wohin ging Walter am Abend? 11. Wo saß der Vorsitzende? 12. Was lag vor ihm? 13. Woher stammen die Namen der Verbindungen? 14. Nennen Sie die Namen einiger Verbindungen. 15. Welche sind die schlagenden Verbindungen? 16. Wie werden die Studenten genannt, die in keiner Verbindung sind? 17. Was tun die Mitglieder einer schlagenden Verbindung? 18. Warum sind die Mensuren nicht gefährlich? 19. Warum sind die Bänder und Mützen der Studenten verschieden? 20. Was tut der Fuchsmajor? 21. Was tun die Studenten bei festlichen Gelegenheiten? 22. Wie werden die Studenten später im Leben genannt?

Übersetzung: 1. Walter came, full of expectation, into the lecture room. 2. He was to hear a lecture about the history of the German language. 3. There were many students. 4. The conversation was lively. 5. The professor came in. 6. The conversation ended, but then the students began to tramp on the floor. 7. The professor began his lecture. 8. The students interrupted his lecture by tramping. 9. The bell rang, but the professor did not hear it. 10. The students began to scrape with their feet. 11. The German students express applause by tramping and the opposite by scraping. 12. There were many students today, but there will be less at the next lecture. 13. There is no compulsion to attend lectures. 14. They do not have semester examinations. 15. The student takes an examination at the end of his school career. 16. Mr. Bürger wanted to 'rush' Walter for his fraternity. 17. Mr. Bürger gave him an invitation to his fraternity. 18. They went together to the club. 19 Some students had scars on their faces. 20. Fraternities are named after regions. 21. "We have duelling and non-duelling fraternities," said Mr. Bürger. 22. The 'barbs' are students who are not members of a fraternity. 23. A member of a duelling fraternity fights a member of another fraternity. 24. They fight with swords. 25. Many students are proud of their scars.

12. Fröhliche Weihnachten!

Fragen: 1. Wozu bieten die Weihnachtsferien gute Gelegenheit? 2. Was will Walter beschreiben? 3. Wann fangen die Vorbereitungen für das Weihnachtsfest an? 4. Was wird für die Armen hergestellt? 5. Von woher kommen die Weihnachtsbäume? 6. Was beginnt um die gleiche Zeit, wenn die Weihnachtsbäume kommen? 7. Beschreiben Sie den Christmarkt. 8. Was sieht man in den Buden? 9. Warum werden alle Sorgen eine Zeitlang vergessen? 10. Was macht man mit den alten Spielsachen? 11. Woran arbeiten die Kinder? 12. Wem geben sie ihre Wunschzettel? 13. Wer klopft draußen am heiligen Abend? 14. Wie sieht der Weihnachtsmann aus? 15. Was bekommen die unartigen Kinder? 16. Was steht in der Mitte des Zimmers? 17. Welche Lieder werden gesungen? 18. Wann wird der Weihnachtsbaum zum letzten Mal angezündet? 19. Was erzählte Walter von dem Weihnachtsfest? 20. Was feierten die nordischen Völker am 21. Dezember? 21. Wovon war das Rad eine symbolische Darstellung?

Übersetzung: 1. We are having Christmas vacation. 2. I now have time to write you a letter. 3. The preparations for Christmas begin early. 4. The Christmas trees arrive about ten days before Christmas. 5. They come from the Harz, the Black Forest, and other mountains. 6. It is not Christmas in Germany without a Christmas tree. 7. About ten days before Christmas, the Christmas market begins. 8. There are also large stores and shops, where one can buy things for Christmas. 9. The children make presents for their parents. 10. The 24th of December is Christmas Eve. 11. Now the children are happy. 12. Santa Claus is coming. 13. He carries a heavy sack and a rod. 14. He asks the children if they have been well-behaved. 15. The well-behaved children get apples, nuts, and sweet things. 16. He gives the naughty children blows with the rod. 17. Santa Claus disappears. 18. Then the family goes into another room. 19. Here stands the decorated Christmas tree. 20. The presents are under the tree. 21. The family sings Christmas songs. 22. All receive presents. 23. Then they have the Christmas dinner. 24. The Christmas festival ends New Year's Eve. 25. Formerly the people of the north celebrated December 21st. 26. At this time the sun reaches its lowest position. 27. This was called the Yule festival.

13. Die deutsche Sprache und Literatur

Fragen: 1. Woher kommen die englische und die deutsche Sprache? 2. Wann kamen die Angeln und Sachsen nach den britannischen Inseln? 3. Wie spaltete sich die deutsche Sprache? 4. Was ist hochdeutsch? 5. Wo spricht man noch viel plattdeutsch? 6. Nennen Sie einige verwandte deutsche und englische Wörter. 7. Welche Entwicklungszeiten unterscheidet man in der hochdeutschen Sprache? 8. Wann endet die althochdeutsche Zeit? 9. Woraus besteht die althochdeutsche Dichtung? 10. Wer war Tacitus? 11. Was erzählt er von den Deutschen? 12. Wann bildeten sich viele Sagen? 13. Was wissen Sie von Karl dem Großen? 14. Wann endet die mittelhochdeutsche Zeit? 15. Welches ist die größte Dichtung dieser Zeit? 16. Was für eine Dichtung entsteht in den Städten? 17. Wann erreicht die deutsche Dichtung ihren Höhepunkt? 18. Nennen Sie einige Dichter der klassischen Zeit.

Überſetzung: 1. Walter wrote in his notebook about the German and the English language. 2. These languages are related. 3. The Angles and Saxons came to the British Isles in the fifth century. 4. Here the English language developed. 5. The German language is divided into High and Low German. 6. Low German is spoken in North Germany. 7. Low German stands closer to English than High German. 8. High German has had three periods of development. 9. The poetry of the Old High German period celebrated gods and heroes. 10. Charles the Great founded schools and cloisters and had many songs collected. 11. In the Middle High German period the church was mighty and chivalry flourished. 12. Siegfried is the hero of the Lay of the Nibelungs. 13. Art and science flourished during this period. 14. Many church songs and folk songs were written. 15. German poetry reached its peak in the eighteenth century. 16. Goethe and Schiller are the greatest poets of this century. 17. Heinrich Heine is a great lyric poet and Friedrich Hebbel a famous dramatist of the nineteenth century. 18. There are also many short story writers in this century.

14. Im Theater

Fragen: 1. Was für Schauſpiele hatte Walter ſchon geſehen? 2. Wo hatte Walter eine gute Einführung in die deutſche Literatur erhalten? 3. Wann haben Goethe und Schiller gelebt? 4. Wo haben dieſe beiden Dichter gewohnt? 5. Nennen Sie einige Gedichte von Goethe. 6. Welches iſt das berühmteſte Gedicht von Schiller? 7. Welches iſt Goethes größtes Werk? 8. Welche Dramen hat Schiller geſchrieben? 9. Wo wurden die Eintrittskarten gelöſt? 10. Wieviel koſtete ein Programm? 11. Wo waren die Logen angebracht? 12. Was war ganz oben? 13. Was geſchah, nachdem die Klingel zum zweiten Mal ertönt war? 14. Welche Gegend ſah man auf der Bühne? 15. Welche Perſonen erſcheinen zuerſt? 16. Warum kommt ein Mann atemlos gelaufen? 17. Wer verfolgt ihn? 18. Was ſagt Wilhelm Tell zum Fiſcher? 19. Wozu entſchließt ſich Tell? 20. Was befiehlt Geßler, um den Sinn des Volkes zu brechen? 21. Wo kommen die Vertreter der Kantone zuſammen? 22. Beſchreiben Sie die Szene. 23. Erzählen Sie den Inhalt der Worte des Pfarrers. 24. Warum wird Tell mit ſeinem Knaben gefangen genommen? 25. Wozu zwingt Geßler Tell? 26. Was geſchieht nach dem Meiſterſchuß? 27. Was tut Tell, nachdem er ſich befreit hat?

Übersetzung: 1. I would like to see plays by Goethe and Schiller. 2. Walter had studied the works of these poets at the university. 3. Goethe lived from 1749 to 1832. 4. Goethe was a great lyric poet, and Schiller was a great dramatist. 5. Walter invited Miss Karsten to the theater. 6. The next day they saw the play *Wilhelm Tell*. 7. The theater was very beautiful. 8. Below were the orchestra and the boxes. 9. A bell sounded, and all became quiet. 10. Suddenly they were in Switzerland. 11. One could see Lake Lucerne and the Alps covered with snow. 12. A fisherman, a shepherd, and a hunter were in the lovely scene. 13. The scene changed, and we saw a storm. 14. A man is pursued by the horsemen of the governor. 15. The waves are high, and the fisherman does not wish to take the man across the lake. 16. Tell risks his life and saves the man. 17. Geszler was a very cruel governor. 18. He commanded the people to salute his hat, which was on a pole. 19. Tell did not salute Geszler's hat. 20. Geszler compelled Tell to shoot an apple from his son's head. 21. Tell succeeded, but he was not freed. 22. In the fourth act, Tell shoots Geszler. 23. In the fifth act we see the day of freedom.

15. Im Café

Fragen: 1. Warum fand der Vortrag des Schriftstellers nicht statt? 2. Welcher Vorschlag wurde gemacht? 3. Wo sah man die Ankündigung des Vortrags? 4. Was war darüber geklebt? 5. Warum blieb die kleine Gruppe öfters stehen? 6. Was schien besonders anziehend zu sein? 7. Was ist ein Automatenrestaurant? 8. Was ist der Zweck der Volksküchen? 9. Wie zeigen die Deutschen, daß sie gesellig sind? 10. Was zieht der Amerikaner vor? 11. Was findet man in fast allen deutschen Rathäusern? 12. Beschreiben Sie das Innere des Cafés. 13. Wie gefiel Walter die Musik? 14. Was für Komponisten waren auf dem Programm vertreten? 15. Welche Nummer spielte das Orchester? 16. Wer hat den Walzer komponiert? 17. Wo hat Strauß gelebt? 18. Wie viele Walzer hat Strauß geschrieben? 19. Wie wird er auch darum genannt? 20. Welche anderen großen Musiker haben in Wien gelebt? 21. Welches Stück von Wagner wurde vom Orchester gespielt? 22. Wie zeigt das einfache Volk seine Liebe zur Musik?

Übersetzung: 1. Walter and his friends wanted to hear a lecture. 2. The lecture did not take place. 3. "We can loaf around and then go into a café," said a student. 4. We could have saved the trip, if we had seen the announcement on the advertising pillar. 5. "I read here that two orchestras will play at Café Rheingold," said one. 6. The music in the cafés is, of course, not as good as in the opera house. 7. We will go on farther and see the display windows of the delicatessen shops. 8. Here you see all kinds of good sausages and hams. 9. In this building is a people's kitchen. 10. One gets nourishing food there, and it is not expensive. 11. There are good restaurants in the townhalls. 12. Now we have reached Café Rheingold. 13. Soon Walter and his friends were in a lively conversation. 14. The orchestra is now playing jazz, but soon it will play other pieces. 15. Here is a program which announces thousands of numbers. 16. Number 888 is a waltz, 'On the Beautiful, Blue Danube.' 17. I will tell you the story about this waltz. 18. One evening Strauss heard the poem 'The Blue Danube.' 19. He liked the poem, and a melody came to him. 20. He wrote some notes on his cuffs, because he had no paper. 21. He forgot the incident when he returned home. 22. His wife discovered the notes on his cuffs. 23. Strauss then composed his most famous waltz, 'On the Beautiful, Blue Danube.' 24. We did not hear the lecture, but we had a very pleasant evening.

16. Der Sport in Deutschland

Fragen: 1. Welche Anzeige hat Walter an den Anschlagsäulen gelesen? 2. Von wem wird in Amerika das Fußballspiel gepflegt? 3. Wer sind die Träger des Sports in Deutschland? 4. Welche Bedeutung haben das Turnen und der Sport in den Schulen? 5. Worauf ist die Aufmerksamkeit der Öffentlichkeit meistens gerichtet? 6. Was bilden die Vereine einer Gegend? 7. Was bilden mehrere Bezirke? mehrere Gaue? alle Verbände? 8. Wie findet man jedes Jahr den Meister? 9. Was ist der Bundespokal? 10. Wann spielen die Mannschaften der verschiedenen Länder um die Weltmeisterschaft? 11. Wann wurden die ersten Turnvereine gegründet? 12. Von wem? 13. Welches ist der Grundsatz der deutschen Turner? 14. Aus wie vielen Spielern besteht eine Mannschaft bei einem Fußballspiel? 15. Wie darf der Ball nur berührt werden? 16. Wer darf auch die Hände gebrauchen? 17. Wann gewinnt man einen Punkt? 18. Wer ist Sieger? 19. Was ist das Wasserballspiel? 20. Was ist der Zweck des deutschen Sportes?

Übersetzung: 1. Walter read an announcement in the papers about a football game. 2. He told his friends about football in America. 3. Athletic clubs are the promoters of sports in Germany. 4. The German schools also have sports and gymnastics. 5. The athletic clubs are organized into districts, divisions, and associations. 6. The associations form a federation. 7. The best team receives the federation cup. 8. This is the highest trophy in football. 9. The national team plays against teams of other countries. 10. At the Olympic games the countries fight for the world championship. 11. The emblem of a German gymnast is the fourfold F. 12. This has been the emblem for more than a hundred years. 13. German athletes have made many records. 14. Sports make people physically efficient. 15. Medals are given to capable athletes. 16. These athletes must pass five examinations.

17. Leipzig, Dresden, Wien

Fragen: 1. Wann machte Walter eine Reise nach Wien? 2. Warum war es eine günstige Zeit für den Besuch in Leipzig? 3. Woran erinnert die Entwicklung Leipzigs? 4. Wie oft findet die Leipziger Messe statt? 5. Beschreiben Sie das Aussehen der Stadt zur Zeit der Messe. 6. Wie viele Geschäftsleute kommen während der Messe nach Leipzig? 7. Wie viele Verlage und Buchhandlungen gibt es in Leipzig? 8. Wann wurde die Universität in Leipzig gegründet? 9. Welche berühmten Männer haben hier studiert? 10. Was zeigte man Walter in Auerbachs Keller? 11. Wann lebte der Komponist Bach in Leipzig? 12. Wo liegt das Völkerschlachtdenkmal? 13. Wie gelangte Walter von Leipzig nach Dresden? 14. Wie wird Dresden genannt? 15. Welches ist das berühmteste Bild der Sammlungen in Dresden? 16. Wer malte das Bild? 17. Warum mußte Böttcher von einem Land zum anderen fliehen? 18. Welches Geheimnis hat Böttcher gefunden? 19. Woran erinnert die Sächsische Schweiz? 20. Wo begann Walter seine Fußwanderung? 21. Beschreiben Sie die Wanderung. 22. Was für Leute sind die Wiener? 23. Von welchem Reich war Wien früher die Hauptstadt? 24. Was ist der Mittelpunkt und das Wahrzeichen Wiens? 25. Welche Aufgabe hatte die Wache auf dem Turm? 26. Was ist ein geschichtliches Verdienst der Wiener? 27. Wo liegt das Rathaus? 28. Welches Denkmal steht im Volksgarten? 29. Wie lange hat Kaiser Franz Joseph Österreich regiert? 30. Wann ist der Herzog von Reichstatt gestorben? 31. Wo vergeſſen die Wiener alle ihre Sorgen? 32. Wo liegt der Prater? 33. Warum kommen viele engliſche und amerikaniſche Studenten nach Wien? 34. Nennen Sie die Namen berühmter Muſiker, die in Wien gewohnt haben.

Überſetzung: 1. At the end of the winter semester Walter made a trip to Leipzig, Dresden, and Vienna. 2. The Leipzig fair takes place in the spring and in the fall. 3. Business men display their wares. 4. Leipzig was an important commercial city in the Middle Ages. 5. Merchants came to this city and sold their wares. 6. Leipzig has many bookstores, publishing houses, and printing shops. 7. It is the center of the world's book trade. 8. The famous university of Leipzig was founded in 1409. 9. Lessing and Goethe studied there. 10. The Monument of the Battle of the Nations was erected in memory of the battle of Leipzig. 11. Napoleon was defeated in this battle. 12. On the 16th of March Walter flew in an aeroplane from Leipzig to Dresden. 13. Walter saw Dresden's famous collections of paintings. 14. The Sistine Madonna, painted by Raphael, is the most famous painting in Dresden. 15. The King of Saxony bought it in 1754 for an enormous sum. 16. Porcelain is manufactured at Meiszen, near Dresden. 17. Böttcher tried to make gold, but he did not succeed. 18. But finally he discovered the secret of making porcelain, which the Chinese had known for a long time. 19. On the 20th of March Walter was in Saxon Switzerland. 20. At Schandau he wandered through the narrow, romantic valleys. 21. Vienna is the seat of government of the German-Austrian republic. 22. The cathedral is the landmark of the city. 23. Its high tower has 700 steps. 24. The city hall is a magnificent building. 25. On the 31st of March Walter visited the Prater. 26. Here one forgets his cares and is happy. 27. The University of Vienna is world famous. 28. Doctors and students from all parts of the world study medicine at Vienna. 29. Vienna was the home of Beethoven and other great musicians.

18. Der Rundfunk

Fragen: 1. Auf welche Sendeſtation ſtellte Walter den Apparat ein? 2. Wann ſind die Koſten für einen Rundfunkapparat in Amerika erledigt? 3. Was muß jeder in Deutſchland tun, der einen Rundfunkapparat hat? 4. Welchen Sender hörte man, nachdem Walter den Knopf gedreht hatte?

5. Worüber sprach der Redner? 6. Was wissen Sie von den deutschen Ernten? 7. Was muß jedes Jahr nach Deutschland eingeführt werden? 8. Was wird in Deutschland hauptsächlich angebaut? 9. Welches Getreide spielt die Hauptrolle? 10. Was wird besonders im Osten angebaut? 11. Welche sind die bekanntesten Obstarten? 12. Wo sind die bedeutendsten Kohlenbergwerke? 13. An welchen Bodenschätzen ist Deutschland reich? 14. Wo ist die Industrie hauptsächlich vertreten? 15. Wo befinden sich die größten Werke der Metallindustrie? 16. In welchen Städten steht der Schiffbau in hoher Blüte? 17. Welche Uhren sind weltberühmt? 18. Wo liegt das größte chemische Werk? 19. Was wird von der chemischen Industrie künstlich hergestellt? 20. Was macht Braunschweig, Magdeburg, Nürnberg und Lübeck berühmt? 21. Was wird in Deutschland hauptsächlich eingeführt? 22. Was ausgeführt? 23. Welches Nahrungsmittel wird am meisten ausgeführt?

Übersetzung: 1. Walter was again in Berlin. 2. "We now have a radio," said Mrs. Borchert. 3. That is a beautiful radio, and the tone is good too. 4. We must pay a certain sum to the state monthly for the use of a radio. 5. Business houses maintain the stations in America. 6. Walter turned the knob and heard a lecture about German economics. 7. "Germany is an industrial state," said the speaker. 8. The German harvests have doubled in the last hundred years. 9. Wheat, barley, oats, and rye are cultivated. 10. The potato is an important article of food for the German people. 11. There are fruit trees in all parts of Germany. 12. The country is rich in mineral resources. 13. There is coal, copper, zinc, lead, and silver. 14. The metal industry in the Ruhr district and in Westphalia is especially important. 15. There are toy factories in the Thuringian Forest. 16. The chemical industry in Germany is world renowned. 17. No country has more perfect colors and medicines. 18. Some familiar articles of food manufactured in Germany are liver sausage, sauerkraut, gingerbread, and marchpane. 19. Germany carries on a large trade. 20. Articles of food and raw materials are imported. 21. Finished products are exported.

19. Potsdam

Fragen: 1. Wie weit ist Potsdam von Berlin? 2. Durch wen wurde Potsdam besonders bekannt? 3. Seit wann dient Potsdam als Sitz der

Hohenzollern? 4. Beschreiben Sie Friedrich Wilhelm den Ersten. 5. Warum ließ Friedrich der Große eine Falltür bauen? 6. Welchen Ausspruch tat Friedrich gleich nach Beginn seiner Regierung? 7. Wo befindet sich das Grab Friedrichs des Großen? 8. Was soll Napoleon am Sarge Friedrichs gesagt haben? 9. Beschreiben Sie den Park und das Schloß. 10. Wie wurde Friedrich der Große vom Volke genannt? 11. Warum nannte der König das Schloß Sanssouci? 12. Warum wollte der König die Mühle kaufen? 13. Was antwortete der Müller? 14. Wer hat im Neuen Palais gern gewohnt?

Übersetzung: 1. Walter and some of his friends are going to Potsdam. 2. They are having beautiful weather for their trip. 3. They will walk from Wannsee to Potsdam. 4. Potsdam is about 25 kilometers from Berlin. 5. The Hohenzollern family built the palaces. 6. Frederick the Great was the son of Frederick William the First. 7. King Frederick William wanted tall men for his regiment. 8. He was a capable king, but he despised art and literature. 9. His son Frederick was a friend of art and literature. 10. His subjects called him 'Old Fritz.' 11. He tolerated all religions. 12. Potsdam is called the 'Prussian Versailles' because of the castle Sanssouci and the park. 13. There is a terrace and a fountain in front of the castle. 14. Wide steps lead up to the castle. 15. No one has lived here since the time of Frederick the Great. 16. He was accustomed to get up at four o'clock and begin to work. 17. Walter and his friends went to the New Palace. 18. This was also built by Frederick the Great.

20. Der Spreewald

Fragen: 1. Wo bildet die Spree mehr als zweihundert Kanäle? 2. Wie lang und breit ist der Spreewald? 3. Was für eine Bevölkerung wohnt im Spreewald? 4. Warum gehen die Großstädter gern hierher? 5. Von wo kommen die Kindermädchen der reichen Berliner Familien? 6. Wie sind die Männer im Spreewald gekleidet? 7. Wie die Frauen und Mädchen? 8. Welche Farben sind vorherrschend? 9. Wie werden die Kähne im Wasser fortgestoßen? 10. Beschreiben Sie die Reise durch den Wald. 11. Was war der Name des Dorfes? 12. Wie hieß das Gasthaus? 13. Wo spielte die Musik? 14. Was taten die Alten? 15. Was sah man an den Wänden? 16. Beschreiben Sie den Verkehr, wenn das Wasser gefroren ist.

Übersetzung: 1. I promised to write you a letter, but I have

not had much time. 2. In a few months I shall return to America.
3. I have made many excursions. 4. I have been in Potsdam and in
the Spree Forest. 5. In the Spree Forest are more than two hundred
canals. 6. The little islands are covered with forests. 7. The people
are not Germanic but Slavic. 8. The inhabitants wear picturesque
costumes. 9. Many nursemaids in Berlin come from the Spree Forest.
10. All traffic takes place on the canals. 11. The boats are pushed
along with long poles. 12. One sees some boats loaded with hay and
some with cattle. 13. We visited a little village. 14. We saw the
girls with their many-colored costumes and the young men with their
black silk vests. 15. The old people were drinking coffee. 16. In
summer the people use boats. 17. In the winter the water is frozen,
and all use skates. 18. I will tell you more about it when we meet.

21. Auf dem Lande

Fragen: 1. Wer lud Walter auf das Land ein? 2. Wo lag das
Dorf? 3. Wann kamen die Freunde an? 4. Wer holte sie ab? 5. Was
umgab den Bauernhof? 6. Wie waren die Felder? 7. Was sah man auf
der Spitze des Giebels? 8. Wo lagen die großen Wiesen des Bauernhofes?
9. Warum half Walter auf dem Felde? 10. Wie schmeckte ihm das Essen?
11. Was hätte der Bauer nicht geglaubt? 12. Welche Wissenschaft ist in
Deutschland hoch entwickelt? 13. Was wird aus der Luft geschaffen? 14. Was
für Unterschiede gibt es unter den Deutschen? 15. Wovon mußte Walter
erzählen? 16. Welche Lieder sangen alle?

Übersetzung: 1. The two semesters at the university were over.
2. Frederick Brunke invited Walter to spend a few days in Lower
Saxony. 3. Frederick's parents lived in the country. 4. Mr. Brunke
met his son and Walter at the station. 5. From a hill Walter saw the
farmyard and the fields. 6. The rye was almost ready for harvest.
7. The house had a roof covered with red tile. 8. Benches stood
under the large linden tree. 9. There were fruit trees and vegetables
in the garden. 10. Some horses and cows were in the meadow. 11. A
pond was not far from the house. 12. The hired men and the servant
girls were in the fields. 13. The next morning Walter worked in the
fields too. 14. On large farms they have modern machinery. 15. Agriculture is highly developed. 16. There are many differences between
North Germany and South Germany. 17. The houses are different,

and the costumes are not the same. 18. Walter told his friends about America. 19. The hired men and the servant girls sat down under the linden tree and listened. 20. They all sang folksongs. 21. Walter will not forget his visit in the country.

22. Der Harz, Thüringen und Nürnberg

Fragen: 1. Welche Städte wollten Walter und Friedrich Brunke zusammen besuchen? 2. Wessen Denkmal steht vor dem Dom in Braunschweig? 3. Welcher Spaßmacher wurde nahe bei dieser Stadt geboren? 4. Was hat man ihm zu Ehren errichtet? 5. Erzählen Sie die Geschichte von Eulenspiegel. 6. Welcher Kaiser hat Hildesheim gegründet? 7. Erzählen Sie die Geschichte des tausendjährigen Rosenstocks. 8. Was ist die bedeutendste Sehenswürdigkeit Goslars? 9. Was sind Wandervögel? 10. Wie lang ist der Harz? 11. Wie breit? 12. Was bedeckt den Harz? 13. Wie ist der Charakter der Bevölkerung? 14. Welches ist der höchste Berg im Harz? 15. Was soll dort in der Nacht zum ersten Mai geschehen? 16. Welcher große Dichter erzählt von dieser Sage? 17. Was ist das Motto der Bevölkerung? 18. Warum ist Weimar berühmt? 19. Was steht vor dem Theater der Stadt? 20. Wo liegt Goethes Gartenhaus? 21. Wie wird die Wartburg genannt? 22. Welche Stadt liegt nahe bei der Wartburg? 23. Wer hat hier gelebt? 24. Wann wurde der Bau der Burg begonnen? 25. Bei welcher Gelegenheit war der Landgraf auf die Spitze des Berges gekommen? 26. Was bemerkte er hier? 27. Welche Bilder gefielen Walter besonders? 28. In welcher Oper finden sich ähnliche Szenen? 29. Wie war die Landgräfin Elisabeth gegen die Armen? 30. Was war Nürnberg im Mittelalter? 31. Welche Industrie ist heute besonders entwickelt? 32. Wann stieg Walter auf die Burg? 33. Wo ist das Germanische Museum untergebracht? 34. Was enthält dieses Museum? 35. Was sagt ein Dichter von Nürnberg?

Übersetzung: 1. Frederick Brunke accompanied Walter on his trip. 2. First they visited Brunswick, one of Germany's oldest cities. 3. It was one of the leading cities of the Hanseatic league. 4. Till Eulenspiegel was a well known joker in Brunswick. 5. Frederick told Walter a story about him. 6. Till Eulenspiegel worked in a bakery. 7. He knew that they only baked bread. 8. Nevertheless he asked every day what they should bake for the next day. 9. It was an everlasting question. 10. The baker said, "Bake owls and monkeys for all I care." 11. The next morning the baker found owls and monkeys baked instead of bread. 12. Baked owls and monkeys are now sold in this bakery. 13. Till Eulenspiegel's monument is not far from here. 14. Hildesheim is an old city and well known for its old buildings. 15. The thousand year old rosebush is here. 16. Emperor Louis the Pious founded Hildesheim. 17. Goslar is also an old city with medieval appearance. 18. Walter and Frederick were also in the Harz mountains. 19. These mountains are covered with pine forests. 20. The Brocken is the highest mountain in the Harz. 21. There are interesting legends about this place. 22. The witches and the magicians gather on the Brocken the first of May. 23. They dance, play, and worship the devil. 24. On the 17th of August Walter was in Weimar. 25. He visited Goethe's house and also Schiller's house. 26. The Wartburg is the most famous castle in Thuringia. 27. Landgrave Louis built the oldest part of the castle. 28. The mountain belonged to another knight. 29. Louis and his knights swore before the court that the castle was built on their ground. 30. During the night they had brought up many hundred baskets of earth from Landgrave Louis' possessions. 31. In the palace are beautiful pictures of the *Sängerkrieg* and of St. Elizabeth. 32. St. Elizabeth was very charitable. 33. She gave bread, wine, and meat to the poor. 34. Her husband forbade her to do this. 35. One day he saw her with a basket of food and became very angry. 36. St. Elizabeth prayed, and when her husband looked into the basket, the food had changed into beautiful roses. 37. Nuremberg has many historical memories. 38. Pencils, toys, and machines are manufactured here.

23. München

Fragen: 1. Bei wem war Walter als Gast? 2. Was hatte König Max liegen lassen? 3. Warum wollte der kleine Hirt den Brief nicht holen? 4. Wie beruhigte ihn der König? 5. Wie fand er den König, als er zurückkam? 6. Was sagte der Hirt zu dem König? 7. Was bedeutet der Name München? 8. Wer hat ein besonderes Verdienst um die Entwicklung der Stadt? 9. Welches sind die Farben Bayerns? 10. Welcher Fluß fließt durch München? 11. Was war weithin sichtbar? 12. Was bedeutete die Fahne auf dem Turm des Rathauses? 13. Wo konnte man die weißen Spitzen der Alpen sehen? 14. Wer hat München zur Kunststätte gemacht?

15. Wo liegt das Deutſche Muſeum? 16. Was findet man hier? 17. Was bildete den Abſchluß von Walters Aufenthalt in München? 18. Wie wandern die Münchener durch die Berge? 19. Von welchem deutſchen Dorf hatte Walter ſchon in Amerika gehört? 20. Was wird hier alle zehn Jahre aufgeführt?

Überſetzung: 1. Walter was with his friend Robert Klinger in Munich. 2. Mr. Klinger told the story of King Max and the geese. 3. King Max took a walk in the country. 4. He had forgotten a letter. 5. He saw a boy herding geese and asked him to run back and get the letter. 6. The king promised to keep the geese together. 7. He tried to do it but could not. 8. The king excused himself and gave the boy a gold coin. 9. "King Max is a good king perhaps, but he will never be a good herder," said the boy. 10. Henry the Lion developed Munich. 11. The bridge over the Isar belonged to a bishop, and everybody had to pay toll. 12. Henry destroyed the bridge and built one in Munich. 13. Munich developed and is now a large city. 14. The two copper onion towers are visible from afar. 15. King Louis I made Munich a city of art. 16. In the German Museum are small models which show the development of modern machinery. 17. The visit in Oberammergau was of great interest. 18. The passion play is given here every ten years. 19. The inhabitants of Oberammergau are the performers.

24. Jm Südweſten Deutſchlands

Fragen: 1. Über welche Städte reiſte Walter in den Schwarzwald? 2. Wie hoch iſt der Turm des Münſters in Ulm? 3. Wo beſtieg Walter den Zug nach Freiburg? 4. Beſchreiben Sie das Schwarzwaldhaus. 5. Was macht den Schwarzwald anziehend? 6. Wann wurde die Kuckucksuhr erfunden? 7. Wo hatte Walter ſchon einmal eine Kuckucksuhr geſehen? 8. Wo wurde die Landſchaft beſonders reizvoll? 9. Was ſah man auf beiden Seiten? 10. Was ſieht man, wenn man ſich Freiburg nähert? 11. Woraus iſt das Münſter erbaut? 12. Was iſt die Hauptſtadt von Baden? 13. An welchem Fluß liegt Heidelberg? 14. Wann wurde die Univerſität dort gegründet? 15. Welches Lied hörte man die Studenten ſingen? 16. Was iſt der Römer in Frankfurt? 17. Was intereſſierte Walter in Goethes Haus beſonders? 18. Wann wurde Karl der Große zum Kaiſer gekrönt? 19. Warum hatte er viele Kriege mit den Sachſen?

Übersetzung: 1. Walter made a trip to the Black Forest. 2. Some of the people here wear picturesque costumes. 3. The houses have thatched roofs. 4. Cuckoo clocks and many other wooden articles are manufactured here. 5. Forestry is an important industry. 6. Walter visited Freiburg and Karlsruhe. 7. He came to the famous university city Heidelberg. 8. The barrel of Heidelberg is very large and holds 250,000 bottles of wine. 9. The dwarf Perkeo is said to have emptied the barrel. 10. In Frankfurt are many old, interesting buildings: the *Römer*, the cathedral, and the house where Goethe was born. 11. Charles the Great, king of the Franks, built Frankfurt. 12. Once the Saxons defeated him. 13. He fled with his army to the Main River. 14. They could not see on account of a fog. 15. The emperor promised God that he would build a city here, if He would help him. 16. The fog lifted, and the emperor and his army discovered a ford and escaped from their enemies. 17. The fog returned when the Saxons came to the river. 18. The emperor then built a city and called it Frankfurt. 19. The place where the Saxons were was called Sachsenhausen.

25. Der Rhein

Fragen: 1. Wie wollte Walter seinen Aufenthalt in Deutschland abschließen? 2. Was ist das Wappen von Mainz? 3. Erzählen Sie die Geschichte von dem Erzbischof Willigis. 4. Was soll Gutenberg erfunden haben? 5. Woher kommt der Rhein? 6. Welchen See bildet er? 7. Wo macht der Fluß ein scharfes Knie nach Norden? 8. Was liegt westlich vom Rhein? 9. Beschreiben Sie das Leben auf dem Rhein. 10. Wo lebt der Schiffer mit seiner Familie? 11. Was steht in der Mitte des Stromes bei Bingen? 12. Was soll hier geschehen sein? 13. Was ist die eigentliche Bedeutung des Namens Mäuseturm? 14. Wie waren die Ritter in alter Zeit? 15. Was mußten die Bauern für sie tun? 16. Von wem erhoben sie Zoll? 17. Was zeugt jetzt von der früheren Herrlichkeit? 18. Welches Lied singen die Reisenden? 19. Wer hat das Lied von der Lorelei gedichtet? 20. Was sagte Heinrich Heine über das Volkslied? 21. Woher hat das Siebengebirge seinen Namen? 22. Wen raubten einst die heidnischen Germanen? 23. Was tat die Jungfrau, als der Drache auf sie zueilte? 24. Was geschah dann? 25. Wer wurde 1770 in Bonn geboren? 26. Wie wird Köln seiner vielen Kirchen wegen genannt? 27. Seit wann ist die alte Universität wieder geöffnet? 28. Befchreiben Sie das Innere des Kölner Doms. 29. Was zeigte der Mönch den Befuchern? 30. Was fagt der Dichter vom Rhein? 31. Über welche Städte fuhren Arthur und Walter nach Bremen? 32. Was zeugte von dem Reichtum der Bremer Kaufleute? 33. Wo beftiegen die Kameraden den Dampfer nach Amerika?

Überfeßung: 1. Walter and his friend Arthur are going to America. 2. They are now in Mainz. 3. On the public buildings they see a wagon wheel, the coat of arms of this city. 4. The son of a wheelwright became archbishop. 5. Some of the inhabitants were very angry, because the son of a poor man ruled over them. 6. They painted wagon wheels on the palace and on the church. 7. The archbishop made the wheel his coat of arms. 8. The next morning Walter and his friend took a trip on the Rhine. 9. They sat in front and had a wonderful view of castles, ruins, vineyards, and fruit orchards. 10. Some steamers were loaded with coal, iron, fruit, and other products. 11. At Bingen they saw the Mouse Tower. 12. The purpose of this tower was to collect toll from passing ships. 13. The knights lived in the old castles. 14. On the ship we heard the well known song *die Lorelei*. 15. The *Rheinfels* is the largest ruin on the Rhine. 16. The most beautiful castle on the Rhine is *Stolzenfels*. 17. Walter heard an interesting story of the *Drachenfels*. 18. On the left bank of the river lived a Christian king, and on the other side was a heathen tribe. 19. This heathen tribe robbed the Christian people. 20. Once they kidnapped the daughter of the king. 21. The beautiful maiden would not marry a heathen prince. 22. They decided to sacrifice her to the dragon. 23. The maiden held a cross toward the dragon, and he hurled himself down from the rock into the river. 24. The heathen fell on their knees and prayed. 25. Not far from here is the university city Bonn. 26. The stream becomes wider, and we see the Cologne cathedral. 27. From the high tower Walter and Arthur cast a last glance on the Rhineland. 28. Then they went to the station. 29. The train went by way of Düsseldorf and Essen to Bremen. 30. Bremen is Germany's oldest seaport. 31. Walter and Arthur went aboard the steamer and bade farewell to Germany.

NOTES

PAGE 1, line 18. idj fann fdjon etwaê Deutfdj, *I already know some German.* The modal auxiliary fönnen is here used in the sense of *to know.* Sönnen must not be confused with fennen, *to be acquainted with.*

PAGE 6, line 6. bie SBeidjfel, *the Vistula,* is not a German river but flows through Poland.

PAGE 6, illustration. Die (Slbe. This view into the Elbe River valley is from a height in *Saxon Switzerland,* one of the most charming regions of Germany.

PAGE 7, line 3. (Selfiuê. In Germany the thermometric scale is different from ours. America and England adopted the system of Fahrenheit, a German physicist, born 1686, died 1736. Germany uses mostly the system of a Swedish physicist, Celsius, born 1701, died 1744. This scale shows zero at the freezing point and a hundred at the boiling point. To find the proportional degree in Celsius, use the following formula: Celsius equals $\frac{5(F-32)}{9}$; F indicates the degree according to Fahrenheit.

PAGE 7, illustration. 9luf bem (Sife. Much ice-hockey is played on the beautiful mountain lakes in the Bavarian Alps in southern Germany, one of Europe's great winter sport centers.

PAGE 10, line 29. Hamburg has about 1,150,000 inhabitants and is the greatest harbor and trade center of the continent. It was founded by Charles the Great between 808 and 811 and was the leading city in the Hanseatic League.

PAGE 13, line 26. The tunnel under the Elbe is 448.5 meters long. Huge elevators transport people and cars to and from the level of the tunnel beneath the river.

PAGE **16,** line **5.** When two compound adjectives or nouns, connected by a co-ordinating conjunction, have one component in common, a hyphen takes the place of the common element. Thus, instead of mitteldeutſch and ſüddeutſch, we write mittel= und ſüddeutſch.

Line **23.** A Perſonenzug is a local train, while an Eilzug is a fast train that makes a number of local stops. The cars of these trains are divided into compartments which lead directly to the outside. A Schnellzug or D=Zug stops only at important places and is made up of cars with a corridor (Durchgang) on one side. A Fernzug is the fastest type of D=Zug.

PAGE **23,** line **6.** Studienrat, literally, *councillor of studies,* is a title given to teachers who have a permanent appointment in schools with high school and junior college ranking. Only teachers in schools of university rank can have the title of professor.

PAGE **24,** line **5.** Die Tür öffnete ſich, *the door opened.* The reflexive is often used to give a transitive verb intransitive force.

PAGE **29,** line **15.** Aſſeſſor, *associate judge* or *associate attorney.* The German judiciary system is not an elective one. After completing the professional study of law at the university and passing the first state examination, an applicant in order to get experience is employed for several years as an assistant to judges, attorneys, and lawyers. His title during these years is Referendar, *assistant.* After the candidate has passed his second state examination, he either chooses the profession of a private lawyer or seeks a state career as judge or prosecuting attorney. The appointments are made according to the fitness of the candidate and are for life.

PAGE **34,** line **5.** Siegesgöttin, *Goddess of Victory.* This statue, crowning the Brandenburg Gate, was erected in 1794. In 1807 it was taken to Paris by Napoleon. After the downfall of the French Emperor, however, it was returned to Berlin.

Line **12.** Akademie der Künſte, *Academy of Arts,* a state institution for the promotion and teaching of art. There are sections for painting, sculpture, and music. In 1926 a section for poetry was added.

Line 24. Schiffahrtsgesellschaft, *steamship company.* Compound words are very common in German and sometimes assume colossal proportions. The final component usually determines the gender of the compound noun.

PAGE **36,** line **18.** Schutzleute, *policemen.* Compound nouns whose final element is =mann form the plural by changing =mann to =leute.

PAGE **37,** line **10.** Steuben, Baron Friedrich Wilhelm von (1730-1794), aid-de-camp of Frederick the Great. Steuben helped the Americans during the Revolutionary War by organizing and drilling the inexperienced American soldiers at Valley Forge in 1778. He also took active part in the war. In 1784 Congress honored him by passing a vote of thanks and presenting him with a gold-hilted sword. Later on Congress also granted him a pension.

PAGE **38,** line **26.** die Siegesallee, a promenade in the *Tiergarten,* with numerous statues and monuments of Prussian history, glorifying the merits of the Hohenzollern family.

PAGE **42,** line **22.** wurde das Reich eine Republik, *the Reich became a republic.* While Germany is a republic, the official name is still das Deutsche Reich.

PAGE **43,** line **5.** Reichsrat, *Federal Council,* composed of delegates of the German states, in some respects comparable to the American Senate.

Line **10.** The system of voting in Germany is proportional. For every 60,000 votes, one delegate is sent to the Reichstag. Fractional parts of 60,000 are referred to the Reichsliste, *state ballot,* of a party and credited there. For each sixty thousand votes thus compiled a party delegate is elected.

Line **14.** Ebert, Friedrich, 1871-1925, was the first president of the Reich (1919-1925). The son of poor parents, Ebert became a saddle maker. Joining the Socialist Party, he rose to be a delegate in the Reichstag and a leader of his party. It is greatly due to his leadership and influence that Germany so soon emerged from the chaos of revolution and became a well organized republican state.

Line **16.** **Hindenburg, Paul von,** born 1847, Commander-in-Chief of the German Army during the World War. President of the German Reich since 1925, he has shown himself a loyal upright character, whose highest ideal is to serve his people. Under his presidency, Germany has made noteworthy progress.

PAGE **45,** line **26.** **Regierungsparteien.** A Regierungspartei is one of a coalition of parties which forms the government bloc and from whose members the Cabinet is chosen.

Line **29.** One must not confuse the Reichstagspräſident, *speaker of the Reichstag,* with the Reichspräſident, *president of the Republic.*

PAGE **47,** illustration. **Die Univerſität in Leipzig.** To the right is the University Church, die Paulinerkirche, built on the site of the old Dominican cloister founded about 1229. The University was founded in 1409 by professors and students who had left the University of Prague in Bohemia.

Line **6.** **akademiſcher Bürger,** *academic citizen.* Formerly faculty and students of the university formed a community of their own, with their own laws, jurisdiction and privileges. While most of these regulations have become formalities, tradition has preserved some of the extraordinary rights of university people. Minor offenses against the law, quarrels or lawsuits among students, and the like are settled by the university judge. A student may even be sentenced to a light kind of imprisonment in the Karzer, the university jail.

Line **7.** **in der Philoſophiſchen Fakultät.** In general the Philo= ſophiſche Fakultät corresponds to the graduate school of arts and science in American universities. The German universities also include die Mediziniſche Fakultät, *medical college,* die Juriſtiſche Fakultät, *law college,* etc. The students indicate their membership in these respective colleges by writing after their names: stud. phil., *student of arts and science*; stud. med., *student of medicine;* stud. jur., *student of law,* etc.

PAGE **49,** line **7.** **Froebel, Friedrich Wilhelm Auguſt,** 1782-1852, a German educational reformer. Interested in the training of young children, he planned for them a graduated course of exercises modelled on games. He opened his first kindergarten in 1837.

Page 50, line 21. Reifezeugnis, *certificate of maturity.* This certificate can be obtained after a successful attendance at one of the four schools mentioned on page 51, lines 10-18.

Page 53, illustration. Wandernde Schüler am Rhein. Among several thousand young hikers' inns in Germany, medieval castles are particularly fascinating and cast their spell of romance. Imagine listening to Rhine legends high on the roof of an old castle tower that has looked down for centuries upon the same picturesque little town from a vineclad hill on the shores of the Rhine. The picture shows youthful hikers listening to stories read by the 'Inn-Father' on the top of the tower of Stahleck Castle above Bacharach on the Rhine.

Page 57, line 26. die Corps und die Burschenschaften present the two types of fraternities. The Corps are more conservative, while the Burschenschaften, due to their historical development, are more liberal in character.

Page 61, line 12. o quæ mutatio rerum, Latin, *o what a change of things.*

Line 18. Dir, *to you.* In letters it is customary to write the pronouns of address with a capital letter.

Page 62, line 4. The custom of having a Weihnachtsbaum is not as old as one might think. The oldest reports about the Christmas tree date from the beginning of the 17th century. The custom may have originated in Scandinavia.

Page 64, illustration. Die Weihnachtskrippe. Cribs have long been an adjunct of Christmas celebrations in parts of Europe. Often they are very elaborate works of art.

Page 69, line 12. Wer des vergäß', der tät' mir leide! *for the one that would forget him, I should feel sorry.* Des (dessen) is an old form of a pronominal objective genitive, today replaced by the pronoun seiner.

Page 70, line 5. In the Middle Ages there was no uniform literary language in Germany. The efforts of poets to create it were shortlived. Dialects reigned supreme. A certain amount of uniformity could be found in the language used officially by the great chanceries (Kanzleien). Luther is not the originator of a common High German speech, though he helped very materially to establish it. He deliberately chose the language of the Saxon Chancery for the translation of the Bible and for his own writings. The printing of books, the increase in the number of schools, commerce and travel, and the religious movement of the Reformation, all contributed to the formation of a common literary language.

Line 22. Leſſing, Gottholb Ephraim, 1729-1781, is a great writer of splendid diction and amazing clarity. His critical masterpieces in literature are *Laokoon* and the *Hamburgische Dramaturgie*. As playwright he created *Minna von Barnhelm*, the first real German comedy. His plays are still performed on the stage. Lessing was a strong advocate of religious tolerance.

Line 23. Goethe, Johann Wolfgang von, 1749-1832, is considered the greatest German poet. All aspects of human life, its joys and sorrows, are combined and embodied in his works. As a lyric poet he is unexcelled. See page 71, line 25, to page 73, line 12.

Schiller, Friedrich von, 1759-1805, is an accomplished dramatist. His poems express the loftiest ideals of mankind. See page 71, line 25, to page 73, line 12.

Line 30. Heine, Heinrich, 1797-1856, is best known by his poem *die Lorelei*. See page 169. His Buch der Lieder, *Book of Songs*, contains lyric poems of greatest charm and beauty.

Line 32. Naturalismus. Naturalism in art and literature considers reality and the faithful depicting of nature as the utmost goal of any art.

PAGE 71, line 3. Hebbel, Friedrich, 1813-1863, shared Goethe's and Schiller's ideal conception of literature. He was the creator of a new kind of tragic drama.

Line 4. Hauptmann, Gerhart, born 1862, is the greatest dramatic exponent of the school of naturalism.

Subermann, Hermann, 1857-1928, dramatist and novelist. His greatest art was to develop one action consistently and uniformly, thereby constantly sustaining the interest.

Line **6.** **Meyer, Konrad Ferdinand**, 1825-1898, a Swiss, is a master of the historic novel as well as a great lyric poet.

Keller, Gottfried, 1819-1890, master of the short story. In his works one finds a sound philosophy of life, mingled with a delightful humor.

Line **7.** **Storm, Theodor**, 1817-1888, a romanticist at heart, is a short story writer and lyric poet.

Rosegger, Peter, 1843-1918, is an Austrian writer, thoroughly familiar with the life of Alpine peasants, whose lives he describes with faithfulness, love, and humor.

Raabe, Wilhelm, 1831-1910, is a German humorist. His art is not easily appreciated, since the poet is an odd character, who writes as he pleases, yet whoever tries to understand him is richly repaid by the depth of feeling and noble sentiments of this Low Saxon poet.

PAGE **72,** line **9.** **stehn,** *for* stehen. In poetry it is common to drop unaccented e before a liquid (l, m, n, or r). Similarly, sehn, in line 12.

Line **10.** **auf der Heiden,** *for* auf der Heide, *on the heath.* Heiden is an old weak dative form.

Line **24.** **'s Röslein,** *for* das Röslein, *the little rose,* shortened for the sake of the meter. Forms like this are common in the Volkslied.

PAGE **73,** line **7.** **Die Räuber,** *the Robbers,* is the first drama of Schiller. In it he attacks the hypocritical conventionalism of eighteenth century society.

Wallenstein depicts the dramatic career of the Imperial General during the Thirty Years' War.

Die Jungfrau von Orleans is a dramatization of the fate of Jean d'Arc, the young girl who led the French against the English invaders.

Line **8.** **Wilhelm Tell** is Schiller's last complete drama. It glorifies the fight for independence of the Swiss people against the oppression of the emperors of the Hapsburg family at the beginning of the fourteenth century.

PAGE **75,** line **12.** be$\mathfrak{s}$ $\Re$ai$\mathfrak{f}$er$\mathfrak{s}$. Albrecht of Hapsburg was emperor from 1298 to 1308. It should be borne in mind, however, that historically the account of Schiller is not correct.

PAGE **76,** line **1.** $\Re$antone. A canton is a state of the Swiss confederation. The history of the Swiss nation goes back to 1246, when the original cantons formed a league for mutual defence. The Swiss republic was organized in 1315. At first consisting of three cantons, it now numbers twenty-two.

PAGE **80,** line **9.** The $\mathfrak{V}$olf$\mathfrak{s}$fü$\mathfrak{d}$e, *people's kitchen*, is a public benefaction, serving people of small means wholesome and nourishing food.

PAGE **82,** line **5.** $\mathfrak{S}$trauß, $\Im$o$\mathfrak{h}$ann, 1804-1849, famed Austrian composer of waltzes and operettas.

PAGE **83,** line **6.** $\mathfrak{H}$a$\mathfrak{h}$bn, $\mathfrak{F}$ran$\mathfrak{z}$ $\Im$o$\mathfrak{f}$ep$\mathfrak{h}$, 1732-1809, Austrian composer of celebrated symphonies and oratorios.

$\mathfrak{M}$o$\mathfrak{z}$art, $\mathfrak{W}$olf$\mathfrak{g}$an$\mathfrak{g}$ $\mathfrak{A}$ma$\mathfrak{b}$eu$\mathfrak{s}$, 1756-1791, an Austrian musical genius. As a boy of six years he astonished the world by his prodigious talent.

$\mathfrak{B}$eet$\mathfrak{h}$o$\mathfrak{v}$en, $\mathfrak{L}$u$\mathfrak{b}$wi$\mathfrak{g}$ $\mathfrak{v}$an, 1770-1827, the greatest orchestral composer of the nineteenth century. He was born at Bonn but spent most of his life at Vienna.

Line **7.** $\mathfrak{S}$ch$\mathfrak{u}$bert, $\mathfrak{F}$ran$\mathfrak{z}$, 1797-1828, famous as a composer of songs. He set to music more than seventy of the poems of Goethe and more than sixty of Schiller.

PAGE **86,** illustration. $\mathfrak{D}$a$\mathfrak{s}$ $\Re$u$\mathfrak{b}$ern auf bem $\Re$e$\mathfrak{d}$ar. Here is a crew of Heidelberg students training on the Neckar River in view of the famous Heidelberg Castle.

PAGE **88,** line **27.** $\Im$a$\mathfrak{h}$n, $\mathfrak{L}$u$\mathfrak{b}$wi$\mathfrak{g}$, 1778-1852, was a German pedagogue and patriot, often called $\mathfrak{T}$urn$\mathfrak{v}$ater, *father of gymnastics*. He opened the first $\mathfrak{T}$urnpla$\mathfrak{h}$, *open air gymnasium*, at Berlin in 1811 and taught the young gymnasts to make themselves fit for the emancipation of the fatherland, which had been subjected by Napoleon. He was also a leader in the formation of the $\mathfrak{B}$ur$\mathfrak{f}$chen$\mathfrak{f}$chaft. See note to page 57, line 26.

PAGE 95, line 13. 𝕬𝖚𝖊𝖗𝖇𝖆𝖈𝖍𝖘 𝕶𝖾𝖑𝖑𝖊𝖗 is a well known old wine cellar, frequented especially by students. Many interesting tales are connected with it.

Line 22. 𝕭𝖆𝖈𝖍, 𝕵𝖔𝖍𝖆𝖓𝖓 𝕾𝖊𝖇𝖆𝖘𝖙𝖎𝖆𝖓, 1685-1750, German composer and inventor of new forms in music.

Line 24. 𝕯𝖆𝖘 𝕲𝖊𝖜𝖆𝖓𝖉𝖍𝖆𝖚𝖘 is a building where formerly the clothsellers at the regular fairs or markets put their wares on sale. The 𝕲𝖊𝖜𝖆𝖓𝖉𝖍𝖆𝖚𝖘 at Braunschweig is famous for its architecture; at Leipzig concerts were given in the 𝕲𝖊𝖜𝖆𝖓𝖉𝖍𝖆𝖚𝖘, which developed into the 𝕲𝖊𝖜𝖆𝖓𝖉𝖍𝖆𝖚𝖘𝖐𝖔𝖓𝖟𝖊𝖗𝖙𝖊 of world renown.

Line 25. 𝕸𝖊𝖓𝖉𝖊𝖑𝖘𝖘𝖔𝖍𝖓, 𝕱𝖊𝖑𝖎𝖝, 1809-1847, German composer. His best known works are the *Overture to a Midsummer Night's Dream* and his 𝕷𝖎𝖊𝖉𝖊𝖗 𝖔𝖍𝖓𝖊 𝖂𝖔𝖗𝖙𝖊, *Songs without Words*.

PAGE 96, title. 𝕯𝖆𝖘 𝖁𝖔𝖑𝖐𝖊𝖗𝖘𝖈𝖍𝖑𝖆𝖈𝖍𝖙𝖉𝖊𝖓𝖐𝖒𝖆𝖑, *Memorial of the Battle of the Nations*, was erected in memory of the Battle of Leipzig of October 16-19, 1813, in which Napoleon was decisively defeated by the allied Prussians, Russians, and Austrians.

Illustration. 𝕯𝖗𝖊𝖘𝖉𝖊𝖓 𝖛𝖔𝖒 𝕱𝖑𝖚𝖌𝖟𝖊𝖚𝖌. An air view of the center of the city, showing the Elbe River and three of its bridges. The *Zwinger*, one of the most celebrated art galleries of the world, is in the center (with a court). To the left is the Opera House. Across the square is the Court Church. The former Royal Palace is across the narrow street.

PAGE 97, title. 𝕯𝖎𝖊 𝕾𝖎𝖝𝖙𝖎𝖓𝖎𝖘𝖈𝖍𝖊 𝕸𝖆𝖉𝖔𝖓𝖓𝖆. Raphael painted this Madonna for the Church of St. Sixtus (San Sisto) at Piacenza. The Virgin is represented holding the Child, while St. Sixtus kneels at her right and St. Barbara at her left.

PAGE 98, line 22. 𝕯𝖊𝖗 𝕶𝖚𝖗𝖋𝖚𝖗𝖘𝖙, *Elector*, was one of the seven privileged princes who, beginning with the thirteenth century, elected the German Emperor. Three were archbishops, namely of Mainz, Trier, and Cologne, the other electors were of the Palatinate, Saxony, Brandenburg, and Bohemia.

𝕱𝖗𝖎𝖊𝖉𝖗𝖎𝖈𝖍 𝕬𝖚𝖌𝖚𝖘𝖙 𝖉𝖊𝖗 𝕰𝖗𝖘𝖙𝖊, 1670-1733, was also king of Poland, where his official name was August II. He was called 𝖉𝖊𝖗 𝕾𝖙𝖆𝖗𝖐𝖊 on account of his gigantic bodily strength.

PAGE **99**, line **9.** During the time of inflation after the World War, a number of German cities issued, besides paper money, coins made from porcelain.

PAGE **100**, line **10.** Wien, *Vienna,* has about two million in-habitants. Its history begins with the Romans, who built here the camp Vendobona in order to dominate and to safeguard the Danube and the northern boundary of the Empire. The history of Vienna proper begins with Charles the Great.

PAGE **101**, line **6.** Twice Vienna stemmed the tide of Turkish invasion into central Europe, first in 1529 and again in 1683.

PAGE **103**, line **2.** Napoleon Bonaparte married an Austrian princess. To this union a son was born in 1811, who at the time of his birth was made King of Rome. After the downfall of his great father, he was educated in Austria and lived there until his death in 1832.

PAGE **108**, line **20.** Eſſen, a city of half a million inhabitants, is the seat of the Krupp family, who at this place founded the great armament factories.

Line **26.** Jena and Göttingen are also important university cities.

PAGE **112**, line **19.** Der Große Kurfürſt, title given to the elector Friedrich Wilhelm of Brandenburg, who reigned from 1640 to 1688.

PAGE **114**, line **5.** das preußiſche Verſailles, *the Prussian Ver-sailles.* The palace built by Louis XIV at Versailles and the general scheme of beautification carried out in the French royal city were imitated in many other European countries.

PAGE **116**, line **9.** der letzte Deutſche Kaiſer. William II was Ger-man Emperor from 1888 to 1918.

PAGE **117**, line **18.** Meilen, *miles.* Reference is here made to the English statute mile. The German short mile is 6,859 yards, about four English miles, while the German geographical mile is 8,113.6 yards, almost five English miles. But the kilometer is now generally used in Germany.

PAGE **118**, illustration. **Auf dem Wege zur Kirche.** In the Spree-wald, where the streets are rivers and the avenues canals, flat bottom boats and man power have not yet given way to the motor. Here is father taking the family to church on Sunday.

PAGE **119**, illustration. **Die Feuerwehr im Spreewald.** Broad-bottomed boats in summer and sleighs and skates in winter are the principal means of transportation in the Spreewald, serving doctor and traveler as well as the police and fire departments.

PAGE **120**, line **20**. **Zum fröhlichen Hecht,** *with the cheerful pike.* German inns are often known by similar appellations; e. g., **Zum roten Löwen,** *with the red lion;* **Zum braunen Bären,** *with the brown bear;* **Zur grünen Tanne,** *at the green pine tree.*

PAGE **122**, line **3**. **Claudius, Mathias,** 1740-1815, edited a news-paper called **der Wandsbecker Bote,** *the Wandsbeck Messenger,* in which he published a large number of prose essays and poems.

Line **7**. **schweiget,** *for* **schweigt,** and **steiget** (line 8), *for* **steigt,** for metrical reasons.

PAGE **124**, line **9**. Due to their belief in the magic power of horses, the old Saxons had the gables of their houses end in two wooden horse heads, laid crosswise. This custom has been preserved up to the present day.

PAGE **126**, illustration. **Auf dem Felde.** While modern farming machinery has for a long time been in use in Germany's agricultural districts, old-fashioned methods are employed on small farms.

PAGE **130**, line **13**. **Hansastadt,** *city belonging to the Hanseatic League.* This federation was organized in the thirteenth century to protect the interests of cities and trade centers.

PAGE **134**, line **5**. **Ludwig der Fromme,** *Louis the Pious,* reigned from 814-840. He caused the destruction of the old Germanic songs which his father, Charles the Great, had ordered to be collected.

PAGE **135**, line **23**. The Romanesque style developed in western and central Europe after the fall of Rome in 476. Romanesque buildings have ordinarily heavy walls, small windows, and round-arched doors. The Gothic style developed from the Romanesque during the latter half of the twelfth century. It gradually did away with heavy walls and employed lofty pillars. Windows and doors became larger, and the pointed arch found general adoption.

PAGE 139, line 2. $\mathfrak{Weimar}$, capital of the state of Thuringia, was in Goethe's time the literary center of Germany.

PAGE 144, line 31. These lines are from the German poet Max von Schenkendorf, 1783-1817.

PAGE 145, illustration. $\mathfrak{Auf}$ $\mathfrak{dem}$ $\mathfrak{Marft}$ $\mathfrak{in}$ $\mathfrak{Nürnberg}$. On the market place in Nuremberg are many fountains, the beauty of which has aroused the admiration of visitors from all parts of the world for centuries. Here merchants of the town and peasants from the countryside are doing business under spacious umbrellas as they did for centuries in the past.

PAGE 150, line 19. Note that $\mathfrak{das}$ $\mathfrak{Deutfche}$ $\mathfrak{Mufeum}$ is in Munich, while $\mathfrak{das}$ $\mathfrak{Germanifche}$ $\mathfrak{Mufeum}$ is in Nuremberg.

PAGE 154, line 1. $\mathfrak{Augsburg}$, named after the Roman emperor Augustus. The Romans established a colony here about 14 B. C. In the Middle Ages Augsburg was a trade center of great importance.

$\mathfrak{Ulm}$. Its history begins in the ninth century. The tower of its cathedral is the loftiest ecclesiastical structure in the world (528 feet).

Line 7. $\mathfrak{im}$ $\mathfrak{gotifchen}$ $\mathfrak{Stil}$. See note to page 135, line 23.

PAGE 154, illustration. $\mathfrak{Schwarzwälder}$ $\mathfrak{Trachten}$. Picturesque dress is still worn in some parts of Germany. Here are two maidens from the St. Maergen district in the Black Forest.

PAGE 155, illustration. This house is the birthplace of the famous German painter Hans Thoma (1839-1924).

PAGE 157, line 1. $\mathfrak{die}$ $\mathfrak{Kuckucksuhr}$, *cuckoo clock*, carved from wood. Every half hour a little door above the dial opens, and the little bird appears, announcing the time.

PAGE 160, line 11. $\mathfrak{Kein'}$ $\mathfrak{andre}$ $\mathfrak{kommt}$ $\mathfrak{dir}$ $\mathfrak{gleich}$. These lines and also the song of the $\mathfrak{Zwerg}$ $\mathfrak{Perfeo}$ were written by Viktor von Scheffel (1826-1886), the author of well known student songs.

PAGE **161**, line **3**. 𝔉𝔯𝔞𝔫𝔨𝔣𝔲𝔯𝔱 𝔞𝔪 𝔐𝔞𝔦𝔫 was long the place of election and coronation of German emperors. It has today a population of half a million and is one of the leading commercial centers of Germany.

PAGE **163**, line **3**. 𝔐𝔞𝔦𝔫𝔷, *Mayence*, in 747 A.D. became the seat of an archbishop, who later was ex officio one of the German electors.

PAGE **164**, line **10**. 𝔊𝔲𝔱𝔢𝔫𝔟𝔢𝔯𝔤, 𝔍𝔬𝔥𝔞𝔫𝔫, about 1398-1468, is considered to be the inventor of printing in Europe, an art known in China long before. Just as there is no actual certainty as to the date of the European invention of printing from movable types, so it is uncertain who the inventor really was and where the invention took place. It is generally agreed, however, that the first documents bearing a printed date were issued in 1454 from a press in Mainz and ascribed to Johann Gutenberg.

PAGE **165**, line **13**. 𝔡𝔦𝔢 𝔏𝔞𝔫𝔡𝔢, a plural form, still remaining in poetry and in proper names; e. g., 𝔡𝔦𝔢 𝔑𝔦𝔢𝔡𝔢𝔯𝔩𝔞𝔫𝔡𝔢, *the Netherlands*; also used to designate the different divisions of one political whole; e. g., 𝔡𝔦𝔢 𝔡𝔢𝔲𝔱𝔰𝔠𝔥𝔢𝔫 𝔏𝔞𝔫𝔡𝔢, *the German states*.

PAGE **166**, line **12**. There were two archbishops named Hatto of Mayence, the first from 891-913, the second from 968-970. Stories of cruelty are ascribed to both. During a certain famine Hatto is said to have locked poor people in a barn and set fire on the building. At the cries of the victims the bishop remarked, "Do you hear how the mice are whistling?" For his cruel act the bishop was pursued by the mice to his tower in the Rhine and devoured alive.

PAGE **170**, line **14**. 𝔎𝔬𝔟𝔩𝔢𝔫𝔷, *Coblence*, is situated on the left bank of the Rhine at the confluence with the Moselle, whence its ancient name Confluentes, of which Koblenz is a corruption.

PAGE **172**, line **9**. 𝔖𝔦𝔢𝔤𝔣𝔯𝔦𝔢𝔡, hero of many sagas, is the outstanding figure in the 𝔑𝔦𝔟𝔢𝔩𝔲𝔫𝔤𝔢𝔫𝔩𝔦𝔢𝔡, *Lay of the Nibelungs*, a medieval German heroic epic.

PAGE **173**, line **16**. 𝔎𝔬𝔩𝔫, *Cologne*, has about 700,000 inhabitants. In 50 A. D. a colony was established here by the Roman Emperor Claudius at the request of his wife Agrippina, who was born in this old German settlement. In her honor it was named Colonia Agrippina. Cologne has always been a great trade center and was a leading member of the Hanseatic League during the Middle Ages.

The Cathedral of Cologne, one of the largest Gothic structures in the world, was begun in the thirteenth century. The towers were completed in 1880, five and one half centuries after the choir had been consecrated.

PAGE 175, line 29. $\mathfrak{die}$ $\mathfrak{drei}$ $\mathfrak{Weisen}$, *the three wise men*. According to the legend, three kings, Gaspar, Melchior, and Balthazar, came to Bethlehem to present gifts to the child Jesus. Their bodies were brought by the Empress Helena to Constantinople and finally found their resting place in Cologne.

VOCABULARY

Gender is indicated by ber, bie, or baß, immediately preceding the noun. In the case of strong and irregular verbs, the principal parts are given. Separable verbs are indicated by the accent mark on the prefix. The stress has been indicated in other words also where there might be doubt in the mind of the student.

The following abbreviations occur:

acc., accusative	*gen.*, genitive	*pr. n.*, proper noun
adj., adjective	*impers.*, impersonal	*pref.*, prefix
adv., adverb	*impf.*, imperfect	*prep.*, preposition
art., article	*indecl.*, indeclinable	*pres.*, present
auxil., auxiliary	*indef.*, indefinite	*pron.*, pronoun
compar., comparative	*interj.*, interjection	*reflex.*, reflexive
conj., conjunction	*interrog.*, interrogative	*rel.*, relative
dat., dative	*lit.*, literally	*sep.*, separable
def., definite	*m.*, masculine	*sing.*, singular
dem., demonstrative	*pers.*, personal	*subj.*, subjunctive
f., feminine	*pl.*, plural	*superl.*, superlative

A

ab, *adv. and sep. pref.*, off, away; ab und zu, now and then

der Abend, –e, evening; am Abend, in the evening; heiliger Abend, Christmas Eve; zu Abend essen, to eat supper; abends, in the evening

das Abendessen, –, evening meal, supper

die Abendglocke, –n, evening bell

die Abendsonne, evening sun (light)

der Abendsonnenschein, evening sunshine

der Abendstern, Evening Star, *name of a song in the opera Tannhäuser*

aber, *conj.*, but, however

ab'fahren, fuhr ab, ist abgefahren, fährt ab, to depart, leave, sail

die Abfahrt, –en, departure

ab'fallen, fiel ab, ist abgefallen, er fällt ab, to fall down, go down

ab'fuhr, *see* ab'fahren

233

der Abgeordnete, –n, representative (in the Reichstag)

ab'halten, hielt ab, abgehalten, er hält ab, to conduct, hold

der Abhang, "e, slope

ab'hängen, hing ab, abgehangen, to depend; davon abhängen, to depend on it

ab'holen, to call for, go to meet; vom Bahnhof abholen, to meet at the station

die Abkürzung, –en, abbreviation

ab'lehnen, to decline

die Ab'nahme, –n, reduction, decrease

die Ab'reise, –n, departure

ab'reisen, ist abgereist, to leave, depart; abreisen nach, to leave for

der Abschied, –e, leave, departure; Abschied nehmen, to bid farewell

ab'schließen, schloß ab, abgeschlossen, to finish

der Abschluß, "sse, conclusion

der Abschnitt, –e, division

die Ab'stimmung, –en, vote, voting

ab'suchen (nach), to search (for)

das Abteil, –e, compartment

ab'wechseln, to vary, alternate, change

die Abwechslung, –en, variety

ab'weichen, wich ab, ist abgewichen, to differ

ab'wenden, wendete or wandte ab, abgewendet or abgewandt, to avert, ward off

das Ab'zeichen, –, medal

ach, interj., oh, ah; das Ach, lamentation

acht, eight

die Achtung, respect; alle Achtung, due respect

achtzehnte, eighteenth

der Acker, Äcker, field

der Ackerbau, agriculture

ad monachos, *Latin*, with the monks

die Adres'se, –n, address

der Affe, –n, monkey

der Afrikadampfer, –, Africa steamer

ähnlich, similar

die Akademie', –n, academy; Akademie der Künste, Academy of Arts

akade'misch), academic

der Akt, –e, act

die Albrechtsburg, *pr. n., castle near Meißen*

der Alchimist', –en, alchemist

all, –er, –e, –es, all; every; alles, everything, everybody

die Allee', –n, avenue

allein', *adj.,* alone; *conj.,* but

alleine, *dialectical for* allein

allerdings', to be sure, indeed

allerlei', all kinds of

allgemein', common, general, in unison; im allgemeinen, in general, usually

allzulange, too long (a time)

die Alpen, *pl.,* the Alps

als, *conj.,* when, as, than (*following a comparative*)

also, accordingly, for this reason; also dann, so then, all right then

die Alster, the Alster River

das Alsterbecken, the Alster basin
alt, old; *compar.*, älter, elderly
das Altertum, "er, antiquity, antique
altertümlich, old-fashioned
althochdeutsch, Old High German
altmodisch, old-fashioned
am, an dem
A. M., artium magister, *Latin*, Master of Arts
der Amateur', -e, amateur
der Amboß, -sse, anvil
(das) Ame'rika, America
der Amerikakai, American Pier
der Amerika'ner, -, American
amerika'nisch, American
das Amt, "er, office
das Amtsgesicht, -er, official's face
das Amtshaus, "er, guild-house
an, *prep. with dat. or acc., adv. and sep. pref.*, on, at, by, to, in; an der Arbeit, at work; denken an (*with acc.*), to think of
der Anbau, cultivation
an'bauen, to cultivate, raise
an'beten, to worship
an'bieten, bot an, angeboten, to offer
der Anblick, -e, appearance, view, sight
an'bringen, brachte an, angebracht, to place, instal, put up
das An'denken, -, memory; Andenken an, memory of
ander, -er, -e, (e)s, other, else, different, next; anders als, different from; etwas anderes, something different
ändern, sich, to change

die Andre'askirche, St. Andrew's Church, *in Braunschweig*
aneinander, by one another
an'erkennen, erkannte an, anerkannt, to recognize
der Anfang, "e, beginning
an'fangen, fing an, angefangen, er fängt an, to begin
der An'fänger, -, beginner
der Anfangsbuchstabe, -n, initial letter
an'fertigen, to make (ready)
an'gebracht, *see* anbringen
an'gehörig, related to; die Angehörigen dieses Hauses, the members of this family
an'geben, gab an, angegeben, er gibt an, to indicate
an'gekommen, *see* ankommen
die Angeln, *pl.*, Angles, *a Germanic tribe*
an'genehm, agreeable, pleasant, pleasing
an'gesehen, *see* ansehen
das An'gesicht, -er, face
an'gestellt, employed; der Angestellte, die -n, employee
an'gestrichen, *see* anstreichen
der Angriff, -e, attack
die Angst, anxiety
an'halten, hielt an, angehalten, er hält an, to stop
die An'höhe, -n, height, hill
an'hören, to listen to
an'klingen, klang an, angeklungen, to chink glasses
an'kommen, kam an, ist angekommen, to arrive; das kommt

darauf an, that depends; die An=
kommenden, the arrivals

die An'kündigung, –en, announcement

die Ankunft, "e, arrival

die An'lage, –n, park grounds

an'langen, ist angelangt, to arrive

an'legen, to lay out, construct,
build, arrange

an'mutig, charming

an'nehmen, nahm an, angenommen,
er nimmt an, to accept, receive

die An'rede, –n, address

an'reden, to address

an'regend, interesting, suggestive

die An'regung, –en, inspiration

an'rufen, rief an, angerufen, to call
up (by telephone)

ans, an das

ansah, see ansehen

die An'schlagsäule, –n, advertising
pillar, a characteristic feature
of German cities

an'schließen, sich, schloß an, ange=
schlossen, to join

an'sehen, sah an, angesehen, to re-
gard, consider, look at, see;
sich etwas ansehen, to look over
something

die Anstalt, –en, institution

anstatt (with gen.), instead of

an'steigen, stieg an, ist angestiegen,
to go up, ascend

an'streichen, strich an, angestrichen,
to paint

die Anten'ne, –n, antenna

an'treffen, traf an, angetroffen, er
trifft an, to find, meet

an'treten, trat an, ist angetreten, er
tritt an, to begin

die Antwort, –en, answer

ant'worten (with dat.), to answer

an'wesend, present; der Anwesende,
die –n, the one present

die An'wesenheit, –en, presence

die Anzahl, number; eine ganze
Anzahl, quite a number

die An'zeige, –n, advertisement,
announcement

an'zeigen, to announce

an'ziehen, zog an, angezogen, to
attract; sich anziehen, to get
dressed; das Anziehen, dressing

an'ziehend, attractive

an'zünden, to light

der Apfel, Äpfel, apple

der Apothe'ker, –, apothecary

der Apparat', –e, apparatus, set

die Arbeit, –en, work

ar'beiten, to work; das Arbeiten,
work(ing)

der Ar'beiter, –, worker, workman

das Ar'beiterviertel, –, labor district

die Ar'beitskraft, "e, working
power, labor

der Ar'beitstag, –e, work day

das Ar'beitszimmer, –, work room

är'gerlich, irritable, angry, pro-
voked

ärgern, to provoke, irritate

arm, poor

der Arm, –e, arm

die Arm'binde, –n, arm band

die Armee', –n, army

die **Art**, –en, kind, manner, way, character; die Art und Weise wie, the way in which

artig, well-behaved, polite

der **Arti'kel**, –, article

der **Arzt**, "e, physician

der **Asses'sor**, –s, Assesso'ren, associate judge

aßen, *see* essen

a'temlos, breathless

atlantisch, Atlantic; der Atlantische Ozean, the Atlantic Ocean

au, ouch

auch, also, too

(der) **Auerbach**, *pr. n.*

auf, *prep. with dat. or acc., adv. and sep. pref.*, on, at, up, to, for; auf der Universität, at the University; auf je .... kommt ein Abgeordneter, for every .... there is a representative

auf'bauen, to build up, erect, organize

die **Auf'bauschule**, –n, preparatory school (*for university*), *following eight years of grade school*

auf'bleiben, blieb auf, ist aufgeblieben, to remain up, stay up

auf'brechen, brach auf, aufgebrochen, er bricht auf, to break up, start out

der **Auf'enthalt**, –e, stay, sojourn

auf'fallend, striking

die **Auf'forderung**, –en, invitation

auf'führen, to perform, give

die **Auf'führung**, –en, performance

auf'gehen, ging auf, ist aufgegangen, to rise, open

auf'halten, hielt auf, aufgehalten, er hält auf, to detain; sich aufhalten, to stay, stop

auf'hören, to cease, end, stop

auf'merksam, attentive; auf etwas aufmerksam machen, to call attention to something

die **Auf'merksamkeit**, –en, attention

die **Auf'nahme**, –n, admittance, reception

auf'passen, to pay attention, be on the lookout

der **Aufruhr**, –e, uprising, tumult

aufs, auf das

der **Auf'schwung**, "e, flight; einen neuen Aufschwung nehmen, to receive a fresh impetus

auf'stehen, stand auf, ist aufgestanden, to get up, arise, stand up

auf'stellen, to put up, select, make (*a record*)

auf'suchen, to seek, look up

auf'tauchen, ist aufgetaucht, to come in sight, emerge, appear

das **Auge**, –s, –n, eye

der **Au'genblick**, –e, moment

au'genblicklich, for the moment

(das) **Augsburg**, *pr. n., city in southern Germany*

der **August'**, August (*month*)

Au'gust der Starke, Augustus the Strong, *King of Poland and Elector of Saxony*

(der) **Au'gustin**, *pr. n.*, Augustine

aus, *prep. with dat.*, out of, from, of; *adv. and sep. pref.*, out; von hier aus, from here; vom Zuge aus, from the train aus'bessern, to repair

aus'bilden, to train

die Aus'bildung, training

der Ausblick, –e, prospect, view

aus'brechen, brach aus, ist ausge=
brochen, er bricht aus, to break out

aus'breiten, to spread out, extend; sich ausbreiten, to stretch
out

der Ausdruck, "e, expression

aus'drücken, to express

aus'fallen, fiel aus, ist ausgefallen,
er fällt aus, not to take place

der Ausflug, "e, excursion

aus'führen, to export, carry out

der Ausgang, "e, exit

aus'gedehnt, extensive

aus'gehen, ging aus, ist ausge=
gangen, to proceed, be derived
from

aus'getrunken, see austrinken

aus'gezeichnet, excellent

die Aus'lage, –n, display, show

das Ausland, foreign country

die Aus'nahme, –n, exception

aus'packen, to unpack

aus'rauben, to plunder

die Aus'rede, –n, excuse

aus'rufen, rief aus, ausgerufen, to
cry out, exclaim

aus'ruhen, sich, to rest, relax

aus'rüsten, to equip

aus'sahen, see aussehen

aus'schelten, schalt aus, ausgeschol=
ten, er schilt aus, to reprimand

der Ausschuß, "e, commission;
staatlicher Ausschuß, state commission

aus'sehen, sah aus, ausgesehen, er
sieht aus, to appear, seem, look;
das Aussehen, appearance

außen: von außen, from the ex-
terior

die Au'ßenstadt, outer city, sub-
urbs

außer, besides, except

äußer, outer

außerdem', besides

au'ßerhalb (with gen.), outside of

außeror'dentlich, extraordinary

äußerst, extreme, exceeding

die Aussicht, –en, view, prospect

aus'sprechen, sprach aus, ausge=
sprochen, er spricht aus, to express

der Ausspruch, "e, statement

aus'stellen, to display, exhibit

die Aus'stellung, –en, exposition,
exhibit

die Aus'stellungshalle, –n, exposition building

aus'trinken, trank aus, ausgetrun=
ken, to drain, empty

der Austritt, –e, outlet

aus'üben, to practice

aus'weichen, wich aus, ist ausge=
wichen, to make way for, avoid,
evade

aus'wendig, by heart, from memory

der Auszug, "e, extract

das Auto, –s, automobile

der Au'tobus, –sse, bus

das Automa'tenrestaurant, auto-
matic restaurant

das Automobil', –e, automobile

B

Bach, Johann Sebastian, pr. n.,
  German composer
backen, buk, gebacken, bäckt, to bake
der Bäcker, –, baker
die Bäckerei', –en, bakery
baden, to bathe; das Baden, bath-
  ing
(das) Baden, pr. n., one of the
  southern states of the German
  Reich
die Bahn, –en, railway, railroad
der Bahnhof, "e, station
bald, soon
der Balkon', –e, balcony
der Ball, "e, ball
balsa'misch, balmy, refreshing
das Band, "er, ribbon, band, ban-
  ner, streamer
das Band, –e, bond
die Bank, "e, bench
der Baron', –e, baron
der Bart, "e, beard
(das) Basel, pr. n., Swiss city on
  the upper Rhine
bat, see bitten
der Bau, pl., Bauten, building,
  construction
bauen, to build; auf mich bauen,
  to rely on me
der Bauer, –s, –n, farmer
das Bauernhaus, "er, farm house
der Bauernhof, "e, farm
das Bauholz, timber (for building)
der Baustil, –e, style of architecture
der Baum, "e, tree

baute . . . auf, see aufbauen
Bauten, see Bau
das Bauwerk, –e, building
der Bayer, –n, Bavarian
bayerisch, Bavarian
(das) Bayern, Bavaria, a southern
  state of the German Reich
beach'ten, to notice, pay attention
  to
der Beam'te, –n, officer, official
beant'worten, to answer
die Beant'wortung, –en, answer
das Becken, –, basin
bedau'ern, to regret, be sorry
bedeck'en, to cover
beden'ken, bedachte, bedacht, to consider
bedeu'ten, to mean, signify
bedeu'tend, important
die Bedeu'tung, –en, importance,
  significance, meaning
bedie'nen, to serve
bedräng'en, to oppress, press hard;
  der Bedrängte, –n, the one in
  trouble
beein'flussen, to influence
die Been'digung, –en, end
Beethoven, Ludwig van, pr. n.,
  German composer
befahl', see befehlen
befand', see befinden
der Befehl', –e, command
befeh'len, befahl, befohlen, er befiehlt
  (with dat.), to command, order
befe'stigen, to fasten
befin'den, befand, befunden, sich, to
  be found, be, be situated
beför'dern, to carry, transport

die Beför'derung, –en, conveyance

befrei'en, to free

die Befrei'ung, –en, deliverance

befrie'digen, to satisfy; sehr befrie=
digt, much satisfied

begabt', talented

die Bega'bung, –en, talent

begann', *see* beginnen

begei'stert, enthusiastic

der Beginn', beginning

begin'nen, begann, begonnen, to begin; Amt beginnen, to assume
office

beglei'ten, to accompany

der Beglei'ter, –, companion

die Beglei'terin, –nen, lady companion

die Beglei'tung, –en, company

begon'nen, *see* beginnen

begraben, begrub, begraben, er be=
gräbt, to bury

begrei'fen, begriff, begriffen, to understand, comprehend

der Begriff', –e, idea, conception

begrün'den, to found

begrü'ßen, to greet, welcome, salute

die Begrü'ßung, –en, greeting, welcome, welcoming

behal'ten, behielt, behalten, er be=
hält, to remember

behan'deln, to handle, use, treat

beher'bergen, to house

behü'ten, to protect; behüt di Gott,
dialect, God protect you

bei (*with dat.*), at, on, with, at the
house of, to; bei sich haben, to
have at hand

beide, both, two

der Beifall, applause

beim, bei dem

das Bein, –e, leg

beinah(e), almost

beisammen, together

beiseite, to the side

das Beispiel, –e, example; zum
Beispiel, for example

bei'stimmen (*with dat.*), to agree
with

bei'tragen, trug bei, beigetragen, er
trägt bei, to contribute

bei'wohnen (*with dat.*), to attend,
be present at

bekam', *see* bekommen

bekämp'fen, to fight; sich bekämp=
fen, to fight (with one another)

bekannt', acquainted, well known,
familiar; der Bekannte, –n, acquaintance

bekann'te, *see* bekennen

die Bekannt'schaft, –en, acquaintance

beken'nen, bekannte, bekannt, to admit, confess

bekeh'ren, to convert

bekom'men, bekam, bekommen, to
get, receive, secure

befrie'gen, to make war on, fight

bela'den, belud, beladen, to load

belebt', alive, crowded, busy

bele'gen, to cover, take, occupy;
ein mit Käse belegtes Brötchen,
cheese sandwich

beleh'ren, to teach, inform

(das) Bel'gien, Belgium

beliebt', favorite, popular

bellen, to bark; das Bellen, barking

die Beloh'nung, –en, reward

bema'len, to paint

bemer'ken, to notice, remark

bemer'kenswert, noteworthy

die Bemer'kung, –en, remark

benu'tzen, to use, make use of

die Benu'tzung, –en, use

das Benzin', –e, gasoline

beob'achten, to observe

die Beob'achtung, –en, observation

bequem', comfortable, convenient

die Berat'ung, –en, deliberation

bereit', ready

bereits', already

der Berg, –e, mountain

bergan', up the mountain

der Bergbau, mining

der Bergstock, "e, mountaineer's staff

das Bergwerk, –e, mine, pit

die Bergwiese, –n, mountain meadow

der Bericht', –e, report

berich'ten, to report, relate

(das) Berlin, pr. n., capital of Germany

(das) Berlin=Tempelhof, pr. n., a Berlin suburb

Berliner, indecl. adj., of or from Berlin

der Beruf', –e, vocation

beru'higen, to reassure

berühmt', famous, celebrated

berüh'ren, to touch

besah', see besehen

beschäf'tigen, to employ, occupy, keep busy

beschla'gen, beschlug, beschlagen, er beschlägt, to cover; mit Stahl beschlagen, to tip with steel

beschlie'ßen, beschloß, beschlossen, to end, close, decide, lock

beschrän'ken, to limit

beschrei'ben, beschrieb, beschrieben, to describe

die Beschrei'bung, –en, description

beschrieb', see beschreiben

bese'hen, besah, besehen, er besieht, to look at

bese'tzen, to occupy, fill

besich'tigen, to see, look over, view

die Besich'tigung, –en, visit, sightseeing, inspection

besie'gen, to defeat

der Besitz', –e, property, estate

beson'der, special

beson'ders, particularly, especially

besor'gen, to attend to, provide

besser, better; compar. of gut

best, best; superl. of gut; das Beste, the best

bestan'den, see bestehen

die Beständigkeit, –en, constancy

bestat'ten, to bury

beste'hen, bestand, bestanden, to exist, be, pass (an examination); bestehen aus, to be composed of; bestehen in, to consist of

bestei'gen, bestieg, bestiegen, to step into, go aboard, ascend

die Besteig'ung, –en, ascent

bestel'len, to order, till

bestieg', see besteigen

bestim'men, to ascertain, find, intend, order, decide

bestimmt', certain, intended, fixed

der Besuch', -e, visit, attendance

besu'chen, to attend, visit

der Besu'cher, -, visitor

beten, to pray

beten . . . an, *see* anbeten

betrach'ten, to look at, consider

betrat', *see* betreten

betref'fen, betraf, betroffen, to concern; was die Malerei betrifft, as far as painting is concerned

betref'fend, respective, in question

betrei'ben, betrieb, betrieben, to promote, encourage, carry on, study

betre'ten, betrat, betreten, er betritt, to step on, enter

betrie'ben, *see* betreiben

betritt', *see* betreten

das Bett, -es, -en, bed

beugen, to bend

die Beute, booty

bevöl'kert, populated

die Bevöl'kerung, -en, population

bevor', before

bewa'chen, to guard

bewah'ren, to preserve

bewe'gen, to move; sich bewegen, to move; mäßig bewegt, moderately fast

die Bewe'gung, -en, commotion, movement; sich in Bewegung setzen, to start out

bewei'sen, bewies, bewiesen, to prove, show

der Bewoh'ner, -, inhabitant

bewun'dern, to admire

die Bewun'derung, -en, admiration

bezah'len, to pay

bezeich'nen, to indicate

die Bezie'hung, -en, respect, relation

der Bezirk', -e, district

die Bibel, -n, Bible

die Bibelübersetzung, -en, translation of the Bible

das Bier, -e, beer

bieten, bot, geboten, to offer; sich bieten, to present oneself; Halt bieten, to stop

das Bild, -er, picture

bilden, to form; sich bilden, to develop, originate

die Bil'dergalerie, -n, picture gallery

bin, am; *see* sein

binden, band, gebunden, to bind, tie

(das) Bingen, *pr. n.*, *city on the Rhine*

die Birne, -n, pear

bis, till, until, to; bis dahin, until then; bis in, into; bis jetzt, so far; bis zu, until, unto

der Bischof, "e, bishop

Bismarck, Otto von, *pr. n.*, *chancellor of the German Empire 1871 to 1890*

die Bitte, -n, request, entreaty

bitten, bat, gebeten, to ask; bitte, please; das Bitten, pleading

bitter, bitter

die Bittschrift, -en, petition

blank, shining

blasen, blies, geblasen, er bläst, to blow

das Blatt, "er, leaf, sheet

blau, blue

das Blei, –e, lead

bleiben, blieb, ist geblieben, to remain; stehen bleiben, to stop; dabei blieb er, he stuck to it

der Bleistift, –e, lead pencil

der Blick, –e, view, glance, look

blicken, to look

blickte . . . herab', see herabblicken

blieb, see bleiben

blieb . . . auf, see aufbleiben

bliesen, see blasen

blitzen, to sparkle

blühen, to bloom, flourish

die Blume, –n, flower

das Blut, blood

die Blüte, –n, bloom

die Blütezeit, –n, time of blossoming, golden age

blutig, bloody

die Bode, the Bode River

der Boden, –or Böden, soil, ground

der Bo'denschatz, "e, mineral resource

der Bo'densee, Lake Constance

das Bo'detal, valley of the Bode

der Bogen, –, curve, bend, turning

(das) Böhmen, Bohemia

die Bohne, –n, bean

bohren, to bore

(das) Bonn, pr. n., a university city on the Rhine

das Boot, –e, boat

der Bord, –e, board

die Bordkapelle, –n, steamer band

bot, see bieten

die Bota'nik, botany

boten . . . an, see anbieten

(der) Böttcher, pr. n., inventor of porcelain

boxen, to box; das Boxen, boxing

der Boxkampf, "e, boxing match

brach . . . auf, see aufbrechen

brachte, see bringen

brachte . . . mit, see mitbringen

(das) Brandenburg, pr. n., the province of Prussia in which Berlin is situated

Brandenburger, indecl. adj., of Brandenburg; das Brandenburger Tor, the Brandenburg Gate

der Brauch, "e, custom

brauchen, to need, use

(das) Braunschweig, Brunswick, dating back to 861 A. D.

Braunschweiger, indecl. adj., Brunswickian

der Braunschweiger, –, Brunswickian

brausen, to rush, whiz

brav, gallant, honest, upright

brechen, brach, gebrochen, er bricht, to break

breit, wide, broad

die Breite, –n, breadth

breiten . . . aus, see ausbreiten

(das) Bremen, pr. n., German seaport

Bremer, indecl. adj., of Bremen

(das) Bremerhaven, pr. n., port of Bremen

brennbar, combustible

das Brennholz, firewood

das Brett, –er, board, shelf

der Brief, –e, letter

der Brief'träger, –, mail carrier

die Brille, –n, spectacles

bringen, brachte, gebracht, to bring; an die Eisenbahn bringen, to take to the station

britannisch, British

der Brocken, *pr. n.*, *the highest mountain in the Harz, 1,142 meters*

die Bronze, –n, bronze

das Brot, –e, bread

das Brötchen, –, roll; belegtes Brötchen, sandwich

die Brücke, –n, bridge

der Bruder, ", brother

der Brunnen, –, well, fountain

die Brust, "e, chest

das Buch, "er, book

die Buch'druckerei, –en, printing-shop

die Buch'druckerkunst, art of printing

der Buch'handel, book trade

der Buch'händler, –, book dealer

die Buch'handlung, –en, book store

der Buch'laden, –läden, book shop

der Buch'stabe, –n, letter

die Bude, –n, booth

die Bühne, –n, stage

bummeln, to loaf; bummeln gehen, to loaf around

der Bund, "e, federation

der Bundes=Pokal, –e, Federation Cup (*football trophy*)

der Bun'desstaat, –en, confederate state

bunt, variegated, many-colored

die Burg, –en, castle; (das) Burg, *pr. n.*, *village in the Spree Forest*

der Bürger, –, citizen, burgher

bür'gerlich, of the town, of the middle class

der Bursch, –en, student (*one who has already spent a year at the university*)

die Bur'schenherrlichkeit, –en, glory of student days

das Bur'schenherz, –en, student's heart

der Bur'schenhut, "e, student's cap

die Bur'schenschaft, –en, student association

die Butter, butter

C

das Café, –s, café

(der) Cel'sius, –, centigrade thermometer

der Charak'ter, –te're, character

chemisch, chemical

(das) Chemnitz, *pr. n.*, *important manufacturing city in Saxony*

der Chine'se, –n, Chinese

Chr., Christo; nach Christo, after Christ, A. D.

der Christ, Christ

der Christ, –en, Christian

die Chri'stenheit, Christendom

das Chri'stentum, Christianity

Christi, *genitive of* Christus, of Christ

christlich, Christian

der Christmarkt, "e, Christmas market

Colonia Agrippina, *Latin pr. n.*, Colony of Agrippa

das Corps, –, student club

D

da, *adv.*, there, here, then, on hand; *conj.*, as, since

dabei', there, at the same time, in that, in doing so, in connection with it; nahe dabei, nearby

das Dach, "er, roof

dachte, *see* denken

da'durch, thereby

dafür', for that, in return

dage'gen, on the other hand

daher', *adv. and sep. pref.*, from there, therefor

dahin', *adv. and sep. pref.*, along, gone; bis dahin, until then

dahin'eilen, ist dahingeeilt, to hasten on

dahin'gleiten, glitt dahin, ist dahingeglitten, to glide along

da'malig, of that time

damals, at that time

die Dame, –n, lady

damit', (*sometimes* da'mit), *adv.*, with it, with that, therewith; *conj.*, in order that

die Däm'merung, twilight

dämpfen, to subdue

der Dampfer, –, steamer

danach' (*sometimes* da'nach), *adv.*, after that, thereupon, accordingly

dane'ben, besides

der Dank, thanks; besten Dank, many thanks

die Dank'barkeit, gratitude

danken (*with dat.*), to thank; danke, thank you; danke sehr, thank you very much; Amerika hat ihm viel zu danken, America owes him much

dann, then

daran' (*sometimes* da'ran), on it

darauf' (*sometimes* da'rauf), on it, on that, thereupon, thereafter

daraus', from it, out of it

darf, *see* dürfen

darin', in that

dar'stellen, to represent

die Dar'stellung, –en, representation

darü'ber, over it, about it, about that

da'rum (*also* darum'), therefor, so

darun'ter, below it, under it

das, *art.*, the; *dem.*, that; *rel.*, which, that; das will ich meinen, I should say so

daß, *conj.*, that, so that

dauern, to last

dauernd, continuous

davon' (*sometimes* da'von), about that, of that, from that, of them

davon'laufen, lief davon, ist davongelaufen, to run away

dazu' (*sometimes* da'zu), for that, in addition

das Deck, –e, deck

die Decke, –n, quilt, ceiling

decken, to cover, set (*the table*)

dein, your, yours, *used with intimate friends*

die Delikatesse, –n, delicatessen, dainty and rich food

das Delikates'sengeschäft, –e, delicatessen shop

dem, *see* der

der Demokrat', –en, democrat

die Demokratie', –n, democracy

demokratisch, democratic

den, *see* der

denen, *dat. pl. of* der, *rel.*

denken, dachte, gedacht, to think; sich denken, to imagine; denken an, to think of

das Denkmal, "er, monument

denn, *conj.,* for; then (*expletive, often not translated*)

den'noch, still, yet, after all

der, die, das, *def. art.,* the; *dem.,* that; *rel.,* who, which, that; von dem, was, of that which

deren, *gen. fem. sing. and gen. pl. of rel. and dem. pron.* der

dergleichen, *indecl.,* the like

derje'nige, diejenige, dasjenige, *dem.,* the one, that one; derjenige, der, the one who

derselbe, dieselbe, dasselbe, *dem.,* the same

derweil, *conj.,* while

des, of that; *see* der, *dem.*

deshalb, for that reason

dessen, whose, of whom; *see* der, *rel.*

das Dessert', –s, dessert

desto, *adv. usually with compar.,* (all) the; je … desto, the … the

deutlich, plain, clear

deutsch, German; auf deutsch, in German; das Deutsch, des Deutschen, German language

deutsch-österreichisch, German-Austrian

(das) Deutschland, Germany

die Deutschnationale Volkspartei, German Nationalist Party

der Dezember, December

di, *dialectical for* dich

der Dialekt', –e, dialect

dich, *see* du

dicht, thick, dense; immediately, right; dicht auf, close on; dicht bei, close to

dichten, to compose, write poetry, make up

der Dichter, –, poet

dich'terisch, poetic

die Dichtkunst, poetry, art of poetry

die Dichtung, –en, poem, poetical composition, poetry

dick, thick, dense

die, *see* der

der Dieb, –e, thief

dieje'nigen, *see* derjenige

dienen (*with dat.*), to serve

der Diener, –, servant, usher

der Dienst, –e, service; zu Diensten stehen, to be at one's service

das Dienstmädchen, –, servant girl, maid

dies, *for* dieses

dieselbe(n), *see* derselbe

dieser, diese, dieses, *dem.,* this, this one

das Ding, –e, thing, matter, question

dir, you, to you; *see* du

direkt', directly

doch, *adv. and conj.*, yet, still, however, just, after all, surely; doch nun, well then; ich denke doch, I surely think so

der Dok'tor, –s, –o'ren, doctor, doctor's degree

der Dollar, –s, (*after numeral*) –, dollar

der Dom, –e, cathedral

die Donau, the Danube River

(das) Donaue'schingen, *pr. n., a small city in South Germany, where two streams unite to form the Danube*

der Donaukanal', "e, Danube Canal

der Donner, thunder

donnern, to thunder

doppelt, double, twofold; um das Doppelte zunehmen, to double

das Dorf, "er, village; auf dem Dorf, in the village

das Dörfchen, –, little village

der Dorf'bewohner, –, villager

dort, there

dorthin', there

der Drache, –n, dragon

der Dra'chenfels, des Drachenfelsen, *lit.,* Dragon's Cliff, *castle on the Rhine, now in ruins*

das Drama, –s, die Dramen, drama

der Drama'tiker, –, dramatist

dramatisch, dramatic

drängen, to press; sich drängen, to push

draußen, outside

drehen, to turn; sich drehen, to whirl

(das) Dresden, *capital of Saxony, famous as an art center; population over 600,000*

drei, three

dreimal, three times

dreißig, thirty

dreißigjährig, of thirty years

dreiunddreißig, thirty-three

dreizehn, thirteen

drinnen, inside, within

dritte, third

drittgrößte, third largest

drüben, yonder

drucken, to print

drücken . . . aus, *see* ausdrücken

drückend, oppressive

drum, *for* darum

der Duft, "e, odor, fragrance

duftend, fragrant

dulden, to tolerate

dumpf, dull, hollow

der Dünger, –, fertilizer

die Düngung, –en, fertilizing (*of the soil*)

das Dunkel, obscurity, darkness, twilight

dunkel, dark

dunkeln, to become dark

der Dunst, "e, haze

durch (*with acc.*), through, by means of, because of, by

durchaus', by all means, thoroughly; durchaus nicht, not at all die Durchfahrt, –en, passageway, thoroughfare

durch'führen, to carry out

der Durch'gangszug, "e, corridor-train

durch'gehen, ging durch, iſt durchgegangen, to go through

durch'machen, to go through

durchs, durch das

der Durchſchnitt, –e, average; im Durchſchnitt, on the average

die Durchſicht, –en, examination

durch'zählen, to count through

durchzie'hen, durchzog, durchzogen, to traverse

Dürer, Albrecht, pr. n., German painter and engraver, born at Nuremberg in 1471, died in 1528

dürfen, durfte, gedurft, er darf, to be permitted or allowed, may; wir dürfen nicht, we must not

der Durſt, thirst

(das) Düſſeldorf, center of industry and art; population, about 430,000

düſter, gloomy, dusky

das Dutzend, –e, dozen

der D=Zug, "e, contraction for Durchgangszug

der D=Zugwagen, –, coach of a corridor-train

E

eben, adv., just, just now; adj., level, flat

die E'bene, –n, plain

e'benfalls, likewise

e'benſo, just so

ebenſowenig, just as little

Ebert, Friedrich, pr. n., the first president of the German Republic

die Ecke, –n, corner

edel, noble

der E'delſtein, –e, precious stone

ehe, conj., before

e'hemalig, former

eher, sooner, rather

die Ehre, –n, honor, fame, glory; ihm zu Ehren, to his honor

ehrwürdig, venerable

ei, ah

das Ei, –er, egg

die Eiche, –n, oak tree

eifrig, eager, enthusiastic

eigen, own, proper, peculiar

die Ei'genart, –en, peculiarity, distinctive feature

ei'genartig, peculiar, particular

ei'gentlich, real, true, proper

das Ei'gentum, "er, property

eigentüm'lich, peculiar

eilen, to hasten, hurry

eilen . . . hinunter, see hinunter=eilen

eilte . . . dahin', see dahineilen

eilte . . . hinaus', see hinauseilen

eilte . . . zu, see zueilen

eilte . . . zurück', see zurückeilen

eilig, hurried

der Eilzug, "e, fast train

der Eil'zugwagen, –, coach of a fast train

ein, eine, ein, indef. art., a, an; num., one; sep. pref., in, into

einander, one another

ein'bringen, brachte ein, eingebracht, to bring in, yield

ein'dringen, drang ein, ist eingedrungen, to penetrate, break in, invade

der Eindruck, "e, impression

einfach, simple, easy, plain, common

die Ein'fachheit, simplicity

der Einfall, "e, attack, invasion

ein'fassen, to en....ce

ein'finden, fa......., eingefunden, sich, to appear, arrive

der Einfluß, –üsse, influence

ein'führen, to introduce, import; wieder einführen, to re-establish

die Ein'führung, –en, introduction

der Eingang, "e, entrance

ein'gefunden, see einfinden

ein'geschlossen, see einschließen

ein'heitlich, unified, uniform

einiges, some; pl., several, a few

die Ei'nigung, –en, unification, union

ein'kehren, ist eingekehrt, to enter, stop at

ein'laden, lud ein, eingeladen, to invite

ein'ladend, enticing, tempting

die Ein'ladung, –en, invitation

ein'leiten, to introduce

einmal, once, some time, just; auf einmal, at once; noch einmal, once more; kommen Sie einmal, do come

ein'nehmen, nahm ein, eingenommen, to take

ein'richten, to arrange, plan, order, organize, furnish

die Ein'richtung, –en, arrangement, device, furniture, organization; staatliche Einrichtung, state institution

eins, one thing

einsam, alone, secluded, lonely

ein'säumen, to border

ein'schlafen, schlief ein, ist eingeschlafen, er schläft ein, to go to sleep

ein'schließen, schloß ein, eingeschlossen, to shut in

einst, once

ein'steigen, stieg ein, ist eingestiegen, to enter, step into, go on board; einsteigen! all aboard

ein'stellen, to put in; den Apparat einstellen, to tune in (of radio)

ein'stimmen, to join in

einstmals, once

ein'teilen, to divide

die Ein'trittskarte, –n, ticket of admission

einundvierzig, forty-one

der Ein'wohner, –, inhabitant

die Ein'wohnerzahl, number of inhabitants

einzeln, single, individual; only

einzig, single, sole

der Einzug, "e, entrance

das Eis, ice

die Ei'senbahn, –en, railroad

die Ei'senbahnkarte, –n, railroad map

der Ei'senbahnzug, "e, railroad train

(das) Ei'senach, *pr. n.*, *a city in central Germany, at the end of the Thuringian Forest*

das Ei'senerz, –e, iron ore

eisern, iron

die Elbe, the Elbe River

(das) Elbing, *pr. n.*, *city on the Baltic*

das Elbtal, valley of the Elbe

der Elbtunnel, tunnel under the Elbe

elektrisch, electric

elf, eleven

der Elf, –en, elf

die Elfe, –n, elf

(die) Eli'sabeth, Elizabeth; die heilige Elisabeth, Saint Elizabeth, *wife of Louis IV of Thuringia*

das Elsaß, Alsace

die Eltern, *pl.*, parents

der Empfang', "e, reception

empfan'gen, empfing, empfangen, er empfängt, to receive

das Empfangszimmer,–, reception room

empfeh'len, empfahl, empfohlen, er empfiehlt, to recommend

empfing', *see* empfangen

empor'steigen, stieg empor, ist emporgestiegen, to ascend, go up, rise

das Ende, –s, –n, end; am Ende (*or* zu Ende) sein, to be through

enden, to end, finish, terminate

endlich, finally, at last

eng, narrow, crowded

der Engel, –, angel

(das) England, England

der Engländer,–, Englishman

englisch, English

entdeck'en, to discover

die Entdeck'ung, –en, discovery

entfer'nen, to take away, remove

entfernt', distant, away

die Entfer'nung, –en, distance

entgeg'nen (*with dat.*), to answer

entge'gengehen, ging entgegen, ist entgegengegangen, to proceed toward

entge'genhalten, hielt entgegen, entgegengehalten, to hold toward

entge'gennehmen, nahm entgegen, entgegengenommen, to receive

enthal'ten, enthielt, enthalten, to contain, have

entkom'men, entkam, ist entkommen, to escape from

entlang' (*after acc.*), along; an (*with dat.*) entlang, along

entlas'sen, entließ, entlassen, to dismiss

entle'gen, out of the way, outlying

entleh'nen, to borrow

entließ', *see* entlassen

entschlie'ßen, sich, entschloß, entschlossen, to resolve

entschul'digen, sich, to excuse oneself, apologize

entschwin'den, entschwand, ist entschwunden, to disappear, vanish

entspre'chen, entsprach, entsprochen, er entspricht (*with dat.*), to correspond to

entspre'chend, corresponding

entspricht', *see* entsprechen

entſprin'gen, entſprang, iſt ent=
ſprungen, to have its source

entſte'hen, entſtand, iſt entſtanden,
to begin, start, originate

enttäu'ſchen, to disillusion, disap-
point

die Enttäu'ſchung,–en, disappoint-
ment

entwe'der, either; entweder . . .
oder, either . . . or

entwi'ckeln, ſich, to develop

die Entwick'lung,–en, development

die Entwicklungszeit, –en, period
of development

entzwei'ſpringen, ſprang entzwei, iſt
entzweigeſprungen, to break (in
two)

er, ſeiner, ihm, ihn; pl., ſie, he

erbau'en, to build, erect

erblei'chen, erblich, iſt erblichen, to
grow pale

erblick'en, to notice, see, catch
sight of, perceive; das Licht der
Welt erblicken, to see the light

die Erbſe, –n, pea

die Erde, earth, ground

das Erdöl, petroleum

der Erdteil, –e, continent

das Ereignis, –iſſe, event

erfahren, erfuhr, erfahren, er erfährt,
to experience, learn

die Erfah'rung, –en, experience

erfin'den, erfand, erfunden, to in-
vent

der Erfin'der, –, inventor

die Erfin'dung, –en, invention

erfolg'reich, successful

erfor'dern, to demand, require

erfreu'en, to gladden, delight

die Erfri'ſchung, –en, refreshment

erfuhr', see erfahren

erfül'len, to fill, fulfil

erfun'den, see erfinden

erge'ben, ſich, to give oneself up,
submit

ergrei'fen, ergriff, ergriffen, to seize

erhal'ten, erhielt, erhalten, er erhält,
to receive, get, secure, preserve;
ſich erhalten, to be preserved

erhe'ben, erhob, erhoben, to raise,
collect; ſich erheben, to rise, get up

erhielt', see erhalten

erhob', see erheben

erho'len, ſich, to recover

die Erho'lung, –en, recreation, rest

erin'nern, to remind; erinnern an,
to remind of; ſich erinnern (with
gen.), to remember

die Erin'nerung, –en, memory

das Erin'nerungsſtück, –e, relic,
souvenir

erkal'ten, iſt erkaltet, to grow cold

erken'nen, erkannte, erkannt, to recognize

erklä'ren, to explain

die Erklä'rung, –en, explanation

erkran'ken, iſt erkrankt, to become
sick

die Erkran'kung, –en, illness

erlan'gen, to obtain, get

erlau'ben, to allow, permit

erle'ben, to experience, live
through

erle'digen, to end, finish, settle;
die Sache war erledigt, the affair
was finished

erleuch'ten, to light up

der Erlkönig, King of the elves

ernäh'ren, to support, feed

die Ernäh'rung, feeding, suste-
nance

ernen'nen, ernannte, ernannt, to
appoint

erneu'en, sich, to be renewed

ernst, earnest, serious

der Ernst, earnestness

die Ernte, –n, harvest

ernten, to harvest

der Ero'berer, –, conqueror

errei'chen, to reach, attain

die Erret'tung, –en, rescue

errich'ten, to erect, raise, build,
put up

erschei'nen, erschien, ist erschienen, to
appear

erschie'ßen, erschoß, erschossen, to
shoot dead

erst, adj., first; adv., not till, only,
first; erst am zweiten November,
not before November 2nd; erst
in einigen Wochen, only after a
few weeks

erste'hen, erstand, ist erstanden, to
rise

erstgenannt, first mentioned

ertö'nen, to sound, resound, ring

erwa'chen, ist erwacht, to wake up

erwäh'nen, to mention

erwar'ten, to await, expect

die Erwar'tung, –en, expectation

erwar'tungsvoll, expectant, full
of expectation

erwer'ben, erwarb, erworben, er
erwirbt, to gain

erwi'dern, to answer

erwor'ben, see erwerben

das Erz, –e, ore, metal

erzäh'len, to tell, relate; weiter erzählen, to go on (with the story)

die Erzäh'lung, –en, story

der Erzbischof, "e, archbishop

das Erzeug'nis, –isse, product

das Erzgebirge, mountain chain on
the border between Germany and
Czecho-Slovakia

die Erzgewinnung, ore production

die Erziehung, –en, education,
instruction

das Erziehungswesen, educational
system, pedagogy

es, seiner, ihm, es, pl., sie, it

essen, aß, gegessen, er ißt, to eat;
das Essen, meal, lunch, food

(das) Essen, city in Germany famous for its great steel and iron
works

das Eß'zimmer, –, dining room

etwa, about, approximately

etwas, something, somewhat,
some; etwas über, a little more
than

euch, dat. and acc. pl. of ihr, you,
to you

die Eule, –n, owl

(das) Europa, Europe

europäisch, European

ewig, adj., eternal, everlasting;
adv., always

das Exa'men, –, examination; ein
Examen machen, to take an
examination

F

die Fabrik', –en, factory, works

die Fackel, –n, torch

die Fähigkeit, –en, talent, gift, faculty

die Fahne, –n, flag

fahren, fuhr, ist gefahren, er fährt, to ride, travel, move, drive, stroll

fahren ... fort, see fortfahren

der Fahrenheit, –, *Fahrenheit thermometer scale, commonly used in the United States and in England*

die Fahrkarte, –n, ticket

der Fahrkartenschalter, –, ticket window

die Fahrstraße, –n, thoroughfare

die Fahrt, –en, trip, ride, progress; in schneller Fahrt, speedily

die Fakultät', –en, faculty, college; Philosophische Fakultät, Graduate College of Arts and Sciences

der Fall, "e, case

fallen, fiel, ist gefallen, er fällt, to fall; das fällt mir gar so schwer, that is so hard to bear

fällt ... ab, see abfallen

die Falltür, –en, trap door

falsch, wrong

die Fami'lie, –n, family

der Familienkreis, –e, family circle

fand, see finden

fand statt, see stattfinden

fändest, *impf. subj. of* finden

fängt ... an, see anfangen

die Farbe, –n, color

farbig, colored, many-colored, variegated

die Farm, –en, farm

fast, almost

das Faß, Fässer, barrel

faßten ... ein, see einfassen

(der) Faust, *German magician about whom many legends and fables are told; the name of Goethe's most famous work*

die Feder, –n, feather; aus den Federn, out of bed

das Federbett, –es, –en, feather bed

die Fee, –n, fairy

fehlen, to be lacking

feierlich, solemn, festive

feiern, to celebrate

fein, fine, splendid

der Feind, –e, enemy

das Feld, –er, field

der Feldmarschall, "e, field marshal

der Felsen, –, rock, cliff

das Felsengestein, –e, rocky boulder

der Felsenriff, –e, rocky reef

felsig, stony, rocky

die Felswand, "e, rocky wall

das Fenster, –, window

der Fensterplatz, "e, place by a window

der Fenstervorhang, "e, window curtain *or* shade

die Ferien, *pl.*, vacation

fern, far, distant, far away

die Ferne, –n, distance

der Fernzug, "e, through train

die Ferse, –n, heel

fertig, ready, finished; fertig ma=
chen, to get ready, prepare

fest, firm, fixed, fortified

das Fest, –e, festival

das Festland, "er, continent

fest'legen, to fix

festlich, festive

der Festtag, –e, festival day

die Festung, en, fortress

feucht, moist, damp

das Feuer, –, fire

die Feuerwehr, –en, fire depart-
ment

das Fichtelgebirge, *group of mountains in southern Germany*

fiel, see fallen

die Figur', –en, figure

finden, fand, gefunden, to find; sich
finden, to be found

findet . . . statt, see stattfinden

fingen . . . an, see anfangen

finster, dark, gloomy

der Fisch, –e, fish

der Fischer, –, fisherman

das Fischerdorf, "er, fishermen's
village

die Fischerei', fishing

der Fischerknabe, –n, fisher-boy

die Fläche, –n, plain

der Flachs, flax

die Flasche, –n, bottle

der Flaus, –e, student jacket

das Fleisch, meat

fleißig, industrious, busy

flicken, to patch

fliegen, flog, ist geflogen, to fly;
geflogen kommen, to come flying

der Flieger, –, flyer

fliehen, floh, ist geflohen, to flee

das Flittergold, tinsel

fließen, floß, ist geflossen, to flow

fließend, fluently

flog, see fliegen

(das) Florenz', Florence, *Italian
city famous as an art center*

floß, see fließen

das Floß, "e, raft, float

der Flug, "e, flight

der Flughafen, ", airport, aero-
drome

das Flugzeug, –e, flying machine,
aeroplane

der Fluß, Flüsse, river

fluten, to flow, stream

folgen, ist gefolgt (*with dat.*), to
follow; einer Einladung folgen,
to accept an invitation; folgen=
des, the following

fordern, to exact

fördern, to advance, further, promote, foster

die Form, –en, form, shape

die Forstwirtschaft, forestry

fort, *adv. and sep. pref.*, away,
along

fort'bewegen, to propel

die Fortbildungsschule, advanced
training school

fort'fahren, fuhr fort, fortgefahren,
er fährt fort, to continue

der Fortschritt, –e, progress, advance

fort'setzen, to continue

fort'stoßen, stieß fort, fortgestoßen,
er stößt fort, to push along

fort'ziehen, zog fort, fortgezogen, to draw away

die Frage, –n, question

fragen, to ask; **fragen nach,** to ask about, inquire concerning; **fragen um,** to ask for; **fragend ansehen,** to look at inquiringly; **das Fragen,** questioning

der Frager, –, questioner

der Franke, –n, Frank, Franconian

(das) Frankfurt am Main, *city on the Main River, 24 miles from its confluence with the Rhine*

(das) Frankreich, France

französisch, French

Franz Joseph, *pr. n., born 1830, Emperor of Austria 1848-1916*

die Frau, –en, lady, Mrs., married woman

die Frauenkirche, Church of Our Lady

Frauenlob, *lit.,* Praise of Woman, *pr. n., name of a steamer*

das Fräulein, –, young lady, Miss

frei, free, open; **das Freie,** outside; **im Freien,** in the open; **ins Freie,** to the outside

(das) Freiburg, *pr. n., university city in Baden*

die Freiheit, –en, freedom

die Freiheitsstatue, Statue of Liberty

frei'lassen, ließ frei, freigelassen, er läßt frei, to release

freilich, to be sure, certainly

der Freistaat, –es, –en, free state

fremd, foreign, strange; **die Fremden,** strangers

der Fremdenverkehr, tourist traffic

fressen, fraß, gefressen, er frißt, to eat (*said of animals*), devour

die Freude, –n, joy, happiness; **Freude an etwas haben,** to enjoy something

freudig, happy

freuen, sich, to be glad, rejoice, be happy

der Freund, –e, friend

freundlich, friendly, pleasant, amiable, inviting, kind

die Freundlichkeit, –en, kindness, courtesy

die Freundschaft, –en, friendship

der Friedensengel, Angel of Peace, *statue on the Siegessäule in Berlin*

friedlich, peaceful

Friedrich der Große, Frederick the Great, *born 1712, King of Prussia 1740-1786*

Friedrich der Sechste, Frederick the Sixth, *lived 1372 to 1440; as elector of Brandenburg known as Friedrich der Erste*

Friedrich Wilhelm der Erste, *pr. n., King of Prussia, reigned from 1713 to 1740*

die Friedrichstraße, Frederick Street, *in Berlin*

frisch, fresh, new, alert; **frisch und munter,** hale and hearty

Fritz, *pr. n.,* Fred

Froebel, Friedrich, *pr. n., 1782-1852, founder of the first kindergarten*

froh, happy, glad

fröhlich, happy, cheerful, joyful, merry

fromm, pious

die Frömmigkeit, –en, piety

die Front, –en, front

die Frucht, "e, fruit

fruchtbar, fertile, fruitful

die Fruchtbarkeit, fertility

früh, early; morgen früh, tomorrow morning

früher, *adj. and adv.*, former; formerly, before

der Frühling, –e, spring (*season*)

das Frühstück, –e, breakfast

der Fuchs, "e, fox, *appellation used for a member of a student club in his first semester*

der Fuchsmajor, –e, senior student, *supervisor of first year fraternity members*

fügte . . . hinzu, see hinzufügen

fühlen, sich, to feel

fuhr, see fahren

fuhr . . . fort, see fortfahren

führen, to lead, conduct, show into, keep; führend, leading

führen . . . auf, see aufführen

fuhren . . . vorbei, see vorbeifahren

der Führer, –, guide, chauffeur

führte . . . hinauf, see hinaufführen

führte . . . vorbei, see vorbeiführen

die Führung, –en, guidance, leadership

die Fülle, abundance, profusion

füllen, to fill

fünf, five

fünfmal, five times

fünfte, fifth

fünfundachtzig, eighty-five

fünfundzwanzig, twenty-five

fünfzehn, fifteen

fünfzehnte, fifteenth

fünfzig, fifty

fünfzigtausend, fifty thousand

funkeln, to twinkle, sparkle

für, *prep. with acc.*, for

furchen, to furrow

die Furcht, fear

furchtbar, terrible

fürchten, sich, to be afraid (of, vor with dat.)

fürchterlich, frightful, horrible

der Fürst, –en, prince; die Fürsten, royalty

die Furt, –en, ford; der Franken Furt, Ford of the Franks

der Fuß, "e, foot; zu Fuß, on foot; zu Fuß gehen, to walk

das Fußballspiel, –e, football game, football

der Fußballsport, football

der Fußballverband, "e, football association

das Fußball-Wettspiel, –e, football match

der Fußboden, ", floor

die Fußwanderung, –en, journey on foot

der Fußweg, –e, footpath

das Futter, fodder

füttern, to feed

die Futterpflanze, –n, fodder

G

gab, see geben

gab . . . nach, see nachgeben

die Galerie, –n, gallery

galt, *see* gelten

der Gang, "e, corridor, aisle, path, motion; im Gange sein, to be in progress, take place, be going on; in Gang halten, to keep going; in Gang setzen, to put in motion

die Gans, "e, goose

das Gänsemännchen, –, goose man

ganz, entire, whole, altogether, quite; ganz gut, very well; ganz oben, at the very top

gar, entirely, very; gar nicht, not at all

die Garnisonkirche, *lit.*, Church of the Garrison, *at Potsdam*

der Garten, ", garden

das Gartenhaus, "er, garden house

die Gasse, –n, lane, narrow street

der Gast, "e, guest

die Gastfreundschaft, –en, hospitality

das Gasthaus, "er, inn

das Gastzimmer, –, guest room

der Gau, –e, division

gebacken, *see* backen

gebären, gebar, geboren, to bear, bring forth; geboren werden, to be born

das Gebäude, –, building

geben, gab, gegeben, er gibt, to give, accord, grant; es gibt, there is (are); die gibt es nicht, there are none

geben . . . an, *see* angeben

das Gebet, –e, prayer

gebeten, *see* bitten

das Gebiet, –e, territory, field, line

gebieten, gebot, geboten, to command

das Gebirge, –, mountain, mountain range

gebirgig, mountainous

geblieben, *see* bleiben

geboren, *see* gebären

geboten, *see* bieten

gebracht, *see* bringen

der Gebrauch, "e, use

gebrauchen, to use

gebrochen, *see* brechen

gebunden, *see* binden

die Geburt, –en, birth

der Geburtstag, –e, birthday

das Gebüsch, –e, bush, thicket

der Gedanke, –ns, –n, thought, idea

die Gedenktafel, –n, memorial tablet

das Gedicht, –e, poem

geehrt, esteemed; Geehrter Herr, Dear Sir

die Gefahr, –en, danger

gefährlich, dangerous

der Gefährte, –n, companion

gefallen, gefiel, gefallen, er gefällt (*with dat.*), to please; die Bilder gefielen mir, I liked the pictures

gefangen, captured; gefangen nehmen, to take prisoner; der Gefangene, –n, prisoner

geflogen, *see* fliegen

das Gefolge, –, retinue

gefressen, *see* fressen

gefrie'ren, gefror, iſt gefroren, to
freeze

gefun'den, *see* finden

gegen, *prep. with acc.*, against,
toward

die Gegend, –en, region, section

der Gegenſtand, "e, object

das Gegenteil, –e, opposite; im
Gegenteil, on the contrary

gegenüber, *prep. with dat., sometimes following its noun*, opposite

die Gegenwart, present, presence

gegenwärtig, *adj.*, present; *adv.*,
at present

gegeſ'ſen, *see* eſſen

der Gegner, –, opponent

gehabt', *see* haben

gehal'ten, *see* halten

geheim', secret

geheim'halten, hielt geheim, geheim=
gehalten, to keep secret

das Geheim'nis, –iſſe, secret

geheim'nisvoll, mysterious

das Geheiß', command

gehen, ging, iſt gegangen, to go;
hoch gehen, to run high; ſchlafen
gehen, to go to bed; gehen um,
to involve; wie geht es ihm?
how is he?; mir geht es ſehr gut,
I am very well

gehol'fen, *see* helfen

gehö'ren (*with dat.*), to belong to;
gehören zu, to be among

geht . . . aus, *see* ausgehen

geht . . . zurück, *see* zurückgehen

die Geige, –n, violin

der Geiſt, –er, spirit, mind

geiſtig, intellectual

das Geklap'per, rattling

das Gelän'der, –, railing, balus-
trade

gelang', *see* gelingen

gelan'gen, iſt gelangt, to arrive,
come; nach — gelangen, to reach;
gelangen auf, to get up to, reach

gelb, yellow

das Geld, –er, money

das Geldſtück, –e, coin

gele'gen, situated; *see* liegen

die Gele'genheit, –en, opportunity,
occasion

gele'gentlich, occasionally

gele'ſen, *see* leſen

gelin'gen, gelang, iſt gelungen, *im-
pers. with dat.*, to succeed; es
gelingt ihm, he succeeds

gelo'ben, to vow

gelten, galt, gegolten, er gilt, to be
for, be intended for; be in
force, obtain

die Geltung, value, acceptation

das Gemäl'de, –, painting

die Gemäldeſammlung, –en, collection of paintings

gemein'ſam, common, in common,
together

das Gemü'ſe, –, vegetables

gemüt'lich, comfortable, cozy,
pleasant, kindly, leisurely

die Gemüt'lichkeit, sociability, good
nature, kind disposition

das Gemüts'leben, inner life

genannt', *see* nennen

genau', exactly, precisely

der General', "e, general

genie'ßen, genoß, genoffen, to enjoy

genug', enough

genü'gen, to suffice, be enough

genü'gend, enough

die Geographie', –n, geography

die Geologie', geology

das Gepäck', –e, baggage

gera'de, straight; exactly, precisely, just; gerade unter uns, right under us; wenn gerade, just when

das Gerät', –e, utensil

geräu'mig, roomy, spacious

das Geräufch', –e, noise

geräufch'voll, noisy

die Gerech'tigkeit, justice

gerei'chen, to turn out, rebound to; so zur Ehre gereichen, to bring so much glory

das Gericht', –e, court of justice

gering', humble, insignificant, little, small

der Germa'ne, –n, Teuton

(die) Germa'nia, pr. n., a womanly figure symbolic of Germany

germa'nifch, Germanic

gern(e), gladly, with pleasure; fehr gern, with much pleasure; gern haben, to like; hören Sie gern, do you like to hear?

die Gerfte, barley

der Gefang', "e, song, singing

das Gefang'buch, "er, hymn book

das Gefchäft', –e, business, business house

gefchäf'tig, busy

gefchäft'lich, commercial

das Gefchäfts'haus, "er, business house

der Gefchäfts'mann, –leute, business man, tradesman

die Gefchäfts'ftraße, –n, business street

das Gefchäfts'unternehmen, –, business enterprise

das Gefchäfts'viertel, –, business quarter

gefche'hen, gefchah, ift gefchehen, es gefchieht, to happen

das Gefchenk', –e, present, gift

die Gefchich'te, –n, story, history

gefchicht'lich, historical

der Gefchicht'fchreiber, –, historian

das Gefchick', skill

gefchickt', ingenious

gefchieht', see gefchehen

gefchla'fen, see fchlafen

gefchlof'fen, see fchließen

gefchlun'gen, see fchlingen

der Gefchmack', "e, taste; über den Gefchmack läßt fich nicht ftreiten, there is no accounting for taste

das Gefchmei'de, –, jewelry, ornaments

gefchrieben, see fchreiben

der Gefel'le, –n, companion, fellow

gefel'lig, sociable

die Gefel'ligkeit, sociability

die Gefell'fchaft, –en, company, society

das Gefetz', –e, law

das Geficht', –er, face

das Gefpräch', –e, conversation, discussion

gefprochen, see fprechen

die Gestalt', –en, form, figure

gestan'den, see stehen

gestat'ten, to allow, permit

gestern, yesterday

das Gesuch', –e, request, petition

gesund', healthy, sound, wholesome, healthful

gesungen, see singen

(der) Geßler, pr. n.

getan, see tun

das Getränk', –e, drink, beverage

das Getrei'de, –, grain

getrennt', separate; see trennen

getreu'lich, faithfully

getrie'ben, see treiben

getrof'fen, see treffen

getrun'ken, see trinken

gewach'sen, see wachsen

die Gewalt', might; Gewalt geht
vor Recht, might makes right

gewal'tig, mighty, powerful, colossal, enormous

gewalt'tätig, violent, brutal

das Gewand'haus, "er, cloth sel-
lers' house, Cloth-Hall

gewann', see gewinnen

gewen'det, see wenden

das Gewer'be, –, craft

das Gewicht', –e, weight, importance

gewin'nen, gewann, gewonnen, to
win, gain

gewiß', certain; surely

das Gewit'ter, –, storm

gewöh'nen, sich, to accustom oneself

gewoh'net, for gewohnt, see wohnen

gewöhn'lich, usually

gewöhnt', accustomed, familiar

gewon'nen, see gewinnen

gewor'den, see werden

gewun'den, winding

gezo'gen, see ziehen

gibt, see geben

der Giebel, –, gable

gigan'tisch, gigantic

gilt, see gelten

ging, see gehen

ging . . . auf, see aufgehen

ging . . . entgegen, see entgegen-
gehen

ging . . . hinauf, see hinaufgehen

ging . . . hinaus, see hinausgehen

ging . . . hinein, see hineingehen

ging . . . hinunter, see hinunter-
gehen

ging . . . spazieren, see spazieren-
gehen

ging . . . vorüber, see vorübergehen

ging . . . weiter, see weitergehen

ging . . . zurück, see zurückgehen

der Gipfel, –, top

der Glanz, luster, magnificence

glänzen, to shine, beam

das Glas, "er, glass

die Glasfabrik, –en, glass factory

(das) Glashütte, pr. n., a small
town near Dresden, famous for
its clocks and watches

glatt, smooth

der Glaube, des Glaubens, faith,
belief

glauben (with dat.), to believe;
glauben an (with acc.), to believe in

gleich, *adj.,* same, equal, equivalent, like; *adv.,* immediately, directly, at once; gleich'kommen, to equal; zu gleicher Zeit, at the same time

gleichen, glich, geglichen *(with dat.),* to resemble

gleichfalls, likewise

gleichnamig, of the same name

gleiten, glitt, ist geglitten, to glide, pass

der Gletscher, –, glacier

glichen, *see* gleichen

glitt, *see* gleiten

glitt ... dahin, *see* dahingleiten

glitt ... hinunter, *see* hinuntergleiten

glitt ... vorbei, *see* vorbeigleiten

glitzern, to gleam, glitter

die Glocke, –n, bell

das Glück, good fortune, luck

glücklich, happy, safe; der Glückliche, –n, the fortunate one

glücklicherweise, fortunately

glühen, to glow

gnadenbringend, bestowing grace, abounding in grace

gnädig, gracious; gnädige Frau, Madam, *polite phrase in society*

(das) Goarshausen, *a little town on the Rhine*

Goethe, Johann Wolfgang von, *pr. n., the greatest of German poets*

das Gold, gold

golden, golden

das Goldstück, –e, gold coin

(das) Goslar, *pr. n., a city in the* Harz Mountains, *one of the oldest silver mining centers in Germany*

gotisch, Gothic

der Gott, "er, God; Gott sei Dank, thank Heaven

der Gottesdienst, –e, church service, divine service

die Göttin, –nen, goddess

(das) Göttingen, *pr. n., a noted university town in Prussia*

göttlich, divine

das Grab, "er, grave, tomb

der Graben, ", ditch

der Grad, –e, degree

grad', *for* gerade

der Graf, –en, count; der Graf Zeppelin, *pr. n.,* German dirigible, *named in honor of its inventor*

die Gramma'tik, –en, grammar

das Gras, "er, grass

grau, gray

grausam, cruel

greis, aged

grell, glaring

die Grenze, –n, boundary

grenzen, to border

der Grieche, –n, Greek

griechisch, Greek

die Grille, –n, cricket

Grillparzer, Franz (*1791-1872*), *one of the greatest dramatic poets of Austria*

grinsen, to grin; das Grinsen, grinning

die Grobheit, –en, bluntness

groß (*compar.*, größer; *superl.*,
größt), great, large, tall; im
großen und ganzen, on the whole;
groß werden, to grow up

großartig, splendid, grand

die Größe, -n, size

die Großstadt, "e, large city

der Großstädter, -, inhabitant of
a large city

die Gruft, "e, vault

grün, green; das Grün, green
color

der Grund, "e, foundation, reason,
background, valley, dale, glen

gründen, to found

der Gründer, -, founder

die Grundlage, -n, basis

gründlich, thorough, profound

der Grundsatz, "e, fundamental
principle, rule

die Gründung, -en, founding

grünen, to become green, flourish

grüngoldig, green golden

die Gruppe, -n, group

der Gruß, "e, greeting

grüßen, to greet, salute; grüßen
lassen, to send greetings; grüß
di Gott, *lit.*, God greet you,
salutation in South Germany

das Gummi, rubber

günstig, favorable

die Gurke, -n, cucumber

der Gürtel, -, girdle

gut (*compar.*, besser; *superl.*, best),
adj., good; *adv.*, well, all right;
gut sein (*with dat.*), to love, be
fond of, like; gut tun, to do

good; es ist nur gut, it is fortunate

das Gut, "er, product, goods,
estate

Gutenberg, Johannes, *pr. n.*,
(*about 1400-1468*) *inventor of
printing with movable types*

das Gymnasium, -sien, classical
high school, *corresponding approximately to the American
high school and half of college*

H

das Haar, -e, hair

haben, hatte, gehabt, to have

der Habsburger, -, member of the
Hapsburg Family, *former imperial house of Austria-Hungary*

die Hackfrucht, "e, vegetables
(*which require hoeing*)

der Hafen, Häfen, harbor

die Hafenstadt, "e, seaport

der Hafer, oats

der Haferbrei, oatmeal

Hagenbeck, Karl, *pr. n.*, (*1844-
1913*) *founder of the famous zoo
at Stellingen, near Hamburg*

haha, *interj.*, ha, ha

der Hahn, "e, rooster; ein halber
Hahn, *colloquial*, cheese sandwich

halb, half

der Halbkreis, -e, semicircle

half, *see* helfen

die Halle, -n, lobby

(das) Halle, *pr. n.*, *a university
city and industrial center in
Prussia*

das Halleluja, hallelujah

hallen, to sound, resound

hallo', hello

der Hals, "e, neck

der Halt, –e, stop, halt; Halt ge= bieten, to command to stop

hält ... an, see anhalten

halte ... auf, see aufhalten

halten, hielt, gehalten, er hält, to keep, hold, maintain, stop; Rede halten, to make a speech; Wort halten, to keep a promise

halt'machen, to stop

(das) Hamburg, pr. n., second largest city in Germany

Hamburger, indecl. adj., of or per- taining to Hamburg

der Hamburger, –, inhabitant of Hamburg

die Hand, "e, hand; zur Hand neh= men, to pick up

der Handarbeitssaal, –säle, manual training room

die Handbewegung, –en, motion of the hand

der Händedruck, handshaking

der Handel, trade

handeln, to act, trade

der Handelsplatz, "e, commercial center

die Handelsstadt, "e, commercial city

die Handelsstraße, –n, trade route

die Handlung, –en, action, plot

die Handschrift, –en, manuscript

der Handwerker, –, artisan, work- man

der Hang, "e, slope

hängen, hing, gehangen, to hang, be suspended

hängen, to hang, transitive mean- ing

hängt ... ab, see abhängen

hängt ... zusammen, see zusam= menhängen

die Hansastadt, "e, city belonging to the Hanseatic League

hart, hard

der Harz, Harz Mountains, the northernmost mountain range of Germany

die Harzreise, –n, journey in the Harz

hatte, see haben

Hatto, pr. n., name of two arch- bishops of Mainz

die Haube, –n, woman's hood

häufig, often, frequent

das Haupt, "er, head

der Hauptarm, –e, main arm

die Hauptmahlzeit, –en, main meal

Hauptmann, Gerhart, pr. n., noted German dramatist

der Hauptplatz, "e, center, princi- pal place

die Hauptrolle, –n, main part

die Hauptsache, –n, main thing

hauptsächlich, principally, chiefly

der Hauptsitz, –e, chief center

die Hauptstadt, "e, capital

der Hauptunterschied, –e, main dif- ference

das Haus, "er, house, building; nach Hause, (to) home; zu Hause, at home

das Häuschen, –, little house

hauſen, to live, dwell, reside

das Häuſermeer, –e, sea of houses

die Haustür, –en, door of the house

die Havel, Havel River

Haydn, Franz Joſeph, *pr. n.*, *Austrian musical composer*

Hebbel, Friedrich, *pr. n.*, *German dramatist*

heben, hob, gehoben, to lift

der Hecht, –e, pike

das Heer, –e, army

heftig, violent

der Heide, –n, heathen

die Heide, –n, heath

(das) Heidelberg, *pr. n.*, *university town on the Neckar*

Heiden, *old inflectional form for* Heide

das Heidenröslein, –, little rose of the heath

heidniſch, heathen

das Heilbad, "er, mineral spring, spa

heilig, holy, sacred; das Heilige Römiſche Reich, the Holy Roman Empire

heiligen, to sanctify

heilkräftig, healing, curative

die Heilquelle, –n, mineral spring

die Heilung, –en, cure

das Heim, –e, home

die Heimat, –en, home, homeland

der Heimathafen, –häfen, home port

das Heimatland, "er, native land

die Heimfahrt, –en, trip home

heim'kehren, iſt heimgekehrt, to return home

heimlich, secretly, stealthily

die Heimreiſe, –n, trip home

Heine, Heinrich, *pr. n.*, *German poet*

Heinrich, Henry

Heinrich der Löwe, Henry the Lion (*1129-1195*), *Duke of Saxony and Bavaria, colonizer of Northern Germany down to the Elbe*

heiraten, to marry

heiß, hot

heißen, hieß, geheißen, to bid, call; be called; ich heiße, my name is; das heißt, that is (to say); willkommen heißen, to welcome

der Held, –en, hero

der Heldengeſang, "e, heroic lay, epic poem

helfen, half, geholfen, er hilft, to help, avail

helfen . . . mit, *see* mithelfen

hell, bright

hemmen, to check

der Henkerſteg, *lit.*, Hangman's Bridge, *an old bridge in Nuremberg*

her, *sep. pref.*, hither, here (*toward the speaker*)

herab'blicken, to look down

herab'reichen, to reach down

herab'ſtürzen, ſich, to hurl oneself down

herab'ziehen, ſich, zog herab, herab=gezogen, to extend down

heran'winken, to motion to come, summon, call

herauf'bringen, brachte herauf, heraufgebracht, to bring up

herbei'kommen, kam herbei, ist herbeigekommen, to come here, gather

der Herbst, –e, fall

herbstlich, autumnal

der Herbsttag, –e, autumn day

herein'kommen, kam herein, ist hereingekommen, to come in

herein'scheinen, schien herein, hereingeschienen, to shine in

herein'stampfen, ist hereingestampft, to come in stamping

her'kommen, kam her, ist hergekommen, to come here

die Herkunft, "e, origin

der Herr, des Herrn, die Herren, Mr., gentleman, lord; mein Herr, Sir

herrlich, magnificent, glorious

die Herrlichkeit, –en, glory

herrschen, to rule, prevail

der Herrscher, –, ruler

her'stellen, to make, prepare, manufacture

die Her'stellung, –en, manufacture, making

herü'berklingen, klang herüber, herübergeklungen, to sound across

herum', sep. pref., around, about

herum'laufen, lief herum, ist herumgelaufen, to run around

hervor'ragen, to stand out

hervor'rufen, rief hervor, hervorgerufen, to call forth, cause

hervor'schauen, to look out

das Herz, –ens, –en, heart

der Herzschlag, "e, heart throb

herzlich, cordial

der Herzog, "e, duke; der Herzog von Reichstatt, the Duke of Reichstatt, *title of the son of Napoleon*

der Hesse, –n, Hessian

das Heu, hay

heulen, to howl

heute, today; heute abend, this evening, tonight; heute morgen, this morning

heutig, of today, present

die Hexe, –n, witch

der Hieb, –e, blow

hielt, see halten

hielt... entgegen, *see* entgegenhalten

hielt ... geheim, *see* geheimhalten

hier, here; hier und da, here and there

hierher', *sep. pref.*, hither, here

hieß, *see* heißen

(das) Hildesheim, *pr. n., an old picturesque city in Prussia*

die Hilfe, –n, help; zu Hilfe kommen, to come to the rescue

der Himmel, –, sky, heaven

das Himmelreich, *lit.*, Kingdom of Heaven, *name of a station in the Black Forest*

himmlisch, heavenly

hin, *adv. and sep. pref., indicating motion away from the speaker*, away, on, gone, down; hin und wieder, here and there; weiter hin, farther along

hinab'schauen, to look down

hinab'steigen, stieg hinab, ist hinab=
gestiegen, to step down, descend

hinab'stürzen, sich, to hurl oneself
down

hinab'werfen, warf hinab, hinabge=
worfen, to throw down

hinauf'führen, to lead up

hinauf'gehen, ging hinauf, ist hin=
aufgegangen; es ging hinauf, they
went up

hinauf'schauen, to look up

hinauf'sehen, sah hinauf, hinaufge=
sehen, to look up

hinauf'steigen, stieg hinauf, ist hin=
aufgestiegen, to ascend, go up

hinauf'streben, to strive upward

hinaus'eilen, ist hinausgeeilt, to
hurry out

hinaus'gehen, ging hinaus, ist hin=
ausgegangen, to go out

hinaus'reisen, ist hinausgereist, to
travel forth

hinaus'senden, sandte hinaus, hin=
ausgesandt, to send forth

hinaus'treten, trat hinaus, ist hin=
ausgetreten, to step out

Hindenburg, Paul von, German
Field-Marshal and second President of the German Republic

hindern, to hinder

hinein'gehen, ging hinein, ist hinein=
gegangen, to enter

hing, see hängen

die Hinsicht, –en, respect

hinter, back, rear

der Hintergrund, "e, background

hinterlas'sen, hinterließ, hinterlas=
sen, to leave

hinun'ter, sep. pref., down

hinun'tereilen, ist hinuntergeeilt, to
hurry down

hinun'terfahren, fuhr hinunter, ist
hinuntergefahren, to sail down

hinun'tergehen, ging hinunter, ist
hinuntergegangen, to go down

hinun'tergleiten, glitt hinunter, ist
hinuntergeglitten, to glide down

hinun'terlaufen, lief hinunter, ist
hinuntergelaufen, to run down

hinun'terrollen, ist hinuntergerollt,
to roll down

himweg'führen, to lead away

hin'ziehen, zog hin, ist hingezogen,
to move along, pass

hinzu'fügen, to add

der Hirsch, –e, stag, hart

die Hirschgasse, pr. n., lit., Stag
Street, a promenade in Heidelberg

die Hirschkuh, "e, hind, female
hart

der Hirt, –en, herder, shepherd

histo'risch, historic

die Hitze, heat; in Hitze kommen,
to become excited

hoch (hoher, hohe, hohes; compar.,
höher; superl., höchst), high

die Hochbahn, –en, elevated railway; die Hoch= und Untergrund=
bahn, elevated and subway

hochdeutsch, High German; das
Hochdeutsch, des Hochdeutschen,
High German

hochheilig, most holy

die Hochschule, -n, university
höchst, see hoch
der Hof, "e, court, yard, farmyard
die Hofburg, pr. n., lit., Castle of the Court, *former Imperial Palace in Vienna*
hoffen, to hope; hoffen auf, to hope for
hoffentlich, it is to be hoped
die Hoffnung, -en, hope
höflich, polite
hoh-, see hoch
die Höhe, -n, height, summit; in die Höhe gehen, to go up
die Höhenluft, mountain air
der Hohenzoller, -n, *pr. n., a member of the princely family from which came the kings of Prussia from 1701 to 1918*
der Höhepunkt, -e, climax, peak
die Höhle, -n, cave
der Hohn, scorn, disdain
hold, lovely, charming
holen, to take, fetch
holen . . . ab, see abholen
(das) Holland, Holland
das Höllental, *lit.*, Hell Valley, *a beautiful region in the Black Forest*
das Holz, "er, wood
hölzern, wooden, awkward
die Holzware, -n, wooden article
der Honigkuchen, -, honey cake *or* cooky
hören, to hear; von sich hören lassen, to let people know about oneself
hören . . . auf, see aufhören

hören . . . zu, see zuhören
der Horizont', -e, horizon
der Hörsaal, -säle, lecture room
das Hotel', -s, hotel
hübsch, pretty, fine
der Hügel, -, hill
die Hülsenfrucht, "e, legume
der Humanis'mus, humanism
der Humor', humor
der Hund, -e, dog
das Hundert, -e, hundred
das Hunderttausend, -e, hundred thousand
der Hunger, hunger
hungrig, hungry
der Hut, "e, hat
hüten, to herd

J

i', *colloquial for* ich
ich, meiner, mir, mich; *pl.*, wir, I; ich bin es, it is I
ideal', ideal
ihm, *dat.*, him, to him; *see* er
ihn, *acc.*, him; *see* er
ihnen, *dat.*, them, to them; *see* sie
Ihnen, *dat.*, you, to you; *see* Sie
ihr, her, their; (*pl. of* du), you
Ihr, your
im, in dem
der Imbiß, Imbisse, light lunch
immer, always, continually; immer dichter, closer and closer; immer mehr, more and more; immer wieder, again and again; immer und immer wieder, again and again
immerhin, after all, yet

in, *with dat. or acc.*, in, into, during, at

indem, *conj.*, as

der Indiahafen, India harbor

die Industrie′, –n, industry

der Industriebezirk′, –e, factory district

das Industriegebiet′, –e, industrial region

der Industriestaat, –es, –en, industrial state

die Industriestadt, ″e, industrial city

inmitten, *prep. with gen.*, in the midst of

die Innenstadt, inner city, central part of city

inner, inner, interior; das Innere, inside, interior

ins, in das

die Insel, –n, island

das Instrument′, –e, instrument

interessant′, interesting

das Interes′se, –s, –n, interest

interessie′ren, to interest; sich interessieren für, to be interested in

international′, international

inzwischen, in the meantime

irgend, *indef.*, any, any at all; irgend etwas, something, anything at all; irgend welcher, any

ir′gendein, any (one), some (one)

ir′gendwo, somewhere, anywhere

die Isar, the Isar River, *in southern Germany*

ißt, *see* essen

ist, *see* sein

(das) Ita′lien, Italy

J

ja, yes, of course

das Ja, aye

die Ja-tür, aye door

die Jagd, –en, hunting

jagen, to pursue, hunt, follow

der Jäger, –, hunter

Jahn, Friedrich Ludwig, *pr. n.*, (*1778-1852*) *founded a gymnastic society at Berlin in 1811*

das Jahr, –e, year

das Jahrhundert, –e, century

jahrhundertelang, for centuries

jährlich, every year

das Jahrtausend, –e, millennium

der Januar, January

jawohl, yes, yes indeed

das Jazz, jazz

je, each, every, in each case; je . . . desto, the . . . the; je nach, according to

jedenfalls, at any rate, in any case

jeder, jede, jedes, each, every, each one; ein jeder, every one

jedermann, every one, each one

jederzeit, at any time

jedesmal, every time

jedoch′, still, nevertheless, however

jemand, some one

(das) Jena, *pr. n.*, *a university town in central Germany*

jener, jene, jenes, *demonstr.*, that

jenseits, *prep. with gen.*, beyond

jerum, *corruption of* Jesus, oh, dear me

(das) Jeru′salem, *pr. n.*

Jesus, *pr. n.*; Jesu, of Jesus

jetzt, now

das Joch, -e, yoke

der Jubel, rejoicing

jubeln, to rejoice, shout with joy

die Jugendzeit, youth

das Julfest, -e, yule festival

der Ju'li, July

jung, young; bei jung und alt, with young and old; die jüngste Schule, the latest school

der Junge, -n, boy

das Junge, -n, young (of animals)

die Jungfrau, -en, maiden, maid; die Jungfrau von Orleans, the Maid of Orleans, Joan of Arc (1412-1431)

der Junggeselle, -n, bachelor

der Juni, June

K

die Kabine, -n, cabin

der Kaffee, coffee

der Käfig, -e, cage

kahl, bare

der Kahn, "e, boat

der Kaiser, -, emperor

das Kaisereck, pr. n., lit., Emperor's Corner, point of land between the Rhine and Moselle

das Kaiserhaus, pr. n., lit., Emperor's Residence

kaiserlich, imperial

das Kaiserreich, -e, empire

kalt, cold

kam, see kommen

kam . . . an, see ankommen

kam . . . herbei, see herbeikommen

kam . . . herein, see hereinkommen

kam . . . zurück, see zurückkommen

der Kamerad', -en, comrade, fellow soldier

der Kamm, "e, comb

kämmen, to comb

der Kampf, "e, contest, fight

kämpfen, to fight; kämpfen um, to fight for

der Kanal', "e, canal

kann, see können

kannte, see kennen

der Kanton', -e, canton

die Kanzlei', -en, chancery

der Kanzler, -, chancellor

die Kapel'le, -n, chapel

die Kapuzinerkirche, Church of the Capucines

Karl, Charles; Karl der Große, Charles the Great, King of the Franks, who ruled from 768 to 814, crowned Emperor by the Pope in 800

(das) Karlsruhe, pr. n., capital of Baden

der Karpfen, -, carp

die Karte, -n, card

die Kartoffel, -n, potato

der Käse, -, cheese

die Kasse, -n, box office

die Kastanienreihe, -n, row of chestnut trees

katholisch, Catholic

(die) Katz, pr. n., a castle on the Rhine, built 1393

(das) Kaub, pr. n., town on the Rhine

kaufen, to buy

der Käufer, -, buyer

der Kaufmann, –leute, merchant
kaum, hardly
kehren . . . zurück, *see* zurückkehren
kehrst . . . wieder, *see* wiederkehren
kehrte . . . heim, *see* heimkehren
kehrten . . . ein, *see* einkehren
keilen, to win a person for a fraternity, 'rush'
kein, no, no one, none
der Keller, –, cellar
Keller, Gottfried, *pr. n.*, (1819–1890) *an excellent Swiss writer of short stories*
kennen, kannte, gekannt, to know
die Kenntnis, –sse, knowledge
der Kerl, –e, fellow
der Kern, –e, kernel
der Kiel, –e, keel
(das) Kiel, *pr. n.*, *a city on the Baltic*
der Kieferwald, "er, pine forest
das Kilometer, –, kilometer
das Kind, –er, child
der Kinderfreund, –e, friend of children
der Kindergarten, –gärten, kindergarten
das Kindermädchen, –, nurse girl
das Kinn, –e, chin
die Kinovorstellung, –en, movie
die Kirche, –n, church
das Kirchenlied, –er, church song
der Kirchturm, "e, church tower
die Kirsche, –n, cherry
das Kissen, –, pillow, feather-filled cover
klagen, to complain; bei dem Kaiser klagen, to complain to the

Emperor; das Klagen, complaining
klangen, *see* klingen
klangen herüber, *see* herüberklingen
klappten . . . zu, *see* zuklappen
klar, clear
klar'machen, to make clear, show
die Klasse, –n, class
klassisch, classic
kleben, to paste, attach
das Kleid, –er, dress; *pl.*, clothes
kleiden, to dress
die Kleidung, –en, dress
klein, small, little; die Kleinen, the little ones; im kleinen, on a small scale
(das) Kleinasien, Asia Minor
die Kleinigkeit, –en, small matter
klemmen, to crowd
klettern, to climb
das Klima, –s *or* –te, climate
die Klingel, –n, bell
klingeln, to ring the bell, ring
klingen, klang, geklungen, to sound, ring
klingt . . . an, *see* anklingen
die Klippe, –n, cliff, crag
klopfen, to knock; es klopft, there is a knock
Klopstock, Gottlieb Friedrich, *pr. n.*, (1724–1803) *author of* Der Messias, *The Messiah, and odes, initiator of the classical period*
das Kloster, ", monastery, cloister
der Klub, –s, club
der Knabe, –n, boy
der Knecht, –e, hired man
die Knechtschaft, bondage

die Kneipe, –n, students' club (*usually in a public restaurant*)

das Knie, –, knee

knirschen (*of snow*), to creak

das Knochenhauer Amtshaus, Butchers' Guildhouse, *in Hildesheim*

der Knopf, "e, knob

der Knotenpunkt,–e, railway center

knüpfen, sich, to be associated (with)

(das) Koblenz, *pr. n.*, *Coblence, city situated at the confluence of the Rhine and the Moselle*

der Koffer, –, trunk

die Kohle, –n, coal

das Kohlenbergwerk, –e, coal mine

das Kohlenfeuer, –, coal fire

das Kohlengebiet', –e, coal region

die Kohlengewinnung, coal production

der Kohlenstaub, cinder

(das) Köln, *pr. n.*, Cologne, *important city on the Rhine*

Kölner, *indecl. adj.*, of *or* pertaining to Cologne

der Kölner, –, inhabitant of Cologne

das Komman'do, –s, command

komm her, *see* herkommen

kommen, kam, ist gekommen, to come

kommen . . . vor, *see* vorkommen

kommen . . . zusammen, *see* zusammenkommen

der Kommers'gesang, "e, student banquet song

kommt . . . an, *see* ankommen

der Kommunist', –en, communist

komponie'ren, to compose

der Komponist', –en, composer

der Kongreß', –gresse, congress

der König, –e, king

die Königin, –nen, queen

königlich, royal

das Königreich, –e, kingdom

können, konnte, gekonnt, to be able, can, know

kontrollie'ren, to control

das Konzert', –e, concert

die Konzertreise, –n, concert tour

(das) Kopenhagen, *pr. n.*, *capital of Denmark*

der Kopf, "e, head

der Korb, "e, basket

der Körper, –, body

körperlich, physical, bodily

kosen, to caress

die Kosten, *pl.*, cost(s), expense(s)

kosten, to cost

die Kraft, "e, strength, power

kräftig, strong, vigorous, nourishing

die Kraftlinie, –n, bus line

krank, sick

der Kreis, –e, circle, group; Kreise ziehen, to soar

das Kreuz, –e, cross

kreuzen, to cross

der Krieg, –e, war; der dreißigjährige Krieg, the Thirty Years' War (*1618-1648*)

der Kri'tiker, –, critic

die Krone, –n, crown

krönen, to crown

krumm, crooked

Krupp, *pr. n.*; *the Krupp family founded the famous steel industry at Essen*

die Küche, –n, kitchen

der Kuchen, –, cake, cookie

die Kuckucksuhr, –en, cuckoo clock

die Kugel, –n, ball, bullet

die Kuh, "e, cow

kühl, cool

die Kultur', –en, culture

kund'machen, to make known

die Kunſt, "e, art, style; Akademie der Künſte, Academy of Arts

der Künſtler, –, artist

künſtleriſch, artistic

künſtlich, artificial

kunſtliebend, art loving

der Kunſtſchatz, "e, art treasure

die Kunſtſtadt, "e, city of art

die Kunſtſtätte, –n, home of art

kunſtvoll, artistic

das Kunſtwerk, –e, work of art

das Kupfer, copper

kupfern, of copper

die Kuppel, –n, cupola

der Kurfürſt, –en, elector

der Kurort, –e, watering place, spa, health resort

der Kurſus, Kurſe, course

kurz, short, in short; vor kurzem, lately

kürzlich, recently

die Kuſi'ne, –n, girl cousin

die Küſte, –n, coast

(das) Kuxhaven, *pr. n.*, *seaport at the mouth of the river Elbe*

L

lächeln, to smile; das Lächeln, smile

lachen, to laugh

der Laden, Läden, shop, store

laden, lud, geladen, to load

laden ein, *see* einladen

lag, *see* liegen

die Lage, –n, situation, position

das Land, "er, land, country; auf dem Lande, in the country; aufs Land, into (in) the country

landen, to land

der Landesteil, –e, region, section of the country

der Landgraf, –en, landgrave

die Landgräfin, –nen, wife of a landgrave

der Landmann, Landleute, farmer

die Landſchaft, –en, landscape

landſchaftlich, scenic

der Landsmann, Landsleute, countryman

die Landung, –en, landing

die Landungsbrücke, –n, wharf, pier

die Landungsſtelle, –n, landing place

der Landvogt, "e, governor

die Landwirtſchaft, agriculture, farming

lang, *adj.*, long, tall; *compar.*, länger; ſechs Jahre lang, for six years

lange, *adv.*, for a long time, long; *compar.*, länger

die Länge, –n, length

langſam, slow

langweilen, to bore

der Lärm, noise

las, *see* lesen

lassen, ließ, gelassen, er läßt, to let, allow, have (done); leave; sich ziehen lassen, to let oneself be pulled

die Last, –en, load

das Latein, Latin

lateinisch, Latin

der Lauf, "e, course

laufen, lief, ist gelaufen, er läuft, to run; Schlittschuh laufen, to skate; er kommt gelaufen, he comes running; das Laufen, running

laufen . . . umher, *see* umherlaufen

der Läufer, –, runner, half-back

lauschen, to listen (to)

der Laut, –e, sound

laut, loud

lauten, to be worded, read

läuten, to ring, sound (of bells)

leben, to live

das Leben, –, life

lebendig, alive, vivid

die Lebensfreude, joy of living

das Lebensjahr, –e, year of one's life

das Lebensmittel, –, food, provisions

die Leberwurst, "e, liver sausage

lebhaft, animated, lively, vivid

der Lebkuchen, –, gingerbread

die Lebzeit, *usually pl.*, –en, lifetime

leer, empty

legen, to lay, put; sich legen, to fall, spread

(das) Lehde, *pr. n.*, *village in the Spree Forest*

Lehmann, *pr. n.*

lehnen, to lean; sich lehnen, to lean

der Lehnstuhl, "e, armchair

lehnte . . . zurück, *see* zurücklehnen

die Lehre, –n, lesson

lehren, to teach

der Lehrer, –, teacher

das Lehrfach, "er, subject of instruction, study

lehrreich, instructive

die Leibesübung, –en, physical exercise

leicht, light, easy

das Leid, sorrow, grief; leid tun, to grieve, pain; es tut mir leid, I am sorry; der tut mir leid, I am sorry for him

leiden, litt, gelitten, to suffer, endure, permit

das Leiden, –, suffering

leider, unfortunately

die Leine, –n, line

(das) Leipzig, *pr. n.*, *a large city in Saxony*

Leipziger, *indecl. adj.*, of or pertaining to Leipzig

leise, quietly, softly

leisten, to do, accomplish

die Leistung, –en, accomplishment

leiten, to manage, direct, conduct

leitet . . . ein, *see* einleiten

die Leitung, –en, direction, leadership

(das) Leningrad, *pr. n.*, *capital of Russia*

lenkbar, dirigible

lenken, to direct

lernen, to learn, study; kennen ler=
nen, to learn to know

lesen, las, gelesen, er liest, to read,
lecture; das Lesen, reading

Lessing, Gotthold Ephraim, pr. n.,
*German dramatist and critic
(1729-1781)*

letzt, final, last; zum letztenmal, for
the last time

leuchten, to shine, gleam, radiate

leuchtend, radiant, bright

der Leuchter, –, chandelier

der Leuchtturm, "e, lighthouse

das Leunawerk, pr. n., *ammonia
works at Leuna, employing
19,000 persons*

die Leute, pl., people

das Licht, –er, light

die Lichtreklame, –n, illuminated
advertisement

lieb, dear, good; die liebsten Ver=
gnügungen, the favorite recrea-
tions; den lieben langen Tag, all
day long

das Lieb, beloved, darling

das Liebchen, –, darling

die Liebe, love

lieben, to love; sehr lieben, to love
dearly

lieber, sooner, rather; lieber haben,
to prefer

das Liebespaar, –e, loving couple

lieblich, lovely, charming

der Lieblingsaufenthalt, –e, favorite residence

liebste, dearest (*superl. of* lieb);
am liebsten (*used as the superl.*

of gern); ich möchte am liebsten,
I would like best

das Lied, –er, song

lief, see laufen

lief davon, see davonlaufen

liefen herum, see herumlaufen

liefern, to supply, furnish

liegen, lag, gelegen, to lie, be

der Liegestuhl, "e, reclining chair

ließ, see lassen

ließ . . . frei, see freilassen

die Linde, –n, linden tree

der Lindenbaum, "e, linden tree

die Lindenreihe, –n, row of linden
trees

die Linie, –n, line

link, adj., left

die Linke, –n, left side

links, adv., to the left

die Linse, –n, lentil

literarisch, literary

die Literatur', –en, literature

(das) Littauen, Lithuania

das Loch, "er, hole

locken, to entice, allure

lockig, curly

die Loge, –n, box

lohnen, to reward; sich lohnen, to
pay, be worth while

die Lokomoti've, –n, locomotive

(das) London, pr. n., *capital of
England*

der Lorbeerkranz, "e, laurel wreath

die Lo'relei, pr. n., the Lorelei,
*mythical water sprite of the
Rhine*

los, loose; was ist los, what is
the matter?

lofe, loose

löfen, to loosen; Eintrittskarten löfen, to buy tickets

los'machen, to loosen, release

der Löwe, –n, lion

Lübecker, *indecl. adj.*, of Lubeck, *city on the Baltic*

lud ein, *see* einladen

Ludwig der Erste, *pr. n.*, Louis the First (*1786-1868*), *son of Maximilian I, King of Bavaria*

Ludwig der Fromme, Louis the Pious

Ludwig der Springer, *pr. n., lit.*, Louis the Leaper, *Landgrave of Thuringia* (*1042-1123*)

Ludwig der Vierzehnte, Louis XIV, *King of France* (*1638-1715*)

die Luft, "e, air

luftig, airy

das Luftschiff, –e, airship

der Luftverkehr, air service

die Lust, "e, inclination, desire; hätten Sie Lust, would you like?

der Lustgarten, –gärten, pleasure garden

luftig, cheerful, jolly

Luther, Martin, *pr. n.*, German *reformer* (*1483-1546*)

die Luxusware, –n, article of luxury

lyrisch, lyric

M

machen, to make, do, cause; einen Besuch machen, to pay a visit; sich auf den Weg machen, to start out

die Macht, "e, power

machten klar, *see* klarmachen

mächtig, strong, mighty, massive, enormous

machtlos, powerless

das Mädchen, –, girl

das Mädl, *for* Mädel, –, *dialect for* Mädchen, girl

die Madonna, –s *or* Madonnen, madonna

mag, *see* mögen

(das) Magdeburg, *pr. n.*, *manufacturing city 88 miles southwest of Berlin*

Magdeburger, *indecl. adj.*, of Magdeburg

die Mahlzeit, –en, meal

der Mai, May

das Mailied, –er, May song

der Main, Main River

(das) Mainz, *pr. n.*, *Mayence, city at the confluence of the Main and the Rhine*

majestätisch, majestic

mal (einmal), once, just, *often omitted in translation*

das Mal, –e, time; sechs= bis sieben= mal, six to seven times

malen, to paint

die Malerei', –en, painting

ma'lerisch, picturesque, artistic

man, one, they

manch, many a; *pl.*, many; man= ches, much

manchmal, sometimes, often

(das) Manhattan, *pr. n.*, *a borough of the city of New York*

der Mann, "er, man, husband

die Mannschaft, –en, team

die Manschette, –n, cuff

der Mantel, Mäntel, cloak, mantle, overcoat

das Märchen, –, fairy tale, story

das Märchenbuch, "er, story book

die Mark, –, mark, *a German coin worth about 24 cents*

der Markt, "e, market (place)

der Marktplatz, "e, market place

die Marmorbüste, –n, marble bust

marschie'ren, to march, walk

der März, March

der Marzipan', –e, marchpane, rich, *sweet dough made of sugar, honey and almonds*

die Maschine, –n, machine

die Masse, –n, mass

mäßig, moderate

massiv', massive

die Mathematik', mathematics

der Matro'se, –n, sailor

die Matte, –n, meadow

die Mauer, –n, wall

die Maus, "e, mouse; *name of a castle on the Rhine*

der Mäuseturm, *lit.*, Mouse Tower

die Maut, –en, toll, tax

der Mauteturm, *pr. n.*, Toll Tower, *earlier name of the* Mäuseturm

Max, *pr. n., abbreviation of* Maximilian

Maximilian der Erste, Maximilian I (*1756-1825*), *King of Bavaria*

die Medizin', –en, medicine

medizi'nisch, medical

das Meer, –e, sea; das Schwarze Meer, the Black Sea

mehr, more, any more; nicht mehr, no longer

mehrere, several

die Mehrheit, –en, majority

mehrmals, several times

die Meile, –n, mile

mein, my

meinen, to say, assert, think, mean; das will ich meinen, I should say so

meinetwegen, for all I care

die Meinung, –en, opinion

(das) Meißen, *pr. n.*, *a city 14 miles northwest of Dresden*

meist, most; die meisten, most people

meistens, mostly, for the most part

der Meister, –, master, champion

die Meisterschaft, –en, championship

der Meisterschuß, –üsse, master shot

das Meisterwerk, –e, masterpiece

melden, to announce

die Melodei, –en, *or* Melodie, –n, melody

Mendelssohn, Felix, *pr.n.*, *German composer* (*1809-1847*)

die Menge, –n, crowd, amount, quantity

der Mensch, –en, man, person; *pl.*, people

die Menschenmasse, –n, mass of people

die Menschenmenge, –n, crowd of people

menschlich, human, of man

die Menſur', –en, fencing bout, duel

merken, to notice, note; ich werde ihn mir merken, I shall keep it in mind

merk'würdig, noteworthy, remarkable

(das) Merſeburg, *pr. n.*, *old city 13 kilometers south of Halle*

die Meſſe, –n, fair

meſſen, maß, gemeſſen, er mißt, to measure; ſich meſſen, to compete

der Meſſingball, "e, brass ball

die Metallinduſtrie, –n, metal industry

der *or* das Meter, –, meter

die Metho'de, –n, method

Meyer, Konrad Ferdinand, *pr. n.*, *Swiss novelist and poet*

mich, me; *see* ich

mieten, to rent

die Milch, milk

mild, mild

mildtätig, charitable

die Million', –en, million

die Mineral'quelle, –n, mineral spring

der Minneſang, "e, love song

der Minneſänger, –, minnesinger

der Mini'ſter, –, minister

die Minu'te, –n, minute

mir, (to) me; *see* ich

mit, *prep. with dat.*, with, by; *adv. and sep. pref.*, along

mit'bringen, brachte mit, mitge= bracht, to bring along

miteinander, with each other

das Mitglied, –er, member

mit'helfen, half mit, mitgeholfen, to contribute

der Mit'reiſende, –n, fellow traveler

mit'ſpielen, to take part

der Mittag, –e, midday, noon; zu Mittag eſſen, to dine; mittags, at noon

das Mittageſſen, –, noon meal

die Mitte, –n, middle

mit'teilen, to inform, notify, tell

das Mit'telalter, Middle Ages

mittelal'terlich, medieval

mitteldeutſch, Middle German

(das) Mitteldeutſchland, Middle Germany

mittelhochdeutſch, Middle High German

der Mittelpunkt, –e, middle, center; im Mittelpunkt ſtehen, to take precedence

mitten, in the middle; mitten durch, right through; mitten in, in the middle of

die Mitternacht, midnight

mit'wirken, to take part, cooperate

möchte, *impf. subj. of* mögen

die Mode, –n, fashion, style

modern', modern

das Modell', –e, model

mögen, mochte, gemocht, er mag, to like, may; ich möchte (gern), I should like

möglich, possible

die Möglichkeit, –en, possibility

monachos, *see* ad monachos

die Monarchie', –n, monarchy
der Monat, –e, month
mo'natlich, monthly
der Mönch, –e, monk, friar
der Mond, –e, moon
der Mondenschein, moonlight
das Mondlicht, moonlight
der Morgen, –, morning; morgen,
  tomorrow; morgen abend, tomorrow evening; morgen früh,
  tomorrow morning; morgen
  nachmittag, tomorrow afternoon
das Morgenland, the Orient
morgenschön, beautiful as the
  morning
die Morgensonne, morning sun
die Morgenwanderung, –en, morning walk
die Mosel, the Moselle River
der Mo'tor, –s, Moto'ren, motor
das Motto, –s, motto
Mozart, Wolfgang Amadeus, pr. n.,
  an Austrian musical genius
müde, tired
die Mühle, –n, mill
das Mühlenrad, "er, mill wheel
der Müller, –, miller
(das) München, pr. n., Munich,
  capital of Bavaria
der Münch(e)ner, –, inhabitant of
  Munich
der Mund, –e, mouth
münden, to empty
mündlich, orally
das Münster, –, cathedral
munter, lively, merry, cheerful,
  wide-awake; frisch und munter,
  hale and hearty

das Muse'um, Museen, museum
die Musik', music
der Mu'siker, –, musician
die Musik'studentin, –nen, music
  student (f.)
das Musik'instrument, –e, musical
  instrument
das Musik'zimmer, –, music room
müssen, mußte, gemußt, er muß, to
  be obliged to, have to, must
das Muster, –, pattern, model
musterhaft, exemplary
der Mut, courage
die Mutter, Mütter, mother
die Mütze, –n, cap

N

n. Chr., nach Christo, after Christ,
  A. D.
na, interj., well
nach, prep. with dat. and sep. pref.,
  to, toward, after, at, for; (following its noun) according to
der Nachbar, gen., –s or –n; pl.,
  –n, neighbor
die Nachbarin, –nen, neighbor (f.)
der Nachbarstaat, –es, –en, neigh-
  boring state
nachdem', conj., after
der Nach'folger, –, successor
nach'geben, gab nach, nachgegeben,
  er gibt nach, to give in, submit
der Nach'komme, –n, descendant
nach'machen, to imitate, copy
der Nach'mittag, –e, afternoon;
  nachmittags, in the afternoon
die Nacht, "e, night; nachts, at
  night

der Nachtisch, dessert

nächst, next; see nahe

die Nadel, –n, needle

nah(e), near, adjoining, nearby; *compar.*, näher, nearer, more close(ly); nahe bei, near; so nah beisammen, so close together; das Nähere, the details

nahebei, nearby, close by

die Nähe, neighborhood, proximity; ganz in der Nähe, very close

nahen, ist genaht, to approach, draw near

nähern, sich, to approach

nahm, see nehmen

nahm . . . ein, see einnehmen

nahm . . . entgegen, see entgegennehmen

nahm . . . zu, see zunehmen

das Nahrungsmittel, –, article of food, food product

der Name, –ns, –n, name; namens, by the name of

der Namenszug, "e, signature

nämlich, namely

nannte, see nennen

nanu, *interj.*, well

Napoleon, *pr. n., French emperor (1769-1821)*

die Narbe, –n, scar

die Nase, –n, nose

die Nation', –en, nation

das National'denkmal, National Monument, *erected in memory of the unification of Germany in 1871*

die National'mannschaft, national team

das National'museum, National Museum

die Natur', –en, nature

der Naturalis'mus, naturalism

das Natur'gefühl, love for nature

natür'lich, natural; *adv.*, of course

die Natur'schönheit, –en, natural beauty

die Natur'wissenschaft, –en, natural science

(das) Nauen, *pr. n., town near Berlin*

der Nebel, –, mist, fog

neben, *prep. with dat. or acc.*, beside, besides, next to

neblig, misty

der Neckar, the Neckar River

das Neckartal, valley of the Neckar

der Neffe, –n, nephew

nehme . . . an, see annehmen

nehmen, nahm, genommen, er nimmt, to take; das Wort nehmen, to begin speaking

die Neigung, –en, inclination

nein, no

'nein, for hinein; wenn i' in die Nacht 'nein seh', when I look into the night

die Nein-tür, nay-door

nennen, nannte, genannt, to name, call, mention, say

nett, fine, neat, tidy, agreeable, pleasing, nice

das Netz, –e, net

neu, new, recent; aufs neue, again

neugierig, curious

neuhochdeutsch, New High German

der Neujahrsabend, New Year's Eve

neulich, recently

neun, nine

neunhundertjährig, nine hundred years old

neunzehnte, nineteenth

die Neuzeit, modern time

(das) New York, pr. n.

das Nibelungenlied, Lay of the Nibelungs

nicken, to nod, nod approval

nicht, not

nichts, nothing

nichtschlagend, non-duelling

nie, never

nieder, adv. and sep. pref., down

nie'derdeutsch, Low German

niedergeschrieben, see niederschreiben

nie'derreißen, riß nieder, niedergerissen, to tear down

(das) Niedersachsen, Lower Saxony

nie'derschreiben, schrieb nieder, niedergeschrieben, to write down

nie'dersetzen, sich, to sit down

der Nie'derwald, pr. n., hilly region bordering the Rhine

niedlich, pretty, neat

niemals, never

niemand, no one

nimmer, never

nimmermehr, never more, never

nimmt ein, see einnehmen

nimmt . . . zu, see zunehmen

nirgends, nowhere

nit, dialect for nicht, not

noch, still, in addition, yet; wünschen Sie noch Brot, do you want some more bread?

nochmals, again

die Nonne, –n, nun

norddeutsch, North German; der Norddeutsche,–n, North German

(das) Norddeutschland, North Germany

der Norden, north

nordisch, northern

nördlich, northern, north; nördlichst, most northerly

die Nordsee, the North Sea

der Nordwesten, northwest

die Not, "e, need, distress

die Note, –n, note

nötig, necessary; nötig haben, to need

das Notiz'buch, "er, note book

der Novel'lendichter, –, writer of short stories

der November, November

die Nummer, –n, number

nun, well, now

nur, only, simply, just; sehen Sie nur, just look

(das) Nürnberg, pr. n., Nuremberg, city in Bavaria with many picturesque medieval features

Nürnberger, indecl. adj., of Nuremberg

die Nuß, Nüsse, nut

die Nußbergstraße, pr. n., Nussberg Street

nützen, to be of use, avail

nützlich, useful

die Nymphenburg, *pr. n., lit.,* Castle of the Nymphs, *a castle in Munich*

O

o, *interj.,* oh

ob, whether, if

oben, up, above, upstairs; nach oben, upward

ober, upper

(das) Oberammergau, *pr. n., village in Upper Bavaria, famous for the Passion Play*

(das) Oberbayern, Upper Bavaria

o'berdeutsch, Upper German, South German

die O'berfläche, –n, surface

o'berflächlich, superficial

die Oberrealschule, –n, science high school, *corresponding approximately to the American high school and half of college*

die Oberschule, –n, Deutsche, high school stressing German culture, *with pupils of same age as in the* Oberrealschule

obgleich', *conj.,* although

das Obst, fruit

die Obstart, –en, kind of fruit

der Obstbaum, "e, fruit tree

der Obstgarten, –gärten, fruit orchard

obwohl', *conj.,* although

oder, or

die Oder, the Oder River

offen, open

öffentlich, public

die Öffentlichkeit, public

der Offizier', –e, officer

öffnen, to open; sich öffnen, to open, widen

oft, often; *compar.,* öfter, oftener

öfters, oftentimes, frequently

ohne, *prep. with acc.,* without

das Ohr, –es, –en, ear

der Oktober, October

olympisch, Olympic

der Onkel, –, uncle

die Oper, –n, opera

das Opernhaus, "er, opera house

das Opfer, –, victim, sacrifice

opfern, to sacrifice

die Opposition', –en, opposition (party)

das Orche'ster, –, orchestra, band

ordnen, to regulate

die Ordnung, –en, order; in Ordnung, all right

ordnungsmäßig, regular; ordnungsmäßige Papiere, proper passports

organisie'ren, to organize

die Organisation',–en, organization

der Organist', –en, organist

(das) Orleans, *pr. n., French city 77 miles southwest of Paris*

der Ort, –e *or* "er, place

die Ortschaft, –en, place, village

der Osten, east

der Osterhase, –n, Easter rabbit

das Osterei, –er, Easter egg

das *or* die Ostern, Easter

(das) Österreich, Austria

(das) Österreich-Ungarn, Austria-Hungary

der Österreicher, –, Austrian

österreichisch, Austrian
die Osterzeit, Eastertide
östlich, eastern, east
(das) Ostpreußen, East Prussia
die Ostsee, the Baltic Sea
die Ostseite, east side
der O'zean, –e, ocean

P

das Paar, –e, pair, couple; ein
paar, a couple of, some, a few
packte . . . aus, see auspacken
der Pädagog', –en, pedagogue
paffen, to puff
das Palais', –, palace
der Palast', "e, palace
das Papier', –e, paper
der Papst, "e, pope
das Paradies', –e, paradise
(das) Paris', pr. n., capital of
France
der Park, –e, park
das Parkett', –e, parquet, orchestra circle
parlamenta'risch, parliamentary
die Partei', –en, party
der Passagier', –e, passenger
das Passions'spiel, –e, passion
play
der Paß, Pässe, passport
die Pause, –n, intermission, pause
der Pelzhandel, fur trade
die Pelzware, –n, fur(s)
die Pension', –en, boarding house
Perkeo, pr. n., a jester at the court
of the Elector of the Palatinate
die Perle, –n, pearl
die Person', –en, person

der Personenzug, "e, local passenger train
der Personenzugwagen, –, coach
of a local passenger train
persön'lich, personal
die Pest, –en, pestilence
der Petroleumhafen, petroleum
harbor
die Pfalz, pr. n., old fortress in the
Rhine
der Pfarrer, –, pastor
die Pfeife, –n, pipe
der Pfennig, –e, pfennig, worth
about a quarter of a cent
das Pferd, –e, horse
der Pferdekopf, "e, horse's head
das or die Pfingsten, Pentecost
die Pfingstzeit, Whitsuntide
die Pflaume, –n, plum
pflegen, to foster, cultivate, care
for, promote
die Phantasie', –n, imagination,
fancy
phil.: stud. phil., studiosus philosophiæ, student of the graduate
school of arts and sciences
der Philis'ter, –, Philistine, student
slang for alumnus
das Philis'terland, lit., land of the
Philistines, the world at large
der Philosoph', –en, philosopher
der Philosophenweg, lit., philo-
sophers' path, promenade in
Heidelberg
philosophisch, philosophical
die Plage, –n, misery, trouble
das Plakat', –e, placard
der Plan, "e, plan

plattbeutſch, Low German; das
Plattbeutſch, des Plattbeutſchen,
Low German

die **Plattform,** –en, platform

der **Platz,** "e, place, space, room,
square, open place; Platz neh=
men, to sit down

plaubern, to chat

(das) **Plauen,** *pr. n., important
cotton manufacturing center in
Saxony*

plötzlich, suddenly

(das) **Polen,** Poland

politiſch, political

die **Polizei',** –en, police

das **Porzellan',** porcelain

die **Porzellanfabrikation,** –en, manufacture of porcelain

die **Porzellaninduſtrie,** –n, porcelain industry

die **Porzellanſammlung,** –en, collection of porcelain

die **Poſt,** post office, federal postal
service

(das) **Potsbam,** *pr. n., city 17
miles southwest of Berlin*

die **Pracht,** splendor

prächtig, splendid, excellent, gorgeous

prachtvoll, gorgeous, magnificent

(das) **Prag,** Prague, *capital of
Czecho-Slovakia*

praktiſch, practical

prangen, to glitter

der **Präſident',** –en, president

der **Prater,** *pr. n., a public park in
Vienna*

der **Preis,** –e, price, prize

der **Preuße,** –n, Prussian

(das) **Preußen,** Prussia

preußiſch, Prussian

der **Prieſter,** –, priest

der **Prinz,** –en, prince

das **Prinzip',** –e *or* –ien, principle

das **Privat'haus,** "er, private residence

der **Profeſ'ſor,** –s, Profeſſo'ren,
professor

das **Programm',** –e, program

die **Promena'be,** –n, promenade

der **Prozeß',** Prozeſſe, lawsuit

prüfen, to examine, test

die **Prüfung,** –en, examination,
test, probation

das **Pult,** –e, desk

der **Punkt,** –e, point

pünktlich, prompt(ly)

die **Puppe,** –n, doll

das **Puppentheater,** –, puppet
theater

Q

die **Qualität',** –en, quality

die **Quelle,** –n, spring, source

quer burch, right through

R

Raabe, Wilhelm, *pr. n., a German
poet and humorist*

das **Rad,** "er, wheel

das **Radio,** radio

Raffael, *pr. n.,* Raphael (*1483-
1520*), *a celebrated Italian painter*

ragt . . . hervor, *see* hervorragen

der **Rand,** "er, edge

der **Rang,** "e, rank, balcony

der **Rapier'klang**, "e, sound of fencing

rasch, quick, fast

der **Rasen**, –, lawn

die **Rast**, –en, rest, pause

rasten, to halt, stop

der **Rat**, *pl.*, Ratschläge, advice

das **Rathaus**, "er, city hall

ratlos, perplexed, helpless

der **Ratskeller**, –, basement of city hall

der **Raub**, booty, prey

rauben, to rob, kidnap

der **Räuber**, –, robber

der **Raubritter**, –, robber knight

der **Rauch**, smoke

rauchen, to smoke

die **Rauchwolke**, –n, cloud of smoke

rauh, raw, bleak

der **Raum**, "e, space, room

rauschen, to rustle, murmur

das **Real'gymnasium**, –ien, German high school with a general course, *corresponding approximately to the American high school and half of college*

die **Rebe**, –n, vine

das **Rebengebirge**, mountain of vines

das **Recht**, –e, right; recht geben, to concede, grant; recht haben, to be right; mit Recht, rightfully, justly

recht, *adj.*, right, real; *adv.*, very, rather, thoroughly, quite; recht gern, with pleasure; das war nicht recht von dem Herzog, the Duke was not right in that; ist es Ihnen recht, is it all right with you?

rechts, to the right

die **Rede**, –n, speech

reden . . . an, *see* anreden

die **Redensart**, –en, idiom, phrase

der **Redner**, –, speaker, orator

die **Reform'**, –en, reform

der **Reforma'tor**, –s, Reformato'ren, reformer

rege, active, lively, stirring, bustling

die **Regel**, –n, rule

regelmäßig, regular

regeln, to arrange, control (traffic)

regie'ren, to rule

die **Regierung**, –en, government, reign, rule

die **Regierungspartei**, –en, party in power

das **Regiment'**, –er, regiment

das **Reich**, –e, empire, realm; das Deutsche Reich, the German Reich

reich, rich, richly

reichen, to reach, extend, pass; reichet euch die Hand, join hands

die **Reichsbahn**, German Federal Railroad

die **Reichshauptstadt**, capital of the Reich

der **Reichskanzler**, –, chancellor of the Reich, premier

der **Reichspräsident**, –en, president of the Reich

der **Reichsrat**, federal council of the Reich

der Reichstag, -e, German parliament, Reichstag

der Reichstagsabgeordnete, -n, member of the Reichstag

das Reichstagsgebäude, Reichstag building

der Reichstagspräsident, -en, speaker of the Reichstag

die Reichstagssitzung, -en, session of the Reichstag

(das) Reichstatt, pr. n., city in Bohemia

reicht . . . herab, see herabreichen

reicht . . . zurück, see zurückreichen

der Reichtum, "er, wealth

reif, ripe, mature, ready

reifen, to ripen

das Reifezeugnis, -se, certificate of maturity

die Reihe, -n, row, line, string

rein, clean, pure

die Reise, -n, voyage, trip

reise . . . ab, see abreisen

der Reisegefährte, -n, fellow passenger

der Reisekamerad, -en, fellow traveler

reisen, ist gereist, to travel, go; das Reisen, traveling; der Reisende, -n, traveler

reißend, impetuous

der Reiter, -, horseman, rider, cavalryman

der Reitweg, -e, bridle path

der Reiz, -e, charm

reizend, charming

reizvoll, charming, interesting, delightful

die Reklame, -n, advertisement

das Reklameschild, -er, advertising board

der Rekord, -s or -e, record

die Relation, -en, official report

die Religion, -en, religion

religiös, religious

(das) Remscheid, pr. n., manufacturing city noted for high-grade cutlery and tools

die Renaissance, renaissance

der Rennplatz, "e, race track

die Republik, -en, republic; der Platz der Republik, Republic Square

die Residenz, -en, residence

der Rest, -e, remnant

das Restaurant, -s, restaurant

retten, to rescue, save; rettend, redeeming

der Retter, -, deliverer, savior

die Rettung, -en, deliverance, rescue

Reuter, Fritz, pr. n., (1810-1874) the greatest writer and poet using Low German; he made Plattdeutsch a literary language

die Rezension, -en, criticism

der Rhein, the Rhine River

die Rheinebene, Rhine plain

die Rheinfahrt, -en, trip on the Rhine

(der) Rheinfels, castle on the Rhine

(das) Rheingold, pr. n.

rheinisch-westfälisch, Rhenish-Westphalian

das Rheinland, Rhineland

richten, to direct; sich richten, to turn

richtig, correct; ganz richtig, quite right

die Richtung, –en, direction, turn

rief, *see* rufen

rief . . . aus, *see* ausrufen

rief . . . zu, *see* zurufen

rief . . . zurück, *see* zurückrufen

der Riese, –n, giant

riesengroß, great as a giant

die Riesenstadt, "e, gigantic city

riesig, gigantic

die Rinde, –n, bark

der Ring, –e, ring

die Ringbahn, –en, circular railroad

das Ringlein, –, little ring

die Ringstraße, circular street, *running around the city*

der Ritter, –, knight

ritterlich, knightly; ritterliche Dichtung, poetry of chivalry

der Ritterstand, knighthood

das Rittertum, chivalry

der Rock, "e, coat, frock

rodeln, to coast (*on sled*)

der Roggen, rye

die Röhre, –n, tube

der Rohstoff, –e, raw material

die Rolle, –n, rôle

rollen, to roll

(das) Rom, Rome, *capital of Italy*

der Romandichter, –, novelist

romanisch, Romanesque, Romanic

die Romantik, romanticism, romance, period of romanticism

roman'tisch, romantic

der Römer, –, Roman

der Römer, *pr. n., the old city hall at Frankfurt am Main*

römisch, Roman

die Rose, –n, rose

Rosegger, Peter, *pr. n., (1843-1918) an Austrian writer*

der Rosenstock, "e, rosebush

das Röslein, –, little rose

Rösselmann, *pr. n., a character in Schiller's Wilhelm Tell*

der Rost, rust

rot, red; das Rot, red, redness

der Rücken, –, back

die Rückfahrt, return trip

der Rucksack, "e, knapsack (*over the shoulder*)

der Rückweg, way back; den Rückweg antreten, to start home

rudern, to row; das Rudern, rowing

der Ruf, –e, shout, cry, reputation

rufen, rief, gerufen, to call, shout, cry; das Rufen, shouting

rufen . . . an, *see* anrufen

die Ruhe, –n, quiet, tranquility, rest; in aller Ruhe, leisurely; um Ruhe bitten, to ask for order

ruhen, to rest

ruhig, calm, quiet, cool, reassured

das Ruhr'gebiet, Ruhr district; *the Ruhr Basin is rich in coal and iron ore*

die Rui'ne, –n, ruin

der Rundblick, –e, panorama

die Rundfahrt, –en, sightseeing trip

der Rundfunk, radio

der Rundfunkapparat, -e, radio
   receiving set
der Russe, -n, Russian
russisch, Russian
die Rute, -n, rod
(das) Rütli, *pr. n.*, *a mountain*
   meadow in Schiller's Wilhelm
   Tell

S

's, das; 's Röslein, das Röslein
der Saal, Säle, hall
die Saat, -en, (standing) grain
die Sache, -n, thing
Sachs, Hans, *pr. n.*, *(1494-1576)*
   shoemaker and poet at Nurem-
   berg, an outstanding figure
   among the mastersingers
der Sachse, -n, Saxon
(das) Sachsen, Saxony
(das) Sachsenhausen, *pr. n.*, *the*
   part of Frankfurt which is south
   of the Main River
sächsisch, Saxon; die Sächsische
   Schweiz, Saxon Switzerland
der Sack, "e, sack
die Sage, -n, legend, tale, myth
sagen, to say, state; sagen Sie,
   tell me
sah, *see* sehen
sah . . . an, *see* ansehen
sahen . . . hinauf, *see* hinaufsehen
der Salat', -e, lettuce
das Salz, -e, salt
sammeln, to collect
die Sammlung, -en, collection
das Samtmieder, -, velvet bodice
der Sandstein, sandstone

sandten... hinaus, *see* hinaussenden
fangen, *see* singen
der Sänger, -, singer, bard, poet
der Sängerkrieg, singing contest
   of minstrels
sank, *see* sinken
(das) Sanssouci, *pr. n.*, *castle at*
   Potsdam
der Sarg, "e, coffin
saß, *see* sitzen
satt, satisfied; den Lärm satt sein,
   to have had enough noise
sauber, clean, neat
die Sauberkeit, cleanliness
das Sauerkraut, sauerkraut
die Säule, -n, column, pillar
der Säulengang, "e, colonnade
säumten . . . ein, *see* einsäumen
sausen, to rush, whiz
sauste . . . vorbei, *see* vorbeisausen
schade, too bad, what a pity
der Schädel, -, skull, upper part
   of head
schaden (*with dat.*), to hurt, harm
das Schaf, -e, sheep
schaffen, schuf, geschaffen, to make,
   create
(das) Schaffhausen, *pr. n.*, *Swiss*
   town on the Rhine
die Schale, -n, shell
(das) Schandau, *pr. n.*, *town on the*
   Elbe in Saxon Switzerland
scharf, sharp
scharren, to scrape; das Scharren,
   scraping
der Schatten, -, shade
schattig, shady
der Schatz, "e, treasure

schauen, to look, see

das Schaufenster, –, display window

das Schauspiel, –e, play, drama, spectacle

der Schauspieler, –, actor

das Schauspielhaus, "er, theater

schaut . . . hervor, see hervorschauen

schaut . . . hinab, see hinabschauen

schaut . . . hinauf, see hinaufschauen

schaut . . . zu, see zuschauen

schaut . . . zurück, see zurückschauen

scheiden, schied, ist geschieden, to depart, separate

der Schein, –e, gleam, light

scheinen, schien, geschienen, to shine, appear, seem

schenken, to give, grant

der Scherz, –e, joke, jest

scheuen, to avoid

die Scheune, –n, barn

schicken, to send

das Schicksal, –e, fate

schieben, schob, geschoben, to push; sich schieben, to move, shove

schieden, see scheiden

schief, slanting, uneven

schien, see scheinen

schien . . . herein, see hereinscheinen

schießen, schoß, geschossen, to shoot

das Schiff, –e, ship, boat

der Schiffbau, shipbuilding, naval construction

der Schiffer, –, boatman

die Schiffahrtsgesellschaft, –en, steamship company

der Schiffsgast, "e, passenger (on a steamer)

die Schiffswerft, –en, dockyard

Schiller, Friedrich von, *pr. n., German poet and dramatist*

schilt . . . aus, see ausschelten

der Schimmer, gleam, shine

der Schinken, –, ham

die Schlacht, –en, battle, fight

schlafen, schlief, geschlafen, er schläft, to sleep

das Schlafzimmer, –, bedroom

der Schlag, "e, blow

schlage . . . vor, see vorschlagen

schlagen, schlug, geschlagen, er schlägt, to strike, beat; sich schlagen, to fight; schlagend, duelling

der Schläger, –, sword, rapier

schlägt . . . vor, see vorschlagen

schlängeln, sich, to wind, meander

schlank, slender, tall

schlecht, bad

schleppen, to pull, drag, tow

(das) Schlesien, Silesia

schlesisch, Silesian

die Schleuse, –n, lock, sluice

schlief, see schlafen

schlief . . . ein, see einschlafen

schließen, schloß, geschlossen, to close, pull together, conclude; Freundschaft schließen, to form friendship; geschlossen, private, select

schließlich, finally

schlimm, bad

schlingen, schlang, geschlungen, to wind, intertwine

der Schlitten, –, sleigh, sled

der Schlittschuh, –e, skate

das Schloß, Schlösser, castle

ſchloß, *see* ſchließen

die Schloßbrücke, *pr. n., lit.*, castle bridge

die Schlucht, –en, ravine, gorge

ſchlug, *see* ſchlagen

der Schluß, Schlüſſe, end; zum Schluß, finally, in closing

das Schlüſſelein,–, little key

ſchmal, narrow

ſchmecken, to taste

der Schmerz, –es, –en, pain, woe, grief, trouble, sorrow

ſchmerzen, to pain

der Schmuck, –e, ornament, decoration

ſchmücken, to decorate, adorn

der Schnabel, Schnäbel, bill

der Schnee, snow

der Schneeſchuh, –e, ski

ſchneereich, snowy

ſchneiden, ſchnitt, geſchnitten, to cut

ſchneien, to snow

ſchnell, quick, rapid, fast

der Schnellzug, "e, fast train, express train

ſchnitt, *see* ſchneiden

ſchnitzen, to carve

die Schnitzerei, –en, carving

ſchon, already, even, *often untranslatable*

ſchön, beautiful

(das) Schönbrunn, *pr. n., castle at Vienna*

die Schönheit, –en, beauty

der Schornſtein, –e, chimney

ſchreiben, ſchrieb, geſchrieben, to write

ſchreiten, ſchritt, iſt geſchritten, to stride, walk, go

ſchrieb, *see* ſchreiben

die Schriftſprache, written language

der Schriftſteller, –, author

der Schritt, –e, step, stride; in gleichem Schritt und Tritt, in the same pace

ſchritt, *see* ſchreiten

ſchroff, rough, steep, rugged

Schubert, Franz, *pr. n., famous composer*

ſchüchtern, timid

ſchuf, *see* ſchaffen

der Schuhmacher, –, shoemaker

die Schularbeit, –en, school work

die Schuld, –en, debt

die Schule, –n, school

der Schüler, –, pupil

die Schülerin, –nen, girl pupil

das Schuljahr, –e, school year

die Schulter, –n, shoulder

das Schulweſen, school system, educational system

die Schulwoche, –n, school week

die Schürze, –n, apron

die Schüſſel, –n, dish, bowl

ſchütteln, to shake

ſchützen, to protect

der Schutzmann, –leute, policeman

(das) Schwaben, *pr. n.*, Swabia, *mountainous country in southern Germany*

ſchwamm, *see* ſchwimmen

der Schwan, "e, swan

ſchwarz, black, dark

der Schwarzwald, Black Forest

Schwarzwälder, *indecl. adj.*, of the Black Forest

der Schwarzwälder, –, inhabitant of the Black Forest

das Schwarzwaldhaus, "er, Black Forest house

(das) Schweden, Sweden

schweifen, to roam, stray

schweigen, schwieg, geschwiegen, to be silent, keep still; schweigend, quiet, silent

schweigsam, taciturn reserved

das Schwein, –e, pig, hog

die Schweiz, Switzerland; die Sächsische Schweiz, Saxon Switzerland

Schweizer, *indecl. adj.*, Swiss

der Schweizer, –, Swiss

schwellen, schwoll, ist geschwollen, er schwillt, to swell, increase; im schwellenden Tal, in the fruitful valley

schwer, heavy, hard, difficult

das Schwert, –er, sword

die Schwester, –n, sister

schwiegen, *see* schweigen

schwierig, hard, difficult

die Schwierigkeit, –en, difficulty

schwimmen, schwamm, geschwommen, to swim; das Schwimmen, swimming

die Schwimmhalle, –n, swimming pool

schwitzen, to sweat, perspire

schwören, schwur, geschworen, to swear

sechs, six

sechshundert, six hundred

sechsmal, six times

sechsundzwanzig, twenty-six

sechzehn, sixteen

sechzig, sixty

sechzigtausend, sixty thousand

der See, –s, –n, lake

die See, –n, sea

seekrank, seasick

die Seereise, –n, sea voyage

das Segelfliegen, gliding

der Segelflieger, –, glider

segeln, to sail; das Segeln, sailing

das Segelschiff, –e, sailboat

segnen, to bless

sehen, sah, gesehen, er sieht, to see, look; sehen nach, to look for

sehenswert, worth seeing, noteworthy

die Sehenswürdigkeit, –en, sight, attraction

sehnen, sich, nach, to long (for)

die Sehnsucht, longing

sehr, very, very much

sei, *pres. subj. of* sein

seiden, silk

die Seidenindustrie, silk industry

das Seil, –e, rope

sein, war, ist gewesen, ich bin, du bist, er ist, to be; *as auxiliary*, to have, be

sein, his

seit, *prep. with dat.*, since; seit alter Zeit, since of old; seit einigen Jahren, for some years past

die Seite, –n, side, page; mir zur Seite, by my side

der Seitengang, "e, side aisle

die Seitenwand, "e, side wall

selber, *indecl. pron.*, self; er selber, he himself

selbst, *indecl. pron.*, self; myself, himself, yourself, etc.; *adv.*, even

selbständig, independent

selbstverständlich, of course

selig, blessed; selig werden, to be saved

selten, seldom

seltsam, strange, curious

das Semester, –, semester

die Semesterprüfung, –en, semester examination

senden, sandte, gesandt, to send

der Sender, –, sending station

die Sendestation, –en, sending station

senkrecht, perpendicular, vertical

der September, September

der Sessel, –, easy chair

setzen, to place, put; sich setzen, to sit down, seat oneself; sich in Bewegung setzen, to start out; sich in Verbindung setzen, to get in touch; über den See setzen, to take across the lake

setzen ... fort, *see* fortsetzen

setzen ... nieder, *see* niedersetzen

seufzen, to sigh, groan

sich, *reflex. pron.*, himself, herself, itself, oneself, one another, yourself (*in formal address*)

sicher, safe

sicherlich, surely; ganz sicherlich, most certainly

die Sicht, sight

sichtbar, visible

sie, ihrer, ihnen, sie, *pers. pron.*, she, they

Sie, Ihrer, Ihnen, Sie, *pers. pron.*, you

sieben, seven

das Siebengebirge, *pr. n.*, the Seven Mountains

siebenmal, seven times

siebzehn, seventeen

siebzehnte, seventeenth

der Sieger, –, winner

die Siegesallee', Victory Avenue, *in Berlin*

die Siegesgöttin, goddess of victory

die Siegessäule, Column of Victory, *61 meters high, in Berlin*

Siegfried, *pr. n., hero of the Nibelungenlied*

sieh(e), look, behold; *see* sehen

sieht, *see* sehen

sieht aus, *see* aussehen

das Silber, silver

silbern, of silver, silvery

sind, *see* sein

singen, sang, gesungen, to sing; das Singen, singing

sinken, sank, ist gesunken, to sink; in Trümmer sinken, to go to ruin; auf die Knie sinken, to fall on one's knees

der Sinn, –e, mind, liking, inclination

die Sitte, –n, custom

der Sitz, –e, seat

sitzen, saß, gesessen, to sit

der Sitzplatz, "e, seat

die Sitzung, –en, session

der Sitzungsfaal, session hall

Sixtinisch, Sistine

sizilianisch, Sicilian

der Skandinavier,–, Scandinavian

slawisch, Slavic

so, so, as, then, in this way; so viel wie, as much as; so wie, as

sobald', as soon as

sodann', then, after that

soeben, just, just now

sofort', at once

sogar', even

so'genannt, so-called

sogleich', at once, immediately

der Sohn, "e, son

solch, such; solch ein or ein solcher, such a, such

der Soldat', –en, soldier

(das) So'lingen, pr. n., a center of steel and iron industry, 20 miles northeast of Cologne

sollen, er soll, to be to, shall, should, ought, be said to

der Sommer, –, summer

der Sommermonat, –e, summer month

das Sommersemester, –, summer semester

die Sommerzeit, summer time

sonderbar, strange

sondern, but

der Sonnabend, –e, Saturday

die Sonne, –n, sun; in der Sonne, in the sun (light)

der Sonnenschein, sunshine

der Sonnenuntergang, "e, sundown

die Sonnenwende, –n, solstice

sonnig, sunny

der Sonntag, –e, Sunday

sonst, formerly, otherwise

die Sorge,–n, care, anxiety; mache dir keine Sorge darüber, do not worry about that

sorgen, to care, provide, worry; sorgen für, to look after, worry about

sorglos, carefree

sowie, as well as

sozial', social

der Sozialdemokrat, –en, social democrat

spähe . . . umher, see umherspähen

der Spalt, –e, slot

spalten, to split; sich spalten, to divide

spannen, to stretch; sich spannen, to stretch

die Spannung, –en, excitement, tension

sparen, to save; den Weg sparen, to save the trip

der Spaßmacher, –, joker

spät, late

spazie'ren, to promenade, walk; spazieren gehen, to take a walk, stroll

der Spaziergang, "e, walk, promenade

der Spaziergänger, –, pedestrian, stroller

die Speise, –n, food, dish

der Speisesaal, –säle, dining room

der Speisewagen, –, dining car

das Speisezimmer,–, dining room

sperren, to block

spiegeln, to reflect; sich spiegeln, to be reflected

das Spiel, -e, game, play

der Spielball, "e, ball, plaything

spielen, to play

der Spieler, -, player

der Spielmann, -leute, player, minstrel

der Spielplatz, "e, playground

die Spielsache, -n, toy

spielt mit, see mitspielen

die Spielware, -n, toy

die Spielzeugfabrik', -en, toy factory

die Spinne, -n, spider

der Spieß, money (*student slang*)

das Spital', "er, hospital

spitz, sharp, pointed

die Spitze, -n, top, peak, head, spire

der Sporenklang, "e, clang of spurs

der Sport, -e, sport, athletics

die Sportart, -en, kind of sport

sportlich, of sport

der Sportsmann, -leute, athlete, sportsman

der Sportverein', -e, athletic club

sprach, see sprechen

sprach . . . aus, see aussprechen

die Sprache, -n, language

die Sprachentwicklung, development of language

der Sprachlehrer, -, teacher of language

sprang entzwei, see entzweispringen

sprechen, sprach, gesprochen, er spricht, to speak, say

der Sprecher, -, speaker

die Spree, the Spree River

der Spreewald. Spree Forest

der Spreewälder, -, inhabitant of the Spree Forest

das Sprichwort, "er, proverb

der Springbrunnen, -, fountain

springen, sprang, ist gesprungen, to jump; das Springen, jumping

der Springer, -, leaper

springt . . . vor, see vorspringen

spritzen, to squirt

der Spruch, "e, saying, motto

das Sprüchlein, -, short gnomic poem

die Spur, -en, trace; deine Spur, trace of you

(das) St. Louis, *pr. n., largest city on the Mississippi*

der Staat, -es, -en, state; die Vereinigten Staaten, United States

staatlich, of the state

die Staatsbibliothek, -en, state library

die Staatsgewalt, authority of the state

der Staatsmann, "er, statesman

die Staatsoper, State Opera House

stach, see stechen

die Stadt, "e, city

das Städtchen, -, small city or town

das Stadium, Stadien, stadium

die Stadtmauer, -n, city wall

das Stadtschloß, "er, city castle

der Stadtteil, -e, city quarter, ward

das Stadtviertel, -, city ward or quarter, section of a city

ſtahl, *see* ſtehlen

der Stahl, steel

die Stahlware, –n, steel goods, hardware

der Stall, "e, stable

der Stamm, "e, log, trunk, tribe

ſtammen, to originate, come, spring (from)

ſtampfen, to stamp; das Stampfen, stamping

ſtampft herein, *see* hereinſtampfen

ſtand, *see* ſtehen

ſtand . . . auf, *see* aufſtehen

der Stand, "e, position; calling, profession

die Stange, –n, pole

ſtarb, *see* ſterben

ſtark, strong

die Station', –en, station

die Stätte, –n, place

ſtatt'finden, fand ſtatt, ſtattgefunden, to take place, come

die Sta'tue, –n, statue

der Staub, dust

das Staunen, astonishment

ſtechen, ſtach, geſtochen, er ſticht, to prick, sting

ſtecken, to put, stick, penetrate, be found

ſtehen, ſtand, geſtanden, to stand; ſtehen bleiben, to stop

ſtehlen, ſtahl, geſtohlen, er ſtiehlt, to steal

ſteif, stiff

ſteigen, ſtieg, iſt geſtiegen, to step, rise, ascend

ſteigt . . . empor, *see* emporſteigen

ſteil, steep

der Stein, –e, stone; der breite Stein, *middle of the street, appropriated by the students*

der Steinbogen, –, stone arch

ſteinern, of stone

die Stelle, –n, place; an Stelle (*with gen.*), instead of

ſtellen . . . auf, *see* aufſtellen

ſtellte . . . aus, *see* ausſtellen

ſtellte . . . ein, *see* einſtellen

ſtellte . . . vor, *see* vorſtellen

der Ste'phansdom, Stephen's Cathedral, Vienna

der Ste'phansturm, tower of St. Stephen's Cathedral

ſterben, ſtarb, iſt geſtorben, er ſtirbt, to die

der Stern, –e, star

das Stern(e)lein, –, little star

ſtets, always

(das) Stettin', *pr. n., city on the Baltic*

Steuben, Baron von, *pr. n., aidde-camp of Frederick the Great*

die Steuer, –n, tax

der Stickſtoff, nitrogen

ſtieg, *see* ſteigen

ſtieg . . . ein, *see* einſteigen

ſtieg . . . empor, *see* emporſteigen

ſtieg . . . hinab, *see* hinabſteigen

ſtieg . . . hinauf, *see* hinaufſteigen

ſtieß, *see* ſtoßen

der Stil, –e, style

ſtill, still, peaceful, quiet, silent

ſtillen, to satisfy, appease

die Stimme, –n, voice, vote

ſtimme . . . überein, *see* übereinſtimmen

stimmen, to vote

stimmte . . . bei, *see* beistimmen

stimmten . . . ein, *see* einstimmen

die Stirn, –en, forehead

der Stock, "e, stick

(das) Stockholm, *pr. n.*, *capital of Sweden*

das Stockwerk, –e, story

der Stoff, –e, matter, material

stolz, proud; stolz auf, proud of

der Stolzenfels, *pr. n.*, *castle on the Rhine*

der Storch, "e, stork

das Storchnest, –er, stork's nest

stören, to disturb

Storm, Theodor, *pr. n.*, *a writer of short stories*

stoßen, stieß, gestoßen, er stößt, to push, thrust

die Strafe, –n, punishment

strafen, to punish

der Strahl, –es, –en, beam

strahlen, to beam, shine

die Straße, –n, street

die Straßenbahn, –en, street railway, street car

der Straßenhändler, –, street vender

die Straßenkreuzung, –en, street crossing

Strauß, Johann, *pr. n.*, *Austrian composer*

die Strecke, –n, stretch, section of a line

der Streich, –e, trick

der Streit, –e, fight, battle, quarrel, strife

streiten, stritt, gestritten, to fight, quarrel, argue

streng, severe, strict

stritten, *see* streiten

das Strohdach, "er, thatched roof

der Strom, "e, stream, river

stromab', down stream

stromauf'wärts, up stream

strömen, to stream, rush

das Stromgebiet, –e, river basin

die Strömung, –en, current

die Stube, –n, room; die gute Stube, parlor

das Stück, –e, piece, play

stud. phil., studiosus philosophiæ, *Latin*, student of philosophy

der Student', –en, student

das Studen'tenleben, student life

das Studen'tenlied, student song

die Studentenweise, –n, student melody

die Studen'tin, –nen, woman student

der Stu'dienrat, "e, councillor of studies

die Stu'dienzeit, time spent at the university

studie'ren, to study

das Stu'dium, Studien, study

die Stufe, –n, step

der Stuhl, "e, chair

die Stunde, –n, hour, (class) period

stundenlang, for hours

der Sturm, "e, storm

der Stürmer, –, attacker, forward

stürzen, to overthrow

stürzen . . . herab, *see* herabstürzen

stürzte . . . hinab, *see* hinabstürzen

süddeutsch, south German

(das) Süddeutschland, South Germany

der Süden, south

Sudermann, Hermann, pr. n., German dramatist and novelist

südlich, southerly

der Südosten, southeast

südöstlich, southeast

der Südwesten, southwest

südwestlich, southwest

die Summe, –n, sum

der Sumpf, "e, swamp

die Sünde, –n, sin

sündig, sinful

die Suppe, –n, soup

süß, sweet

symbo'lisch, symbolic

das System', –e, system, scheme

die Szene, –n, scene

T

Tacitus, pr. n., Roman historian (55–120 A.D.), the first to write a book about Germany

die Tafel, –n, table

der Tag, –e, day

das Tagebuch, "er, diary

tagen, to deliberate, hold a session

täglich, daily

der Takt, –e, tact, time

das Tal, "er, valley; zu Tal, downstream

die Tanne, –n, fir tree, spruce

der Tannenbaum, "e, fir tree, spruce

das Tannenholz, pine wood

der Tannenwald, "er, pine forest

Tannhäuser, pr. n., minnesinger, hero of one of Wagner's operas

die Tante, –n, aunt

der Tanz, "e, dance

tanzen, to dance

der Tanzsaal, –säle, dance hall

die Tasche, –n, pocket

das Taschentuch, "er, handkerchief

die Tasse, –n, cup

die Tat, –en, deed; in der Tat, indeed

tat, see tun

die Tätigkeit, –en, activity

die Tatkraft, energy

die Tatsache, –n, fact

tatsächlich, really, as a matter of fact

der Tau, dew

das Tau, –e, rope

taucht auf, see auftauchen

tausend, thousand

das Tausend, –e, thousand

tausendjährig, a thousand years old

die Tech'nik, technical science

der Teich, –e, pond

der or das Teil, –e, part

teilen, to divide

teilen . . . mit, see mitteilen

die Teilnahme, –n, participation

der Teilnehmer, –, participant, member of the party

teils, partly

telegra'fisch, by telegraph

das Telephon', –e, telephone

das Telephonbuch, "er, telephone directory

telephonie'ren, to telephone

Tell, Wilhelm, *pr. n.*, William Tell, *Swiss legendary hero*

der Teller, –, plate

das Temperament', –e, temperament

die Temperatur', –en, temperature

das Tennis, tennis

die Terras'se, –n, terrace

teuer, expensive, costly

der Teufel, –, devil

die Teufelskunst, "e, black art, satanic magic

(das) Texas, *pr. n.*, *the largest state in U.S.*

die Textil'industrie, textile industry

das Thea'ter, –, theater

die Theateraufführung, –en, theatrical performance

der Theaterbesuch, –e, attendance at the theater

die Thomaskirche, St. Thomas Church, *in Leipzig*

der Thron, –e, throne

der Thronsaal, –säle, throne room

(das) Thüringen, *pr. n.*, Thuringia, *a state in central Germany*

Thüringer, *indecl. adj.*, Thuringian

der Thüringerwald, the Thuringian Forest

tief, deep, low, far

die Tiefe, –n, depth

das Tier, –e, animal

der Tiergarten, *pr. n.*, *large wooded park in Berlin*

der Tierpark, –e, animal park, zoo

das Tintenfaß, –fässer, inkwell

der Tisch, –e, table

die Tochter, ", daughter

der Tod, death

die Toleranz', tolerance

der Ton, "e, tone, sound

tönen, to sound

das Tor, –e, gate, goal; das Brandenburger Tor, the Brandenburg Gate, at Berlin

der Torwart, –e, guard (at the goal)

töten, to kill

die Tracht, –en, costume

die Tradition', –en, tradition

traf, *see* treffen

tragen, trug, getragen, er trägt, to wear, carry

der Träger, –, supporter, promoter

tragisch, tragic

trägt ... bei, *see* beitragen

trampeln, to stamp; das Trampeln, stamping

trat, *see* treten

traten ... hinaus, *see* hinaustreten

traten ... zurück, *see* zurücktreten

trauen (*with dat.*), to trust

der Traum, "e, dream

träumen, to dream

traurig, sad

traut, dear, beloved

treffen, traf, getroffen, er trifft, to meet, strike, hit, see; sich treffen, to meet; das Treffen, –, match

treiben, trieb, getrieben, to drive, move, carry on, indulge in; das Treiben, –, activity, bustle

trennen, to separate; sich trennen, to separate, part; getrennte Schulen, separate schools

die Trennung, –en, separation
die Treppe, –n, stair
treten, trat, getreten, er tritt, to step; vor Augen treten, to appear; treten Sie näher, step in
treu, faithful, loyal
die Treue, faithfulness
die Tribü'ne, –n, gallery
trieb, see treiben
der Trieb, –e, feeling, longing
trifft . . . an, see antreffen
trinken, trank, getrunken, to drink
tritt, see treten
der Tritt, –e, step, pace
trocken, dry
das Trocknen, drying
die Trommel, –, drum
die Trophä'e, –n, trophy
der Trost, comfort
trotz, prep. with gen., in spite of
trotzdem', still, nevertheless
trotzen, to defy
trüb, gloomy, sad
trug, see tragen
die Trümmer, pl., ruins
die Tschechoslowakei', Czecho-Slo-vakia
das Tuch, "er, cloth, kerchief, scarf
tüchtig, capable, efficient
die Tüchtigkeit, efficiency
tun, tat, getan, to do, put, make
der Tunnel, –, tunnel
die Tür, –en, door
der Türke, –n, Turk
der Turm, "e, tower
das Turnen, gymnastics
der Turner, –, gymnast

die Turnhalle, –n, gymnasium
der Turnverein, –e, gymnastic society
typisch, typical

U

übel, bad
üben, to practice
über, prep. with dat. or acc., over, above, about, across, by way of, more than; den Winter über, through the winter
überall', everywhere
übereinander, above one another
überein'stimmen, to agree
ü'berflüssig, superfluous, unnecessary
überhaupt', on the whole, altogether
überho'len, to overtake
überlie'fern, to hand down
übermorgen, day after tomorrow
überra'gen, to overtower
überra'schen, to surprise
die Überraschung, –en, surprise
überschrei'ten, überschritt, überschrit-ten, to cross
überse'hen, übersah, übersehen, er übersieht, to view, look over
übersetz'en, to translate
die Übersetz'ung, –en, translation
übertref'fen, übertraf, übertroffen, er übertrifft, to surpass
übertrie'ben, exaggerated
übertrof'fen, see übertreffen
überwa'chen, to supervise
überwin'den, überwand, überwun-den, to overcome

übrig, left, remaining; übrig bleiben, to remain; das übrige Deutschland, the rest of Germany; nichts bleibt zu wünschen übrig, nothing remains to be wished for

ü'brigens, furthermore, besides

die Übung, –en, exercise, practice; Übung macht den Meister, practice makes perfect

das Ufer, –, bank, shore

die Uhr, –en, clock, watch; um acht Uhr, at eight o'clock

die Uhrenindustrie, watch and clock industry

(das) Ulm, pr. n., a city in southern Germany

um, prep. with acc., pref., at, about, around, for; um . . . herum, around; um . . . zu, in order to

umar'men, to embrace

umge'ben, umgab, umgeben, to surround

die Umge'bung, –en, surroundings, neighborhood

umher'laufen, lief umher, ist umhergelaufen, to run around

umher'spähen, to look around

umher'ziehen, zog umher, ist umhergezogen, to wander

umrah'men, to surround, border

um'sehen, sich, sah um, umgesehen, er sieht sich um, to look around

um'wenden, sich, wandte um, umgewandt, to turn around

un'abhängig, independent

die Unabhängigkeit, independence

un'artig, naughty

un'bekannt, unknown

und, and

unend'lich, endless; ins Unendliche, into the infinite

unermüdlich, untiring

unerwartet, unexpected

der Unfall, "e, accident

ungebunden, free

ungeduldig, impatient

un'gefähr, about, approximately

un'geheuer, tremendous, enormous

un'geschützt, unprotected

un'geteilt, undivided

ungleich, unequal, uneven

unglück'lich, unfortunate

der Unglücksfall, "e, accident

die Uniform', –en, uniform

die Universität', –en, university

die Universitätsstadt, "e, university city

un'mittelbar, direct(ly)

unmög'lich, impossible

un'ruhig, restless

uns, us; see wir

unser, our

unten, below, down, downstairs

unter, prep. with dat. or acc., pref., below, among, under, amid; unter diesem Gespräch, during this conversation

unterbre'chen, unterbrach, unterbrochen, er unterbricht, to interrupt, make a break in; die Reise unterbrechen, to stop over

un'terbringen, brachte unter, untergebracht, to house, put away, store away unterbrü'cken, to subject

untereinander, among one another

un'tergebracht, *see* unterbringen

die Untergrundbahn, –en, subway

unterhal'ten, unterhielt, unterhalten, to maintain, keep up; sich unterhalten, to converse

die Unterhaltung, –en, conversation, entertainment

unterhielt', *see* unterhalten

unterneh'men, unternahm, unternommen, to undertake

der Un'terricht, instruction, teaching

unterschei'den, unterschied, unterschieden, to distinguish

der Un'terschied, –e, difference

Un'tertan, –s *or* –en; *pl.*, –en, subject

unterwegs, on the way

unvergeßlich, unforgettable

un'vorsichtig, careless, thoughtless

der Un'wille, indignation, anger

die Ur'sache, –n, cause, reason

die Ur'sprache, –n, primitive language

der Ursprung, "e, origin

das Urteil, –e, judgment

usw., und so weiter, and so forth

V

die Vase, –n, vase

der Vater, Väter, father

die Vaterstadt, native city

(das) Bene'dig, *pr. n.*, Venice, *an Italian city built on islands in the Adriatic*

Venus, *pr. n.*, Venus, *goddess of love in Roman mythology*; Frau Venus, Lady Venus

verab'reden, to talk over, arrange, agree upon, plan

verach'ten, to despise

veraltet, grown old, antiquated

der Verband, "e, union, association

verbie'ten, verbot, verboten, to forbid

verbin'den, verband, verbunden, to unite, connect, dress, bandage

die Verbindung, –en, connection, fraternity

verbot', *see* verbieten

verbrei'ten, to spread, extend; verbreitet sein, to be found

verbrin'gen, verbrachte, verbracht, to pass, spend

verbun'den, *see* verbinden

verdan'ken, to owe

das Verder'ben, destruction

verdie'nen, to earn

das Verdienst', –e, merit

der Verein', –e, society, club

verei'nen, to unite

verei'nigen, to unite; sich vereinigen, to combine; die Vereinigten Staaten, the United States

verein'zeln, to isolate, separate

verfah'ren, verfuhr, verfahren, er verfährt, to proceed, act

das Verfah'ren, –, process

verfal'len, verfiel, ist verfallen, er verfällt, to decay, fall in ruin

verfas'sen, to compose, write

die Verfas'sung, –en, constitution

verfol'gen, to pursue, follow

die Verfol'gung, –en, pursuit
die Verfü'gung, –en, disposal
vergan'gen, bygone; *see* vergehen
vergaß', *see* vergessen
verge'bens, in vain
verge'hen, verging, ist vergangen, to pass by
verges'sen, vergaß, vergessen, er vergißt, to forget
vergin'gen, *see* vergehen
vergiß', *see* vergessen
der Vergleich', –e, comparison
vergleichbar, comparable
verglei'chen, verglich, verglichen, to compare
das Vergnü'gen, –, pleasure
vergnü'gen, to amuse; sich vergnügen, to amuse oneself
vergnügt', happy, contented
die Vergnü'gung, –en, pastime, recreation, amusement
verhal'len, ist verhallt, to die *or* fade away
das Verhältnis, –se, relation, comparison; im Verhältnis zu, in proportion to
verhältnismäßig, comparatively
die Verhandlung, –en, discussion
verhei'ratet, married
verir'ren, sich, to lose one's way
der Verkauf', "e, sale
verkau'fen, to sell
der Verkäufer, –, seller, vendor
verkäuflich, for sale
der Verkaufsstand, "e, sale counter
der Verkehr', traffic, relations
das Verkehrsmittel, –, means of communication

der Verkehrsmittelpunkt, –e, center of communications, traffic center
die Verkehrspolizei, –en, traffic police
das Verkehrswesen, communications, train service, etc.
verklin'gen, verklang, ist verklungen, to die *or* fade away
verknüp'fen, to connect, unite, associate
der Verlag', –e, publishing house
verlas'sen, verließ, verlassen, er verläßt, to leave; verlassen, abandoned, forsaken
verle'ben, to pass, spend
verle'gen, to transfer
verlie'ren, verlor, verloren, to lose
verließ', *see* verlassen
verlor', *see* verlieren
vermeh'ren, to increase
vermit'teln, to arrange; den Verkehr vermitteln, to make connection
verra'ten, verriet, verraten, er verrät, to betray
verro'hen, to degenerate
der Vers, –e, strophe, stanza
(das) Versailles, *pr. n., a beautiful city 11 miles southeast of Paris, with a large palace and garden built by Louis XIV*
die Versamm'lung, –en, gathering, meeting
versank', *see* versinken
versäu'men, to miss
verschie'den, different
die Verschie'denheit, –en, difference

verschlin'gen, verschlang, verschlun=
gen, to swallow

verschlu'cken, to swallow up

verscho'nen, to spare

verschwin'den, verschwand, ist ver=
schwunden, to disappear

der Verschwo'rene, –n, conspirator

verschwun'den, see verschwinden

verse'hen, versah, versehen, er ver=
sieht, to provide

die Versi'cherung, –en, assurance

versin'ken, versank, ist versunken, to
sink; versunken war die Gegen=
wart, the present had vanished

verspre'chen, versprach, versprochen,
er verspricht, to promise

das Verspre'chen, –, promise

verspro'chen, see versprechen

verständlich, clear

verste'hen, verstand, verstanden, to
understand

verstummen, ist verstummt, to become silent, cease

der Versuch', –e, attempt

versu'chen, to try

versun'ken, see versinken

vertei'digen, to defend

der Vertei'diger, –, defender, back

die Vertei'digung, –en, defence

vertei'len, to distribute

vertieft', absorbed

die Vertiefung, –en, deepening

vertra'ten, see vertreten

vertrau'en auf, to trust in

das Vertrau'en, confidence

vertre'ten, vertrat, vertreten, er ver=
tritt, to represent, champion

der Vertreter, –, representative

die Vertretung, –en, representation

vertritt', see vertreten

verwan'deln, to change; sich ver=
wandeln, to change

verwandt', related; der Verwandte,
–n, relative

die Verwandtschaft, –en, relation-
ship

verwei'len, to stay, linger

verwei'sen auf, to refer to

verwen'den, verwandte, verwandt,
to use

verzei'hen, verzieh, verziehen (with
dat.), to pardon, excuse

der Vetter, –s, –n, cousin (m.)

verzie'ren, to adorn, embellish

verzoll'bar, dutiable

das Vieh, cattle

die Viehzucht, raising of cattle

viel, much; pl., many; so viel ich
weiß, as far as I know

vielleicht', perhaps

vier, four

viereckig, four cornered, square

vierfach, fourfold

vierstöckig, of five stories; the first
floor being das Parterre

vierte, fourth

das Viertel, –, fourth, quarter

vierundzwanzig, twenty-four

vierundzwanzigste, twenty-fourth

der Vierwaldstättersee, pr. n., Lake
Lucerne, in Switzerland

vierzehn, fourteen

die Villa, Villen, villa, residence

die Visi'tenkarte, –n, card, calling
card

der Vogel, Vögel, bird

Vogelweide, Walter von der, pr. n., minnesinger (circa 1170-1230), the most celebrated of medieval German lyric poets

das Volk, "er, people

das Völkerschlachtdenkmal, Monument of the Battle of the Nations, at Leipzig

die Völkerwanderung, migration of nations

die Volksdichtung, popular poetry

der Volksgarten, lit. people's garden, city park in Vienna

die Volkshochschule, –n, people's university

die Volksküche, –n, people's kitchen

das Volkslied, –er, folksong

die Volkspartei', –en, people's party; die deutsche Volkspartei, the German People's Party

die Volksschule, –n, grade school

die Volksseele, mind or soul of the people

die Volkssitte, –n, custom of the people

die Volksweise, –n, folk melody

die Volkswirtschaft, economics, economic system

voll, full

vollen'den, to complete, finish

vollkom'men, perfect

voll'ständig, complete

vom, von dem

von, prep. with dat., of, by, from; von . . . an, from; von . . . aus, from; von hier aus, from here

vor, prep. with dat. or acc., before, in front of, ago; vor allem, above all; vor einigen Jahren, a few years ago

vorbei', adv. and sep. pref., by, past, over

vorbei'fahren, fuhr vorbei, ist vorbeigefahren, er fährt vorbei, to pass by; an (with dat.) vorbeifahren, to pass

vorbei'führen, to lead past

vorbei'gehen, ging vorbei, ist vorbeigegangen, to pass by, go by

vorbei'gleiten, glitt vorbei, ist vorbeigeglitten, to glide by

vorbei'kommen, kam vorbei, ist vorbeigekommen, to come by or past, pass

vorbei'sausen, ist vorbeigesaust, to whiz by

vorbei'wandern, ist vorbeigewandert, to wander past

vor'bereiten, to prepare

die Vor'bereitung, –en, preparation

die Vor'bildung, –en, preparation

der Vor'derteil, –e, front part, prow (of ship)

der Vorfahr, –s or –en, –en, ancestor

der Vorfall, "e, incident

vorhanden, at hand; vorhanden sein, to be found

der Vorhang, "e, curtain

vorher', previously, before

vor'herrschen, to prevail; vorherrschend, prevailing, predominant

vorhin', a while ago

vor'kommen, kam vor, ist vorgekom=
men, to occur, happen

die **Vor'lesung,** –en, lecture

die **Vorliebe,** preference, liking

der **Vor'mittag,** –e, forenoon; vor=
mittags, in the forenoon

vorn, in front; ganz vorn, in the
very front

vornehm, distinguished, fashion-
able

der **Vorort,** –e, suburb

der **Vorrang,** pre-eminence

der **Vorrat,** "e, supply

das **Vorrecht,** –e, privilege

der **Vorschlag,** "e, suggestion, motion

vor'schlagen, schlug vor, vorgeschla=
gen, er schlägt vor, to suggest,
propose

die **Vorschrift,** –en, order, direction

der **Vorsitzende,** –n, chairman,
president

vor'springen, sprang vor, ist vorge=
sprungen, to jut forth, project

der **Vorsprung,** "e, projection,
ledge

vor'stellen, to introduce

die **Vor'stellung,** –en, introduction

der **Vorteil,** –e, advantage

der **Vortrag,** "e, lecture

vorü'ber, over

vorü'bergehen, ging vorüber, ist vor=
übergegangen, to pass

vorü'berkommen, kam vorüber, ist
vorübergekommen, to pass

vorü'berziehen, zog vorüber, ist vor=
übergezogen, to pass by

vorwärts, ahead, forward, on-
ward; es geht vorwärts, progress is being made

vor'ziehen, zog vor, vorgezogen, to
prefer

W

wach, awake

die **Wache,** –n, watch, guard

wachen, to wake, watch

wachsen, wuchs, ist gewachsen, er
wächst, to grow, increase

die **Wachsfigur,** –en, wax figure

der **Wachtturm,** "e, watch tower

die **Waffe,** –n, weapon, arms

der **Wagen,** –, car, chariot, wagon,
buggy, coach

wagen, to risk

das **Wagenrad,** "er, wagon wheel

der **Wagenraum,** "e, space in a car

der **Wagner,** –, wheelwright

Wagner, Richard, *pr. n., famous
German composer of music dra-
mas (1813-1883)*

die **Wahl,** –en, election

wählen, to choose, elect

der **Wahlspruch,** "e, motto

wahr, true; nicht wahr, is it not so?

während, *prep. with gen.,* during;
conj., while

die **Wahrheit,** –en, truth

wahrlich, truly

das **Wahrzeichen,** –, landmark

der **Wald,** "er, forest, wood, grove

Wallenstein, *pr. n., a prominent
general in the Thirty Year's
War, opposed by Gustavus Adol-
phus of Sweden*

walten, to rule, prevail, hold sway

der Walzer, –, waltz

der Walzerkönig, Waltz King

die Wand, "e, wall

der Wanderer, –, wanderer, pedestrian

die Wanderlust, desire to travel

wandern, to walk, go, wander, hike; das Wandern, wandering, hiking

wandern . . . vorbei, see vorbeiwandern

die Wanderung, –en, walk, excursion; eine Wanderung machen, to journey on foot, hike

der Wandervogel, –vögel, 'wander bird', youthful hiker, *belonging to a widespread organization of young German wanderers*

wandte, see wenden

wandten . . . um, see umwenden

wandten . . . zu, see zuwenden

die Wange, –n, cheek

wanken, to stagger, reel

(das) Wannsee, *pr. n., resort near Potsdam, on the Havel*

wann, when

das Wappen, –, coat of arms

war, see sein

die Ware, –n, ware, article, product

wäre, *impf. subj.* of sein

das Warenhaus, "er, shop, warehouse

warf, see werfen

warf hinab, see hinabwerfen

warm, warm

die Wärme, warmth

wärmen, to warm

(das) Warschau, *pr. n.*, Warsaw, *capital of Poland*

die Wartburg, *pr. n., famous old castle in Thuringia*

warten, to wait

warum, why

was, *interrog. pron.*, what; *rel.*, that, which; *for* etwas, something; was für ein, what kind of

die Wäsche, linen, washing (*clothes*)

Washington, *pr. n.*

das Wasser, –, water, stream

das Wasserballspiel, –e, water polo

der Wasserfall, "e, waterfall

das Wasserglas, "er, water glass

die Wassermasse, –n, mass of water

die Wasserstraße, –n, canal, *lit.*, water street

wechseln, to alternate

wechseln ab, see abwechseln

der Weg, –e, way, road; fünf Minuten Wegs entfernt, a five minute walk distant; sich auf den Weg machen, to start

weg, *adv. and sep. pref.*, away, gone

wegen, *prep. with gen., noun sometimes preceding*, on account of

weg'reißen, riß weg, weggerissen, to tear away

das Weh, –e, woe, sorrow, grief, cry of woe

wehen, to blow, waft, wave; kühl wehte es, there was a cool breeze

wehmütig, sad, melancholy

wehren, sich, to defend oneself

weichen, wich, ist gewichen, to yield; der Nebel wich, the fog lifted weichen . . . ab, *see* abweichen

weichlich, effeminate

die Weichſel, Vistula River

die Weide, –n, pasture

weiden, to graze, feed

weihen, to consecrate

die Weihnachten, –, Christmas

der Weihnachtsbaum, "e, Christmas tree

das Weihnachtseſſen, –, Christmas dinner

die Weihnachtsferien, *pl.*, Christmas vacation

das Weihnachtsfeſt, –e, Christmas festival

die Weihnachtskrippe, –n, Christmas crib

das Weihnachtslied, –er, Christmas song

der Weihnachtsmann, Santa Claus

die Weihnachtszeit, Christmas season

weil, because

die Weile, time, while

weilen, to stay

(das) Weimar, *pr. n.*, *capital of Thuringia*

der Wein, –e, wine

der Weinbau, viniculture

der Weinberg, –e, vineyard

weinen, to cry, weep; das Weinen, weeping

der Weinkeller, –, wine cellar

weiſe, wise; die drei Weiſen, the three wise men

die Weiſe, –n, way, manner, method; melody; die Art und

Weiſe wie, the way in which; auf dieſe Weiſe, in this way

weiß, *see* wiſſen

weiß, white

weit, broad, wide, extensive; far, distant; von weitem, from afar

weiter, on, farther, further, more advanced; weiter hin, farther along

wei'terfahren, fuhr weiter, iſt weitergefahren, to go on, proceed

wei'tergehen, ging weiter, iſt weitergegangen, to continue, go on, proceed; es ging weiter, they went on

weither', from afar; von weither, from afar off

weithin', afar, far away

der Weizen, wheat

welch, *rel. and interrog. pron.*, which, what, that, who

die Welle, –n, wave

die Welt, –en, world; alle Welt, everybody

die Weltausſtellung, –en, world exposition

weltbekannt, world renowned

weltberühmt, world famous

der Welthandel, world trade

weltlich, secular

die Weltmeiſterſchaft, –en, world championship

die Weltſtadt, "e, metropolis

der Weltſtadtverkehr, traffic in a metropolitan city

wem, *see* wer

wen, *see* wer

der Wende, –n, Wend

wenden, wandte *or* wendete, gewandt *or* gewendet, to turn; ſich wenden, to turn

wendet ... um, *see* umwenden

wenig, little; *pl.*, wenige, few; weniger, less

wenn, if, when, whenever

wer, weſſen, wem, wen, *interrog. pron.*, who, whose, whom; *rel. pron.*, he who, the one who

werden, wurde *or* ward, iſt geworden, er wird, to become; shall, will (*auxil. of the future*); am, is, are (*auxil. of the passive*); werden zu, to become

werfen, warf, geworfen, er wirft, to cast, throw

die Werft, –en, wharf, shipyard

das Werk, –e, work, factory, works

wert, worth

wertvoll, valuable

das Weſen, –, nature, disposition

die Weſer, the Weser River

weſſen, whose

weſtdeutſch, West German

(das) Weſtdeutſchland, West Germany

die Weſte, –n, vest

der Weſten, west

der Weſtfale, –n, Westphalian

(das) Weſtfalen, *pr. n.*, Westphalia

weſtlich, west, western

das Wetter, –, weather

der Wettkampf, ˮe, contest

das Wettſpiel, –e, match

wich, *see* weichen

der Wichs, gala attire

wichtig, important

die Wichtigkeit, importance

widmen, to dedicate

wie, as, like, how

wieder, *adv. and sep. pref.*, again

wie'derkommen, kam wieder, iſt wiedergekommen, to come again

wie'derkehren, iſt wiedergekehrt, to return

wie'derſehen, ſah wieder, wiedergeſehen, to see again; das Wiederſehen, meeting again; auf Wiederſehen, goodby, until we meet again

(das) Wien, Vienna, *capital of the Austrian Republic*

der Wiener, –, Viennese

der Wiener-Donaukanal', *pr. n.*, Vienna Danube Canal

die Wieſe, –n, meadow

wieſo, how so, in what respects

wieviel, how much, how many

wild, wild; die Wilden, barbarians, 'barbs', *students not members of a fraternity*

Wilhelm der Erſte, William I (*1797-1888*), *King of Prussia and German Emperor*

Wilhelm der Zweite, William II, *born 1859, King of Prussia and German Emperor from 1888 to 1918*

will, *see* wollen

der Wille(n), –ns, –n, will

Willigis, *pr. n., archbishop in Mainz 975-1011*

willkom'men, welcome; willkommen heißen, to bid welcome

der Wind, –e, wind

der Winkel, –, corner, nook

winken, to beckon, greet; das Winken, waving

winkte . . . heran, *see* heranwinken

der Winter, –, winter

der Winterabend, –e, winter evening

das Wintersemester, –, winter semester

der Wintersport, –e, winter sport

der Wintersportplatz, "e, resort for winter sports

winzig, tiny

wir, unser, uns, we

wirken, to work

wirklich, really

die Wirtschaft, –en, inn

wissen, wußte, gewußt, er weiß, to know

die Wissenschaft, –en, science

wissenschaftlich, scientific

witzig, witty

wo, where; *rel. adv.*, when; von wo aus, from where

die Woche, –n, week

wöchentlich, weekly

wodurch', by what

wofür', for which, for what

woher', from where, whence

wohin', where, whither

wohl, well, probably, I suppose

der Wohlstand, prosperity

wohnen, to live

das Wohnhaus, "er, dwelling house

der Wohnraum, "e, living room

der Wohnsitz, –e, residence

das Wohnzimmer, –, living room

die Wolke, –n, cloud

der Wolkenkratzer, –, skyscraper

wolkenlos, cloudless

wollen, er will, to wish, will, desire to, want to, intend

womit', with which, with what

woran', to what, of what

worauf', whereupon, of what

woraus', from what, of what

worden, geworden, *see* werden

worin', where, wherein, in which

das Wort, "er *or* –e, word

wörtlich, literally

worü'ber, over what, about what

worum', for what

wovon', of which, of what

wozu', for what, to what

der Wuchs, stature

wuchs, *see* wachsen

das Wunder, –, miracle

wun'derbar, wonderful

wundern: es wundert mich, it surprises me

wun'dersam, remarkable, wonderful

wun'derschön, wondrously beautiful

wun'dervoll, wonderful

der Wunsch, "e, wish, desire

wünschen, to wish, desire, want; das Gewünschte, that which is desired

der Wunschzettel, –, list of what one hopes to receive

wurde, *see* werden

würde, *conditional of* werden

die Würde, –n, degree, dignity

würdig, *with gen.*, worthy of

die Wurst, "e, sausage

(das) Württemberg, *pr. n., a state in southern Germany*

wütend, furious

3

die Zahl, –en, number

zählen, to number, count

zahlreich, numerous

zärtlich, tender

der Zauber, –, charm

der Zauberer, –, magician, sorcerer

der Zauberlehrling, –e, magician's apprentice

z. B., zum Beispiel, for example

zehn, ten

zehnte, tenth

das Zeichen, –, sign, mark, emblem, signal; Zeichen zum Mittagessen, call for dinner

der Zeichensaal, –säle, class room for drawing

zeichnen, to sketch, draw

zeigen, to show, point; sich zeigen, to appear

die Zeile, –n, line

die Zeit, –en, time, period; die alte Zeit, the past; die neue Zeit, today; eine Zeitlang, for a while

die Zeitschrift, –en, magazine, periodical

die Zeitung, –en, newspaper

das Zentrum, the Center, *the Catholic party in the Reichstag*

der Zeppelin, –e, Zeppelin, *German dirigible*

zerbre'chen, zerbrach, zerbrochen, er zerbricht, to break

zerstö'ren, to destroy

der Zettel, –, piece of paper

der Zeuge, –n, witness

zeugen, to testify, give evidence

das Zeughaus, "er, armory

die Ziege, –n, goat

der Ziegel, –, tile

ziehen, zog, gezogen, to draw, pull; *with* sein *as auxil.*, to move, march, migrate; Kreise ziehen, to soar; die Lehre ziehen, to learn the lesson

zieht ... vor, *see* vorziehen

zieht ... vorüber, *see* vorüberziehen

das Ziel, –e, goal, aim

ziemlich, rather, somewhat, quite

die Zierde, –n, adornment, ornament, credit

zieren, to adorn

die Zigarre, –n, cigar

die Zigarette, –n, cigarette

das Zimmer, –, room

das Zink, zinc

die Zipfelmütze, –n, peaked cap

zirpen, to chirp

das Zischen, hissing

zog, *see* ziehen

zog fort, *see* fortziehen

zogen ... herab, *see* herabziehen

zogen ... hin, *see* hinziehen

zogen ... zurück, *see* zurückziehen

zögern, to hesitate

der Zoll, "e, duty, toll

zoologisch, zoological

zornig, angry

zu, *prep. with dat.*, to, at, in, for; *adv.*, too; nach Süden zu, toward the south; zu ... hinauf, up to zu'bereiten, to prepare

zu'bringen, brachte zu, zugebracht,
to spend

der Zucker, sugar

die Zuckerrübe, –n, sugar beet

zu'eilen, ist zugeeilt, to run towards, hasten towards

zuerst', first

die Zufrie'denheit, satisfaction

der Zug, "e, train; expedition,
progress

zu'geben, gab zu, zugegeben, er gibt
zu, to admit

zu'gefroren, frozen

zu'gemacht, see zumachen

zu'genommen, see zunehmen

zugleich', at the same time, likewise

zu'hören, to listen; das Zuhören,
listening in (of radio)

der Zu'hörer, –, listener

zu'klappen, to slam

die Zu'kunft, future

zuletzt', finally, last

zum, zu dem

zu'machen, to shut, close

zunächst', first

zündet . . . an, see anzünden

zu'nehmen, nahm zu, zugenommen,
er nimmt zu, to increase

zur, zu der

zurück', adv. and sep. pref., back,
behind

zurück'blicken, to look back

zurück'eilen, ist zurückgeeilt, to hurry
back

zurück'gehen, ging zurück, ist zurück-
gegangen, to go back, return

zurück'gekommen, see zurückkommen

zurück'getrieben, see zurücktreiben

zurück'gezogen, see zurückziehen

zurück'haltend, reserved

zurück'kehren, ist zurückgekehrt, to
return

zurück'kommen, kam zurück, ist zurückgekommen, to return

zurück'lassen, ließ zurück, zurückgelassen, er läßt zurück, to leave
behind

zurück'laufen, lief zurück, ist zurück-
gelaufen, er läuft zurück, to run
back

zurück'lehnen, sich, to lean back

zurück'reichen, to go back

zurück'rufen, rief zurück, zurückgeru-
fen, to call back

zurück'schauen, to look back

zurück'treiben, trieb zurück, zurückgetrieben, to drive back, repel

zurück'treten, trat zurück, ist zurück-
getreten, er tritt zurück, to recede

zurück'ziehen, zog zurück, zurückgezogen, to withdraw; sich zurückziehen, to withdraw

zu'rufen, rief zu, zugerufen, to call
to, salute

zusammen, adv. and sep. pref., together

zusam'menbinden, band zusammen,
zusammengebunden, to tie together

der Zusam'menfluß, "sse, flowing
together, confluence

zusam'mengebunden, see zusammen-
binden

zusam'menhalten, hielt zusammen, zusammengehalten, to hold, (keep) together

zusam'menhängen, hing zusammen, zusammengehangen, to be connected

zusam'menkommen, kam zusammen, ist zusammengekommen, to gather, meet

die Zusam'menkunft, "e, meeting

zusam'menliegen, lag zusammen, zusammengelegen, to lie together

zusam'mentreffen, traf zusammen, zusammengetroffen, mit, to meet

zu'schauen, to look on; das Zuschauen, looking on

der Zu'schauer, -, spectator

zu'sehen, sah zu, zugesehen, er sieht zu, to look at

der Zustand, "e, condition

zu'wenden, wandte (or wendete) zu, zugewandt or zugewendet, to turn to

zuwei'len, sometimes

der Zwang, compulsion

zwanzig, twenty

zwar, indeed, to be sure; und zwar, namely

der Zweck, -e, purpose

zweck'mäßig, practical

zwei, two

der Zweifel, -, doubt

der Zweig, -e, branch

zweihundert, two hundred

zweimal, twice

zweitägig, of two days

zweitausend, two thousand

zweite, second

zweitgrößte, second largest

zweiundzwanzig, twenty-two

der Zwerg, -e, dwarf

der Zwiebelturm, "e, lit., Onion Tower, of the Frauenkirche in Munich, so called from the shape of the dome

zwingen, zwang, gezwungen, to compel

zwischen, prep. with dat. or acc., between

der Zwischenruf, -e, loud interruption, heckling

zwölf, twelve